A CORAGEM
para
LIDERAR

BRENÉ BROWN

A CORAGEM para LIDERAR

Tradução
Carolina Leocadio

29ª edição

Rio de Janeiro | 2025

CIP-BRASIL. CATALOGAÇÃO NA PUBLICAÇÃO
SINDICATO NACIONAL DOS EDITORES DE LIVROS, RJ

B897c
29ª ed.
    Brown, Brené
    A coragem para liderar: trabalho duro, conversas difíceis, corações plenos / Brené Brown; tradução Carolina Leocadio. – 29ª ed. – Rio de Janeiro: Best*Seller*, 2025.

    Tradução de: Dare to lead
    Inclui bibliografia
    ISBN 978-85-465-0175-5

    1. Liderança. 2. Coragem. 3. Motivação (Psicologia). 4. Autorrealização (Psicologia). I. Leocadio, Carolina. II. Título.

19-56676
    CDD: 153.8
    CDU: 159.947

Vanessa Mafra Xavier Salgado – Bibliotecária – CRB-7/6644

Texto revisado segundo o novo Acordo Ortográfico da Língua Portuguesa.

Título original
DARE TO LEAD

Copyright © 2018 by Brené Brown
Copyright da tradução © 2019 by Editora Best Seller Ltda.

Todos os direitos reservados. Proibida a reprodução, no todo ou em parte, sem autorização prévia por escrito da editora, sejam quais forem os meios empregados.

Direitos exclusivos de publicação em língua portuguesa para o Brasil
adquiridos pela
EDITORA BEST SELLER LTDA.
Rua Argentina, 171, parte, São Cristóvão
Rio de Janeiro, RJ – 20921-380
que se reserva a propriedade literária desta tradução

Impresso no Brasil

ISBN 978-85-465-0175-5

Seja um leitor preferencial Record.
Cadastre-se no site www.record.com.br e receba informações
sobre nossos lançamentos e nossas promoções.

Atendimento e venda direta ao leitor
sac@record.com.br

*Para meu amigo Charles Kiley. Quem diria que deixaríamos nosso trabalho servindo mesas para vender exemplares do meu primeiro livro, publicado de forma independente, no quarto extra da sua casa, para então trabalhar como líderes lado a lado? Eu não teria conseguido sem você.
#outrageous #pingpong #playsomecheap*

SUMÁRIO

Uma nota de Brené   9

Introdução
LÍDERES DESTEMIDOS E CULTURAS DE CORAGEM   21

Parte um
ENCARANDO A VULNERABILIDADE   33

   Seção um
   O MOMENTO E OS MITOS   35

   Seção dois
   O CHAMADO DA CORAGEM   59

   Seção três
   O ARSENAL   83

   Seção quatro
   VERGONHA E EMPATIA   129

   Seção cinco
   CURIOSIDADE E CONFIANÇA FUNDAMENTADA   173

Parte dois
VIVER DE ACORDO COM NOSSOS VALORES   191

Parte três
CONFRONTAR PARA CONFIAR   **225**

Parte quatro
APRENDER A SE LEVANTAR   **245**

Agradecimentos   **279**
Notas   **283**

uma nota de Brené

Muitas vezes me perguntam se ainda fico nervosa quando falo em público. A resposta é sim. Sempre fico nervosa. A experiência me ajuda a não ter medo, mas ainda fico nervosa. Em primeiro lugar, é um momento em que as pessoas estão me oferecendo o bem mais valioso que possuem: seu tempo. O tempo é, de longe, nosso recurso mais cobiçado e não renovável. Se receber de presente um dos bens mais valiosos de que alguém dispõe não deixa você com um nó na garganta ou com um frio na barriga, então você não está prestando atenção.

Em segundo lugar, falar em público é um ato de vulnerabilidade. Eu não decoro minhas falas nem tenho piadinhas prontas que reproduzo a cada apresentação. Falar em público com eficiência se trata da imprevisível e incontrolável arte da conexão. Mesmo que seja só eu no palco, diante de cerca de dez mil pessoas sentadas em cadeiras dobráveis num centro de convenções, procuro olhar no maior número de olhos que eu puder. Então, sim, sempre fico nervosa.

Ao longo destes anos, desenvolvi alguns truques que me ajudam a manter a tranquilidade. Embora isso enlouqueça a equipe de produção dos eventos, sempre peço que deixem a iluminação do palco funcionando com 50% da capacidade. Quando ela está a 100%, é impossível enxergar a plateia, e não gosto da sensação de falar para o nada. Preciso ver rostos suficientes para ter certeza de que estamos em sintonia. *Será que as palavras e imagens estão nos deixando mais próximos ou mais distantes? Será que eles estão reconhecendo as próprias experiências nas minhas histórias?* As pessoas fazem expressões faciais bem específicas quando escutam algo que lhes soa verdadeiro. Elas mexem a cabeça, concordando, sorriem e às vezes cobrem o rosto com as mãos. Quando não está dando certo, inclinam a cabeça um pouco para o lado e dão menos risadas.

Tenho outro truque, que uso quando algum organizador ansioso tenta me encorajar descrevendo as pessoas na plateia. Ele pode falar: "Ei, Brené, só para você saber, hoje na plateia tem uns militares de alto escalão." Eles mencionam chefões de grandes empresas, membros da elite de alguma categoria muito especial, pessoas com os feitos mais notáveis do planeta ou a minha favorita: "Na verdade, são cientistas que provavelmente vão odiar o que você tem a dizer, então tente se ater apenas aos dados." Essa estratégia é muito empregada quando as pessoas parecem meio resistentes pois não sabem por que estou ali ou, pior, não sabem por que elas foram forçadas a estar ali comigo.

Nesses casos, minha estratégia é uma versão do clássico truque de "fingir que o público está pelado". Em vez de imaginar que há pessoas nuas sentadas nas cadeiras do auditório, o que não dá muito certo para mim, imagino as pessoas sem suas armaduras de títulos, cargos, poder e influência. Quando vejo na plateia uma mulher com os lábios contraídos e os braços cruzados bem firmes contra o peito, penso em como ela era na terceira série. Se minha atenção se volta para um cara que não para de balançar a cabeça e dizer coisas como "vencedores não demonstram fraqueza no trabalho", tento visualizá-lo com uma criança no colo ou sentado diante do terapeuta. *Ou, sendo bem sincera, diante do terapeuta que acho que ele devia procurar.*

Antes de subir no palco, sussurro a palavra *pessoas* para mim mesma umas três ou quatro vezes. "Pessoas, pessoas, pessoas, pessoas." Essa estratégia surgiu do desespero, há uma década, em 2008, quando dei o que considero minha primeira palestra para uma plateia de lideranças empresariais. Eu havia participado de mesas-redondas em hospitais e tinha dado palestras sobre saúde comportamental, mas a diferença entre essas experiências e o simples fato de estar ali de pé naquela sala de carpete verde era perceptível.

Eu tentava encontrar um lugar para me acomodar numa sala com vinte outros palestrantes — todos aguardando serem chamados para apresentar suas palestras de vinte minutos, bem ao estilo TED Talk, num evento que duraria o dia todo — quando uma sensação solitária de não pertencimento e deslocamento começou a tomar conta de mim. Primeiro, verifiquei se não era uma questão de gênero, porque até hoje é comum eu ser a única palestrante mulher nos bastidores desse tipo de evento. Mas não era isso. E não era saudade de casa, pois eu estava a trinta minutos da minha, em Houston.

Quando ouvi os organizadores do evento falando com o público, afastei um pedacinho das pesadas cortinas de veludo que separavam a sala de carpete verde do auditório e dei uma espiada. Parecia uma convenção da Armani — fileiras quase inteiramente compostas por homens de camisas brancas e ternos muito escuros.

Fechei a cortina e entrei em pânico. O cara que estava ao meu lado era um palestrante jovem e cheio de energia que, dava para ver, fazia amizade com todo mundo. Nem tenho certeza do que ele estava dizendo quando eu o interrompi no meio de uma frase:

— Minha nossa. Eles são todos homens de negócios, executivos. Ou agentes do FBI.

Ele deu uma risadinha.

— É uma conferência para os C-levels. Não te falaram?

O sangue foi se esvaindo do meu rosto enquanto eu me sentava na cadeira vazia ao meu lado.

— Você sabe, CEOs, COOs, CFOs, CMOs, CHROs... — explicou ele.

Tudo que eu conseguia pensar era: *Não tem a menor chance de eu contar a verdade para esse cara.*

Ele se ajoelhou ao meu lado e pôs a mão no meu ombro.

— Tudo bem?

Não sei se foi o sotaque australiano, o sorriso largo, ou o nome dele, Pete, que tornaram aquele cara instantaneamente confiável, mas eu me virei para ele e revelei:

— Me falaram que era um público C-level, mas achei que isso significava gente mais pé no chão. Eu tinha entendido que eram pessoas *sea-level*, com *sea* de mar em inglês. Tipo no nível do mar.

Ele deu uma gargalhada enorme e disse:

— Que fantástico! Você devia usar isso!

Eu o olhei nos olhos e respondi:

— Isso não tem graça. Vou falar sobre ter vergonha e o perigo de não acreditar que nós somos suficientes. — Após uma longa pausa, acrescentei: — Ironicamente.

A essa altura uma mulher de Washington, D.C., que estava lá para dar sua palestra de vinte minutos sobre a indústria de petróleo, parou do nosso lado. Ela me olhou e falou:

— Vergonha? O sentimento? Tipo de *envergonhado*?

Antes que eu pudesse admitir que sim, ela disse:

— Interessante. Antes você do que eu.

E saiu.

Nunca vou me esquecer da resposta de Pete:

— Dê uma olhada na plateia de novo. São pessoas. Apenas pessoas. Ninguém fala com esses caras sobre vergonha, e cada um deles está atolado de trabalho até o pescoço. Igualzinho a todos nós. Olhe pra eles. São só pessoas.

Acho que a verdade por trás daquele conselho ou a reflexão sobre o meu tema mexeu com ele, porque o rapaz se levantou, apertou o meu ombro e se afastou. Na mesma hora peguei meu notebook e pesquisei "expressões populares de negócios e MBA". *Talvez eu consiga dar uma melhorada no meu tema enfiando uns jargões de negócios.*

Droga. Era como ler *Old Hat, New Hat*, o livro da Família Urso que meus filhos adoravam quando eram pequenos. É a história de quando Papai Urso vai à loja de chapéus e experimenta cinquenta chapéus diferentes para substituir o antigo, já velho e surrado. Mas é claro que todos os chapéus novos têm algum problema: "Largo demais. Apertado demais. Pesado demais. Leve demais." Ele fica nisso por várias páginas até chegar à conclusão óbvia de que devia ficar com o chapéu velho e feio, que serve perfeitamente nele.

Comecei a sussurrar para mim mesma algumas daquelas expressões para ver se funcionavam.

Long pole? Alto demais.
Caminho crítico? Cheio demais.
Skip-level? Parece amarelinha.
Incentivo? Talvez?
Incentivizar? Espera aí. O quê? Ah, não. Não podem simplesmente adicionar "izar" às palavras.

Felizmente, meu marido, Steve, me ligou e interrompeu minha pesquisa sobre o mundo dos negócios da Família Urso.

— Como estão as coisas? Está pronta?

— Não! Está tudo um caos total — respondi. Depois que expliquei toda a situação, ele ficou mudo.

Então, usando sua voz séria — que normalmente era reservada para pais desesperados que ligavam atrás de conselhos médicos (ele é pediatra) ou para mim quando estou entrando em pânico —, ele disse:

— Brené, me prometa que não vai usar nenhuma dessas expressões ridículas. Estou falando sério.

A essa altura eu estava quase aos pratos. Sussurrei:

— Prometo. Mas você tinha que ver as pessoas que estão aqui. Parece um funeral. E não um funeral da minha família, não um funeral com caipiras arrumadinhos e um chapéu de caubói mais sóbrio e adequado. É tipo um funeral inglês. Ou um cortejo fúnebre de *Família Soprano*.

— Ouça o conselho daquele cara e dê outra olhada na plateia. Eles de fato são só pessoas. Como você e eu. Como nossos amigos. Tem gente aí que você conhece, não é? São pessoas de verdade, com vidas reais e problemas reais. Faça o que *você* sabe fazer.

Ele disse que me amava e nós desligamos. Levantei e fui espiar pela cortina mais uma vez. O lugar estava mais escuro, e um palestrante falava no palco. Eu queria ver o rosto das pessoas na plateia, mas de onde estava, na lateral do palco, ficava difícil. De repente, como numa cena de filme em câmera lenta, um cara grande e careca se virou para cochichar algo para o sujeito sentado ao lado e eu vi o rosto dele.

Engasguei e fechei a cortina. *Conheço aquele cara.* Ficamos sóbrios mais ou menos na mesma época e frequentávamos as mesmas reuniões do AA nos anos 1990. Não dava para acreditar. Fiquei ali sentada imaginando se estaria presenciando um milagre quando meu novo amigo Pete se aproximou.

— Você está bem? — perguntou.

Eu sorri.

— Estou. Acho que sim. São só pessoas, certo?

Ele me deu um tapinha no ombro e disse que havia uma mulher parada na porta da sala verde pedindo para falar comigo. Agradeci outra vez e fui ver quem estava me procurando. Era a minha vizinha! Na época, ela era sócia-gerente de um escritório de advocacia e tinha ido ao evento com vários sócios e alguns clientes. Falou que só queria me cumprimentar e desejar boa sorte. Demos um abraço rápido e ela retornou para as portas do auditório. Atravessei o saguão e saí um pouco para tomar um ar.

Talvez ela nunca saiba como foi importante para mim vê-la naquele dia. Senti gratidão pela gentileza e pelo contato, mas foi o simples ato de vê-la ali que fez toda a diferença. Sim, ela era sócia de um prestigiado escritório de advocacia, mas também era uma filha que recentemente tinha transferido a mãe de um asilo para uma residência para pacientes terminais. Ela também era uma mãe e esposa que estava passando por um divórcio complicado.

Pessoas. Pessoas. Pessoas.

A experiência naquele dia foi eletrizante. O público e eu ficamos em total sintonia e profundamente conectados. Nós gargalhamos. Choramos. A plateia se curvou tanto para escutar o que eu falava sobre vergonha, expectativas inatingíveis e perfeccionismo que achei que iam cair das cadeiras. Foi o máximo.

Antes de voltar para a faculdade para estudar serviço social, no início dos anos 1990, eu estava desbravando o mundo corporativo numa das empresas que figurava na *Fortune 10*. Larguei o emprego para cursar serviço social, e na época, não imaginava que retornaria para aquele universo que, para mim, representava o oposto daquilo em que eu acreditava: coragem, vínculo, propósito.

Durante os primeiros anos da minha pesquisa de doutorado, eu me dediquei à gestão de mudanças em sistemas e à monitoração do ambiente organizacional. Acabei mudando de rumo e escrevi minha tese sobre vínculo e vulnerabilidade. Nunca pensei que retornaria à área de desenvolvimento organizacional, pois não era muito apaixonada por isso na época.

A palestra daquele dia foi um momento decisivo na minha carreira. A experiência profunda que tive com a plateia me fez questionar se eu não tinha cometido um erro quando decidi que dois dos meus interesses se excluíam mutuamente. *Como seria combinar coragem, vínculo e propósito com o universo do trabalho?*

Outra coisa estranha que aconteceu naquele dia acabou gerando uma mudança radical na minha carreira no mercado de palestras. Havia diversos agentes de palestrantes presentes no evento e, depois que as avaliações do público foram passadas para os palestrantes e seus agentes, todos eles me ligaram perguntando sobre os meus objetivos profissionais. Após alguns poucos meses de reflexão, decidi retomar meu caminho no mundo da liderança e do desenvolvimento organizacional. Mas dessa vez o foco seria outro: pessoas, pessoas, pessoas.

Não é o crítico que importa

Em 2010, dois anos após aquele evento, escrevi *A arte da imperfeição*, um livro que apresentava a minha pesquisa sobre as dez orientações para a plenitude. Ele alcançou um público grande, entre gestores de empresas, líderes comunitários, religiosos e de organizações filantrópicas.

Depois de dois anos, em 2012, aperfeiçoei minha abordagem em vulnerabilidade e coragem e escrevi *A coragem de ser imperfeito*. Foi meu primeiro livro a incluir descobertas sobre o que eu estava aprendendo a respeito de liderança e o que observava em meu trabalho com organizações.

A epígrafe de *A coragem de ser imperfeito* traz a seguinte citação de Theodore Roosevelt:

Não é o crítico que importa; nem aquele que aponta onde foi que o homem tropeçou ou como o autor das façanhas poderia ter feito melhor. O crédito pertence ao homem que está por inteiro na arena da vida, cujo rosto está manchado de poeira, suor e sangue; que luta bravamente; que erra, que decepciona, porque não há esforço sem erros e decepções; mas que, na verdade, se empenha em seus feitos; que conhece o entusiasmo, as grandes paixões; que se entrega a uma causa digna; que, na melhor das hipóteses, conhece no final o triunfo da grande conquista e que, na pior delas, se fracassar, ao menos fracassa ousando grandemente.

Encontrei essa citação durante um período particularmente complicado da minha carreira. Minha palestra do TEDxHouston sobre vulnerabilidade estava viralizando e, embora houvesse uma onda de apoio a ela, muitas críticas tinham um tom cruel e pessoal, confirmando meus maiores medos de me expor. Era a citação perfeita para retratar como eu me sentia e minha resolução de me jogar de cabeça e não recuar.

A coragem de ser vulnerável não se trata de vencer ou perder; se trata de ter a coragem de fazer algo quando não é possível prever ou controlar o resultado. Assim como essa citação dialogava intensamente com meu desejo de levar uma vida destemida apesar do cinismo e alarmismo que só fazem aumentar no mundo, ela dialogava com líderes de todos os lugares. Para muitas pessoas, a primeira vez que viram essa citação foi em *A coragem de ser imperfeito*; já outras tinham o trecho pendurado na parede de seus escritórios ou de suas casas havia anos e sentiram um forte vínculo. Recentemente, vi uma foto dos tênis que LeBron James usa em seus jogos, e na lateral deles está escrito "Homem na arena".

Logo depois de *A coragem de ser imperfeito*, escrevi *Mais forte do que nunca* — um livro que explora o processo usado pelos participantes mais resilientes da minha pesquisa para se erguer depois de uma queda. Senti que escrevê-lo era quase uma missão, pois a única coisa de que tenho certeza absoluta depois de todas essas pesquisas é que, se você vai ousar grandemente, você vai tomar porrada em algum momento. Se optar pela coragem, sem dúvida alguma vai conhecer o fracasso, a decepção, o revés e até a desilusão. É por isso que se chama coragem. E é por isso que se trata de algo tão raro.

Em 2016, reuni as pesquisas que fiz para *A coragem de ser imperfeito* e *Mais forte do que nunca* a fim de criar um programa de desenvolvimento de coragem, e fundamos a Brave Leaders Inc. para oferecer cursos on-line e facilitação presencial do trabalho. Em um ano, estávamos trabalhando com cinquenta empresas e quase dez mil líderes. No ano seguinte veio *Braving the Wilderness*, um livro sobre a coragem de pertencer a si mesmo como um pré-requisito para alcançar o pertencimento real e sobre os perigos de passar a vida tentando se ajustar e se debatendo para obter aceitação. Para mim, pesquisar e escrever sobre esse tema foi quase como um chamado diante do atual aumento de polarização, da desumanização desenfreada de pessoas que são diferentes de nós e da nossa crescente incapacidade de deixar de lado opiniões iguais às nossas para dar ouvidos ao pensamento crítico de verdade.

Nos últimos dois anos, nossa equipe pesquisou, analisou, fracassou, repetiu, escutou, observou, acompanhou, cresceu e aprendeu mais do que jamais poderia imaginar. E, como se isso já não fosse o bastante, tive a oportunidade de me sentar para aprender com alguns dos maiores líderes do mundo. Mal posso esperar para compartilhar as coisas que aprendi, como elas podem transformar completamente o modo como nos mostramos uns aos outros, por que elas funcionam, por que são muito difíceis em certos lugares e onde eu continuo errando (*ou não seria eu*).

A CORAGEM
para
LIDERAR

Você não pode alcançar a coragem sem encarar a vulnerabilidade.

ACEITE A DIFICULDADE.

introdução

LÍDERES DESTEMIDOS E CULTURAS DE CORAGEM

Tenho um objetivo ilusoriamente simples e, de certo modo, egoísta com este livro: quero muito compartilhar com você tudo o que aprendi. Quero usar minhas duas décadas de pesquisa e minhas experiências dentro de centenas de organizações para entregar a você um livro útil, prático e sem papo-furado sobre o que é necessário para se tornar um líder ousado.

Digo "ilusoriamente simples" porque os dados que servem de base para o que apresento neste livro são a compilação de:

- Dados de entrevistas coletados ao longo dos últimos vinte anos;
- Novas pesquisas, entre elas entrevistas com 150 líderes mundiais C-level (e sea-level) falando sobre o futuro da liderança;
- Pesquisas de avaliação de programas trabalho em desenvolvimento na Brave Leaders Inc;
- Dados coletados ao longo de três anos de estudo de desenvolvimento de ferramentas sobre liderança ousada.

Compilar e tentar extrair sentido de 400 mil dados já é uma tarefa complexa, e quanto mais comprometida em transformar os dados em práticas úteis e baseadas em pesquisa, mais meticulosamente rigorosa eu preciso ser e mais testes preciso fazer.

A parte egoísta do meu objetivo resulta da minha vontade de ser uma líder melhor. Nos últimos cinco anos, passei de professora pesquisadora para professora pesquisadora *e* fundadora e CEO. Minha primeira e difícil lição de humildade? A despeito da complexidade dos conceitos, estudar liderança é muito mais fácil do que liderar.

Quando penso nas experiências pessoais que tive com liderança nos últimos anos, as únicas empreitadas que sinto terem exigido de mim o mesmo nível de autoconsciência e "planos de comunicação" igualmente de alto nível foram meu casamento de 24 anos e a maternidade. Isso diz muita coisa. Subestimei completamente a capacidade emocional que isso exigiria de mim, a simples determinação necessária para manter a calma quando sob pressão e o peso de passar o tempo todo resolvendo problemas e tomando decisões. Ah, sim... e as noites em claro.

Meu outro objetivo quase egoísta é que quero viver num mundo com líderes mais corajosos e mais ousados, e quero poder deixar um mundo assim para os meus filhos. **Minha definição de líder é qualquer um que assuma a responsabilidade de encontrar potencial em pessoas e processos, e que tenha a coragem de desenvolver esse potencial.** Desde empresas, organizações sem fins lucrativos e órgãos públicos a governos, grupos de ativistas, escolas e comunidades religiosas, nós precisamos desesperadamente de mais líderes comprometidos com uma liderança corajosa e plena e com autoconsciência suficiente para comandar com o coração, em vez de líderes ultrapassados que comandam à base de mágoa e medo.

Temos um longo caminho pela frente, e eu disse a Steve que queria escrever um livro que mudasse a forma como o leitor vê a liderança, que gerasse pelo menos uma mudança de comportamento significativa e que pudesse ser lido de uma vez num só voo. Ele riu e perguntou:

— Houston-Cingapura?

Ele sabe que esse é o voo mais longo que já fiz (Moscou era só a metade do caminho). Sorri e disse:

— Não. Nova York-Los Angeles. Com um pequeno atraso.

Líderes destemidos e culturas de coragem

Sempre me disseram: "Escreva aquilo que você precisa ler." O que preciso como líder, e todo líder com quem trabalhei nos últimos anos pediu, é um manual prático para pôr as lições de *A coragem de ser imperfeito* e *Mais forte do que nunca* em prática. Mesmo alguns ensinamentos em *Braving the Wilderness* podem nos ajudar a criar uma cultura de pertencimento no trabalho. Se você leu esses livros, pode esperar encontrar aqui algumas lições já conhecidas, mas num novo contexto, com novas histórias, ferramentas e exemplos relacionados à nossa vida profissional. Se não leu esses livros, não tem problema. Vou abordar aqui tudo que você precisa saber.

A linguagem, as ferramentas e as habilidades descritas nestes capítulos demandam coragem e muito treino. No entanto, elas são diretas e, acredito, acessíveis e aplicáveis a todos que tiverem este livro nas mãos. As barreiras e os obstáculos que enfrentamos para alcançar a liderança ousada são verdadeiros e muitas vezes cruéis. Mas, se aprendi algo com a pesquisa e com a minha própria vida foi que, se os identificarmos, formos curiosos e persistirmos, eles não terão força para nos impedir de ser corajosos.

Criamos uma plataforma de *Coragem para liderar* no site brenebrown.com, onde você pode encontrar recursos, entre eles um caderno de exercícios gratuito para download, disponíveis para aqueles que desejam colocar os ensinamentos deste livro em prática durante a leitura. Recomendo muito que faça isso. Como aprendemos com a pesquisa que fizemos para *Mais forte do que nunca*: Sabemos que a melhor maneira de levar as informações da sua cabeça para o seu coração é através das mãos.

Lá, é possível encontrar também recomendações de livros sobre liderança e vídeos com dramatizações que você pode assistir como parte do desenvolvimento das suas próprias habilidades de coragem. Assistir aos vídeos não é o mesmo que colocar o trabalho em prática, mas lhe dará uma ideia de como isso pode ser feito, onde estão as dificuldades e como voltar atrás quando você inevitavelmente cometer um erro.

Além disso, você vai encontrar um glossário disponível para download com o vocabulário, as ferramentas e as habilidades que abordo neste livro. (Os termos que aparecem no glossário estão em negrito ao longo do livro.)

O OBSTÁCULO É O CAMINHO

Começamos as entrevistas que fizemos com líderes seniores com uma pergunta: *O que precisa mudar na forma como as pessoas estão liderando hoje para que os líderes tenham sucesso num ambiente complexo e em rápida transformação, no qual enfrentamos desafios aparentemente insuperáveis e uma demanda insaciável por inovação?*

Houve uma resposta em comum nas entrevistas: **precisamos de líderes mais destemidos e culturas mais corajosas.**

Quando investigamos mais a fundo, procurando entender o "porquê" por trás do apelo por líderes mais destemidos, a pesquisa deu uma guinada. Não havia apenas uma resposta. Foram quase cinquenta, e muitas delas não estavam intuitivamente relacionadas à coragem. Os líderes mencionaram de tudo, desde ter pensamento crítico, capacidade de síntese e de analisar informações até gerar confiança, repensar sistemas educacionais, inspirar inovações, encontrar motivações políticas comuns em meio à crescente polarização, tomar decisões difíceis e a importância da empatia e da construção de relacionamentos no contexto de *machine learning* [aprendizado de máquina] e inteligência artificial.

Continuamos a descascar essa cebola metafórica perguntando: *Você consegue apontar as habilidades específicas que acredita serem a base de uma liderança corajosa?*

Fiquei surpresa com a dificuldade que os participantes da pesquisa tiveram para responder a essa pergunta. Pouco menos da metade dos líderes entrevistados começou falando de coragem como um traço de personalidade, não uma habilidade. Em geral davam à pergunta sobre habilidades específicas uma resposta como "Bem, ou você tem ou não tem". Continuamos curiosos e insistimos para que falassem sobre os comportamentos observáveis: *Como é alguém que tem esse traço?*

Pouco mais de 80% dos líderes, inclusive aqueles que acreditavam que a coragem é comportamental, não foram capazes de identificar essas habilidades específicas. No entanto, conseguiram falar na mesma hora e com empolgação sobre comportamentos problemáticos e normas culturais que desgastam a confiança e a coragem. Felizmente, o conceito de "começar onde as pessoas estão" é um princípio tanto da pesquisa sobre teoria fundamentada em dados quanto do serviço social, e é exatamente o que eu faço. Se dedico um tempo a entender *o caminho*, gasto dez vezes mais tempo em pesquisas sobre *o obstáculo*.

Por exemplo, eu não planejei estudar vergonha; queria entender melhor o vínculo e a empatia. Mas, se não entendemos como a vergonha pode acabar com o vínculo em uma fração de segundo, não conseguimos compreender o vínculo. Eu não planejei estudar vulnerabilidade; só que ela simplesmente é o maior obstáculo para quase tudo que queremos da vida, sobretudo a coragem. Como nos ensinou Marco Aurélio: "O obstáculo é o caminho."

Aqui estão os dez comportamentos e questões culturais que os líderes identificaram como obstáculos em organizações por todo o mundo:

1. Evitamos conversas difíceis, até mesmo dar feedbacks honestos e produtivos. Alguns líderes atribuíram isso à falta de coragem, outros a falta de habilidades e, surpreendentemente, mais da metade mencionou uma norma cultural de "ser simpático e educado", usada como desculpa para evitar conversas difíceis. Qualquer que fosse o motivo, houve uma saturação nos dados que mostravam que a consequência disso é falta de clareza, redução da confiança e do comprometimento e aumento de comportamentos problemáticos, como postura passivo-agressiva, pessoas falando "pelas costas", excesso de comunicação extraoficial (ou "a reunião após a reunião"), fofocas e o "sim desonesto" (quando se diz sim na frente da pessoa e não depois, pelas costas).

2. Em vez de dedicar um tempo razoável a ser proativos e a reconhecer e lidar com os medos e sentimentos que surgem durante mudanças e momentos de turbulência, gastamos um tempo excessivo gerenciando comportamentos problemáticos.

3. Confiança reduzida devido à falta de vínculo e empatia.
4. Não há pessoas suficientes assumindo riscos inteligentes ou criando e compartilhando ideias ousadas para atender às demandas em constante evolução e à insaciável necessidade de inovação. Quando as pessoas têm medo de ser criticadas ou ridicularizadas por tentar algo e fracassar, ou mesmo por apresentar uma ideia inovadora, o melhor que se pode esperar é o *status quo* e o pensamento de grupo.
5. Ficamos empacados e limitados por contratempos, decepções e fracassos, então, em vez de gastar recursos pondo as coisas em ordem para garantir que os consumidores, as pessoas envolvidas ou processos internos saiam ilesos, gastamos tempo e energia acalmando os membros da equipe que questionam sua contribuição e seu valor.
6. Há vergonha e culpabilização demais, responsabilidade e aprendizado de menos.
7. As pessoas estão se esquivando de conversas vitais sobre diversidade e inclusão por medo de fazerem ou dizerem algo errado ou de estarem erradas. Escolher o próprio conforto e evitar conversas difíceis é o auge do privilégio, e isso desgasta a confiança e nos afasta da transformação significativa e duradoura.
8. Quando algo dá errado, os indivíduos e as equipes agem com pressa e adotam soluções ineficazes ou insustentáveis, em vez de identificar e solucionar o problema. Quando corrigimos a coisa errada pelo motivo errado, os mesmos problemas continuam surgindo. Isso é dispendioso e desanimador.
9. Os valores organizacionais são fracos e avaliados em termos de aspirações, e não de comportamentos reais que podem ser ensinados, mensurados e avaliados.
10. O perfeccionismo e o medo impedem as pessoas de aprender e crescer.

Acredito que, só de olhar para essa lista, a maioria de nós logo reconhece não só os desafios nas nossas organizações, mas também nossas próprias lutas internas para superar o desconforto, agir e liderar. Podem ser comportamentos relacionados ao trabalho e preocupações com a cultura organizacional, mas a origem de todos eles são questões profundamente humanas.

Após identificar os obstáculos, nosso trabalho era reconhecer os grupos de habilidades próprias para o desenvolvimento da coragem de que as pessoas precisam para resolver esses problemas. Conduzimos mais entrevistas, desenvolvemos instrumentos e os testamos com alunos dos cursos de MBA e MBA executivo matriculados na Jones Graduate School of Business da Rice University, na Kellogg School of Management da Northwestern University e na Wharton School da University of Pennsylvania. Trabalhamos até encontrar as respostas; depois as testamos, aperfeiçoamos e testamos novamente. A seguir está o que descobrimos.

O cerne da liderança ousada

1. Você não pode alcançar a coragem sem encarar a vulnerabilidade. Abrace a dificuldade.

No cerne da liderança ousada reside uma verdade profundamente humana que é pouquíssimo reconhecida, sobretudo no ambiente de trabalho: coragem e medo não são sentimentos que se excluem mutuamente. A maioria de nós sente coragem e medo ao mesmo tempo. Nos sentimos vulneráveis. Às vezes dura o dia inteiro. Durante esses momentos "na arena" que Roosevelt descreveu, quando estamos divididos entre o medo e o chamado à coragem, precisamos de linguagem, habilidades, ferramentas e práticas cotidianas compartilhadas que nos ajudem a passar pelo confronto.

A palavra **confronto** se tornou mais do que um jeito estranho de dizer: "Vamos ter uma conversa franca, mesmo que seja difícil." Tornou-se uma intenção séria e uma deixa ou advertência comportamental.

Um confronto é uma discussão, conversa ou reunião definida pelo compromisso de abraçar a vulnerabilidade, se manter curioso e generoso, persistir no processo de identificação e solução dos problemas, dar uma pausa e voltar atrás quando necessário, ser destemido ao assumir nossas responsabilidades e, como ensina a psicóloga Harriet Lerner, ouvir com o mesmo entusiasmo com que desejamos ser ouvidos. Acima de tudo, quando alguém diz "Vamos confrontar", recebemos a deixa de que devemos comparecer de coração e mente abertos para servir ao trabalho e uns aos outros, não aos nossos egos.

Nossa pesquisa levou a uma descoberta bem clara e muito otimista: a coragem é uma combinação de quatro grupos de habilidades que podem ser ensinadas, observadas e mensuradas. Os quatro grupos são:

Encarar a vulnerabilidade
Viver de acordo com nossos valores
Desafiar a confiança
Aprender a crescer

A habilidade fundamental do desenvolvimento da coragem é a disposição e a capacidade de confrontar a vulnerabilidade. Sem essa habilidade essencial, é impossível pôr os outros três grupos de habilidades em prática. Pense nisso: a nossa capacidade de sermos líderes ousados nunca será maior do que a nossa capacidade de sermos vulneráveis. Quando começamos a desenvolver habilidades de vulnerabilidade, podemos começar a desenvolver as outras habilidades. O objetivo deste livro é ensinar a você a linguagem e os detalhes sobre as ferramentas, as práticas e os comportamentos essenciais para a formação da memória muscular necessária para praticar esses conceitos.

Essa abordagem já foi testada em mais de cinquenta organizações e com cerca de dez mil pessoas que estão aprendendo essas habilidades sozinhas ou em equipes. Da Fundação Gates à Shell, de pequenas empresas familiares a companhias da lista das 50 maiores da *Fortune* a várias divisões das forças armadas americanas, descobrimos que esse processo tem um enorme impacto positivo, não apenas na forma como os líderes agem com suas equipes, mas também no desempenho delas.

2. Autoconsciência e amor-próprio são importantes. Nós somos a nossa forma de liderar.

Muitas vezes vemos a coragem como uma característica inerente; porém, trata-se menos de *quem* são as pessoas e mais de *como* elas se comportam e agem em situações difíceis. O medo é o sentimento no cerne dessa lista de comportamentos problemáticos e questões culturais — é exatamente o que esperaríamos encontrar como principal obstáculo à coragem. No entanto, todos os líderes ousados que entrevistamos revelaram experimentar muitos tipos de medo regularmente, o que significa que *sentir medo* não é o obstáculo.

O verdadeiro obstáculo à liderança destemida é o modo *como reagimos ao nosso* medo. O verdadeiro entrave para a liderança ousada é a nossa armadura — os pensamentos, as emoções e os comportamentos que usamos para nos proteger quando não estamos dispostos nem somos capazes de encarar a vulnerabilidade. Se nos próximos capítulos vamos aprender ferramentas e desenvolver habilidades, também avaliaremos o que atrapalha o desenvolvimento de coragem, especialmente porque podemos esperar que nossa armadura se revele e crie resistência a novas formas de fazer e de ser. Praticar autocompaixão e ter paciência consigo mesmo é essencial nesse processo.

3. A coragem é algo contagiante. Para aumentar a liderança ousada e desenvolver coragem em equipes e organizações, temos que cultivar uma cultura na qual trabalho duro, conversas difíceis e corações plenos sejam a expectativa, e uma armadura não seja necessária ou recompensada.

Se queremos que as pessoas se revelem plenamente, se dediquem por inteiro, com os corações plenos e sem armadura — para que possamos inovar, resolver problemas e servir as pessoas —, precisamos ter o cuidado de criar uma cultura em que as pessoas se sintam seguras, notadas, ouvidas e respeitadas.

Os líderes ousados devem cuidar das pessoas que lideram e estar conectados com elas.

Os dados evidenciaram que cuidado e vínculo são requisitos indispensáveis para relacionamentos produtivos e plenos entre líderes e membros de uma equipe. Isso significa que, se não sentimos que nos preocupamos com alguém que lideramos e/ou não nos sentimos conectados a essa pessoa, temos duas opções: desenvolver o cuidado e o vínculo ou encontrar um líder que se encaixe melhor. Não há vergonha alguma nisso — todos nós já vivenciamos o tipo de desconexão que não melhora por mais que nos esforcemos. Ao entendermos que comprometer-se com o cuidado e o vínculo é o mínimo necessário, precisamos de muita coragem para reconhecer quando não conseguimos atender plenamente às pessoas que lideramos.

Considerando a realidade do mundo em que vivemos, isso significa que os líderes — você e eu — devem criar e manter ambientes com um padrão de comportamento superior àquele visto nos noticiários, na TV e nas ruas. E para muitas pessoas a cultura no trabalho pode precisar ser melhor até mesmo do que a que elas têm na própria casa. Às vezes, as estratégias de liderança nos tornam pais e cônjuges melhores.

Como costumo dizer aos professores — alguns dos nossos líderes de maior importância —, nem sempre podemos pedir aos alunos que tirem suas armaduras em casa, ou até mesmo no caminho para a escola, pois a segurança emocional e física deles pode exigir que se protejam. Mas o que podemos fazer, e o que a ética nos convoca a fazer, é criar em nossas escolas e salas de aula ambientes nos quais todos os alunos possam entrar e, durante aquele dia ou hora, se livrar do peso esmagador da armadura, pendurá-la num cabide e abrir o coração para ser notado de verdade.

Devemos ser os guardiões de um espaço que permita que os alunos respirem, sejam curiosos, explorem o mundo e sejam quem realmente são sem sufocarem. Eles merecem um lugar onde possam encarar a vulnerabilidade e seus corações possam respirar. E o que aprendi com essa pesquisa é que nunca devemos subestimar como pode ser benéfico para uma criança ter um lugar para pertencer — pelo menos um — onde ela possa tirar a armadura. Isso pode transformar a trajetória de sua vida, e muitas vezes de fato transforma.

Se a cultura em nossa escola, organização, nosso local de culto ou mesmo em nossa família exige usar uma armadura por conta de problemas como racismo, preconceito de classe, machismo ou qualquer manifestação de liderança fundamentada em medo, não podemos esperar um comprometimento pleno. Da mesma forma, quando nossa organização premia comportamentos que incentivam o uso de armaduras, como culpa, humilhação, cinismo, perfeccionismo e estoicismo emocional, não podemos esperar como resultado um trabalho inovador. Não se pode crescer e contribuir plenamente usando uma armadura. O simples ato de usá-la já exige uma quantidade enorme de energia — às vezes, *toda* a nossa energia.

Para nós, a parte mais poderosa desse processo foi ver surgir uma lista de comportamentos que não são "intrínsecos". Todos os comportamentos acima podem ser ensinados, observados e mensurados, não importa se você tem 14 anos ou 40. Para os entrevistados que inicialmente estavam convencidos de que a coragem é determinada por uma orientação genética, o processo de entrevista por si só provou ser um catalisador de mudanças.

Um líder me disse: "Estou com quase 60 anos e só agora me dei conta de que aprendi todos esses comportamentos na juventude — com meus pais ou meus superiores. Quando paro para analisar a fundo, quase consigo me lembrar de cada lição — como e quando aprendi aquilo. Nós poderíamos e deveríamos estar ensinando isso para todos." Esse diálogo serviu como um importante alerta para mim de que o tempo aos poucos pode apagar nossas lembranças de lições difíceis até transformá-las em "É apenas como eu sou".

Os grupos de habilidades que constituem a coragem não são novos; são habilidades de liderança desejadas desde que existem líderes. Mesmo assim, não fizemos grandes progressos em desenvolvê-las em líderes, porque não nos aprofundamos na parte humana desse trabalho — é complicado demais. É bem mais fácil falar sobre nossos desejos e necessidades do que falar sobre medos, sentimentos e **escassez** (a crença de que não se tem o suficiente) que atrapalham a realização de tudo isso. Basicamente, e talvez ironicamente, não temos coragem para conversar com franqueza a respeito da coragem. Mas chegou a hora. E se você quiser chamá-las de "soft skills" após tentar colocá-las em prática, tudo bem. *Eu o desafio.* Até lá, encontre um lugar para guardar sua armadura, e nos veremos na arena.

parte um ENCARANDO A VULNERABILIDADE

A coragem é contagiosa.

Seção um
O MOMENTO E OS MITOS

No momento em que o universo pôs a citação de Roosevelt diante de mim, três lições ficaram claríssimas. A primeira é o que chamo de "a física da vulnerabilidade". É bem simples: se formos corajosos o suficiente, com frequência suficiente, vamos cair. Ousar não é dizer "Estou disposto a correr o risco de fracassar". Ousar é dizer "Sei que vou acabar fracassando em algum momento e ainda assim mergulho de cabeça". Nunca conheci alguém corajoso que não tivesse experimentado a decepção, o fracasso e até mesmo a tristeza.

Em segundo lugar, a citação de Roosevelt traduz fielmente tudo o que aprendi sobre vulnerabilidade. A definição de vulnerabilidade como o sentimento que experimentamos durante os períodos de incerteza, instabilidade e exposição emocional surgiu pela primeira vez no meu trabalho há duas décadas e foi validada por todos os estudos que fiz desde então, inclusive por esta pesquisa sobre liderança. Vulnerabilidade não é ganhar ou perder, é ter coragem de agir quando não se pode controlar o resultado.

Pedimos a milhares de pessoas ao longo dos anos que descrevessem o que é vulnerabilidade para elas, e estas são algumas das respostas que remetem diretamente a esse sentimento: ir ao meu primeiro encontro depois do divórcio, falar sobre questões raciais com a minha equipe, tentar engravidar depois do segundo aborto espontâneo, abrir meu próprio negócio, ver meu filho entrar para a faculdade, pedir desculpas a um colega pelo modo como falei com ele durante uma reunião, mandar meu filho para o ensaio da orquestra sabendo o quanto ele quer ficar na primeira fileira e que existe a probabilidade de ele nem entrar na orquestra, esperar o médico ligar de volta, dar feedback, receber feedback, ser demitido, demitir alguém.

Em todos os dados que coletamos, não há nenhuma evidência empírica de que a vulnerabilidade é uma fraqueza.

As experiências que envolvem vulnerabilidade são fáceis? Não.

Elas podem nos deixar ansiosos e inseguros? Sim.

Elas fazem com que queiramos nos proteger? Sempre.

Viver essas experiências com plenitude e sem uma armadura requer coragem? Sem dúvida.

A terceira coisa que aprendi se transformou numa missão na qual baseio a minha vida: se você não está na arena apanhando de vez em quando, eu não tenho o menor interesse nem estou aberta a ouvir seu feedback. Existe um milhão de assentos baratos no mundo atualmente, todos ocupados por pessoas que nunca serão corajosas na vida, mas gastarão toda a energia que têm oferecendo conselhos e julgando aqueles que ousam. Suas únicas formas de contribuir são com crítica, cinismo e alarmismo. Se você está criticando sem se colocar em risco, não estou interessada no que tem a dizer.

Precisamos evitar o feedback de quem está ocupando os assentos baratos e nos livrar das armaduras. Os entrevistados que fazem bem essas duas coisas também têm um truque em comum: saber de quem são as opiniões a seu respeito que realmente importam.

Precisamos buscar o feedback *dessas* pessoas. E mesmo que esse feedback seja muito difícil de ouvir, devemos escutá-lo e levá-lo em consideração até aprender a lição. Isto foi o que a pesquisa me ensinou:

> Não se agarre a comentários dolorosos e se apegue a eles, relendo-os e remoendo-os. Não brinque com eles ensaiando uma resposta fodona. E, o que quer que você faça, não traga o ódio para o seu coração.

Deixe o que é improdutivo e doloroso cair aos pés do seu ego sem armadura. E não importa o quanto as suas incertezas queiram absorver as críticas e se agarrar à negatividade para confirmar seus piores medos, ou o quanto os fantasmas da vergonha estejam ávidos por usar a mágoa para fortalecer sua armadura, respire fundo e encontre forças para deixar no chão todos os sentimentos mesquinhos. Você não precisa pisar neles ou chutá-los para longe. A crueldade é vulgar, fácil e insignificante. Ela não merece sua energia ou seu esforço. Basta passar por cima dos comentários e manter a ousadia, lembrando sempre que a armadura é um preço alto demais a pagar para dar ouvidos à opinião de quem está ocupando um assento barato.

Vale dizer mais uma vez que, se nos fecharmos a todos os feedbacks, paramos de crescer. Se escutarmos todos os feedbacks, sem levar em conta a qualidade e a intenção deles, tudo se torna doloroso demais, e como resultado vestimos uma armadura, fingindo que não sentimos dor, ou, pior ainda, nos distanciamos da vulnerabilidade e dos sentimentos de modo a não sentirmos mais dor. Quando chegamos ao ponto de usar uma armadura tão espessa que não sentimos mais nada, é aí que vem a morte verdadeira. Em troca de proteção, fechamos o coração para tudo e todos — não apenas para a dor, mas também para o amor.

Ninguém descreve as consequências de escolher esse nível de autoproteção no lugar do amor melhor do que C. S. Lewis:

> O simples ato de amar é ser vulnerável. Ame qualquer coisa, e seu coração certamente será atormentado e possivelmente partido. Se quiser ter a certeza de que vai mantê-lo intacto, não deve entregá-lo a ninguém, nem mesmo a um animal. Cubra-o cuidadosamente com passatempos e pequenos luxos; evite todos os envolvimentos; tranque-o com segurança no caixão do seu egoísmo. Mas nesse caixão — seguro, sombrio, imóvel, sufocante — ele vai mudar. Não será partido, mas vai se tornar inquebrável, impenetrável, irredimível.

Amar é ser vulnerável.

Ferramenta de confronto: o esquadrão do quadrado

Quando nos definimos pelo que todos pensam, fica difícil ser corajoso. Quando paramos de nos importar com o que os outros pensam, ficamos blindados demais para criar vínculos autênticos. Então como podemos saber de quem são as opiniões a nosso respeito que realmente importam?

Eis a solução que mostramos em *A coragem de ser imperfeito*: pegue um papel de 2,5 por 2,5 centímetros e escreva nele os nomes das pessoas cujas opiniões sobre você são importantes. Ele precisa ser pequeno, porque assim você será forçado a manter a lista enxuta. Dobre-o e guarde na sua carteira. Depois tire dez minutos para entrar em contato com essas pessoas — seu **esquadrão do quadrado** — e demonstre um pouco de gratidão por elas. Pode ser algo simples: *estou decidindo quais são as pessoas cujas opiniões importam para mim. Obrigado por ser uma delas. Fico grato por você se importar o bastante a ponto de ser sincero e verdadeiro comigo*.

Se você precisar de um guia para escolher as pessoas, o melhor que eu conheço é: as pessoas na sua lista devem ser aquelas que amam você não *apesar* da sua vulnerabilidade e das suas imperfeições, mas *por causa* delas.

Elas *não devem* ser "pessoas que só dizem sim". Esse não é o esquadrão dos puxa-sacos. Devem ser pessoas que o respeitem o suficiente para encarar a vulnerabilidade e dizer: "Acho que você não agiu com integridade nessa situação, e você precisa resolver o problema e pedir desculpas. Estarei aqui para ajudá-lo nisso"; ou "É, isso foi um grande revés, mas você foi corajoso e vou ajudá-lo a se recompor e torcer por você quando estiver de volta à arena".

Os ~~quatro~~ seis mitos da vulnerabilidade

Em *A coragem de ser imperfeito*, falei de quatro mitos que existem em torno da vulnerabilidade, mas desde que comecei a levar o trabalho de desenvolvimento da coragem para dentro de organizações e a realizar esse trabalho com líderes, os dados me mostraram que na verdade são *seis* os mitos equivocados que persistem nas mais amplas variáveis, entre elas gênero, idade, etnia, país, habilidade e cultura.

Mito 1: Vulnerabilidade é fraqueza.
Antigamente, eu levava muito tempo para desconstruir os mitos que cercam a vulnerabilidade, sobretudo o mito de que vulnerabilidade é sinônimo de fraqueza. Mas em 2014, diante de centenas de soldados das forças militares especiais numa base no centro-oeste americano, decidi parar de tentar evangelizar e provei meu argumento fazendo uma única pergunta.

Olhei para aqueles soldados destemidos e disse: "Vulnerabilidade é a emoção que sentimos em períodos de incerteza, insegurança e exposição emocional. Vocês conseguem citar um único exemplo de coragem que testemunharam em outro soldado ou que vocês mesmos tenham vivido que não tenha exigido vivenciar a vulnerabilidade?"

Silêncio total. *Cri, cri, cri.*

Até que finalmente um jovem se manifestou. Ele disse: "Não, senhora. Estive em três missões. Não consigo pensar num único ato de coragem que não exija lidar com uma vulnerabilidade gigantesca."

Já fiz essa pergunta algumas centenas de vezes em salas de reunião pelo mundo inteiro. Já perguntei a pilotos de caça e engenheiros de software, professores e contadores, agentes da CIA e CEOs, clérigos e atletas profissionais, artistas e ativistas, e ninguém foi capaz de me dar um exemplo de coragem sem vulnerabilidade. O mito da fraqueza simplesmente se desfaz sob o peso dos dados e das experiências que as pessoas tiveram com coragem.

Mito 2: Vulnerabilidade não é para mim.
Nosso cotidiano é definido por experiências de incerteza, insegurança e exposição emocional. Não é possível evitá-las, mas existem duas opções: você lida com a vulnerabilidade ou ela lida com você. Optar por dominar nossa vulnerabilidade e *fazer isso* conscientemente significa aprender a encarar essa emoção e entender como ela guia nossos pensamentos e comportamentos para

que continuemos alinhados com nossos valores e vivamos de acordo com a nossa integridade. Fingir que *a vulnerabilidade não é para você* significa deixar que o medo guie o seu pensamento e comportamento sem a sua participação ou até mesmo sem a sua consciência, o que quase sempre leva a ter ataques de raiva ou ao isolamento.

Se não acredita nos dados, faça a seguinte pergunta a alguém do seu esquadrão do quadrado: *Como eu me comporto quando me sinto vulnerável?* Se estiver encarando a vulnerabilidade conscientemente, você não vai escutar nada que já não saiba e com que não esteja lidando ativamente. Se você for adepto da ideia de exclusividade extrema (todos no mundo têm esse problema, *menos você*), provavelmente estará prestes a receber um feedback difícil.

E, por mais que queiramos acreditar que sabedoria e experiência possam substituir a necessidade de "lidar" com a vulnerabilidade, isso não é verdade. Quando muito, a sabedoria e a experiência validam a importância de encarar a vulnerabilidade. Adoro esta citação de Madeleine L'Engle: "Quando éramos crianças, achávamos que quando crescêssemos não seríamos mais vulneráveis. Mas crescer é aceitar a vulnerabilidade."

Mito 3: Eu consigo sozinho.
O terceiro mito em torno da vulnerabilidade é "eu consigo sozinho". Uma linha de defesa que costumo ver com frequência é "não preciso ser vulnerável porque não preciso de ninguém". Entendo seu ponto. Tem dias em que eu queria que isso fosse verdade. O problema, contudo, é que *não precisar de ninguém* vai contra tudo o que conhecemos sobre a neurobiologia humana. Somos programados para ter vínculos. Desde os neurônios-espelho até a linguagem, somos uma espécie social. Na ausência de um vínculo autêntico, nós sofremos. E quando digo *autêntico* quero dizer o tipo de vínculo que não requer de nós esforço para sermos aceitos nem mudar para nos encaixarmos.

Investiguei a fundo o trabalho do neurocientista e pesquisador John Cacioppo quando escrevi *Braving the Wilderness*. Ele dedicou a carreira a compreender a solidão, o pertencimento e o vínculo e afirma que nossa força não advém do individualismo rígido, mas de nossa capacidade coletiva de planejar, nos comunicar e trabalhar em grupo. Nossa constituição genética, hormonal e nervosa aceita melhor a interdependência do que a independência. Ele explicou: "Crescer até a idade adulta sendo uma espécie social, como o ser o humano, não significa se tornar autônomo e solitário, e sim tornar-se o indivíduo de quem os outros podem depender. Conscientemente ou não, nosso cérebro e nossa biologia foram moldados para favorecer esse comportamento." Não importa o quanto gostemos de Whitesnake — e, como muita gente sabe, eu gosto —, nós realmente não nascemos para andar sozinhos.

Mito 4: Você pode usar a engenharia para se livrar da incerteza e do desconforto da vulnerabilidade.
Adoro trabalhar com empresas de tecnologia e engenheiros. Quase sempre há um momento em que alguém sugere que devíamos tornar a vulnerabilidade mais fácil usando a engenharia para tirar a incerteza e a emoção dela. Já vi gente recomendando de tudo, desde um aplicativo de mensagens de texto para ter conversas difíceis até um algoritmo que previsse quando é seguro ser vulnerável com alguém.

Como mencionei na introdução, às vezes por trás dessa necessidade está o modo como pensamos sobre a vulnerabilidade e a maneira como usamos a palavra. Muitas pessoas vão para o trabalho todos os dias com uma tarefa clara: use a engenharia para eliminar a vulnerabilidade e a incerteza dos sistemas e/ou reduzir os riscos. É assim para todo mundo, desde advogados, que muitas vezes associam vulnerabilidade a brechas e obrigações, engenheiros e outras profissões que trabalham com operações, segurança e tecnologia, que pensam em vulnerabilidades como falhas potenciais de sistema, até soldados de combate e cirurgiões, que podem literalmente equiparar vulnerabilidade à morte.

Quando começo a falar em se envolver com a vulnerabilidade e até mesmo abraçá-la, pode haver bastante resistência até eu esclarecer que estou falando em vulnerabilidade relacional, e não vulnerabilidade sistêmica. Há vários anos, eu estava trabalhando com um grupo de cientistas espaciais (de verdade). Durante um intervalo, um engenheiro se aproximou de mim e disse:

— Vulnerabilidade não é para mim. Eu não consigo. E isso é bom. Se eu ficar cheio de vulnerabilidade, as coisas podem começar a cair do céu. Literalmente.

Eu sorri e respondi:

— Diga-me qual é a parte mais difícil do seu trabalho. É evitar que as coisas caiam do céu?

— Não. Nós criamos sistemas sofisticados que controlam erros humanos. É um trabalho difícil, mas não é a parte que mais detesto.

Preste atenção agora.

Ele pensou por um minuto e disse:

— Liderar a equipe e tudo relacionado às pessoas é a parte que eu não gosto. Tem um cara que não consegue se integrar. Ele não consegue alcançar as metas há um ano. Já tentei de tudo. Fui bem duro da última vez, mas ele quase começou a chorar, então encerrei a reunião. Não parecia certo. Mas agora eu vou ter problemas porque não estou nem entregando os controles de desempenho dele.

— É, isso parece bem difícil. E como você se sente? — perguntei.

A resposta dele:

— Entendi. Vou me sentar agora.

Essas áreas em que a vulnerabilidade sistêmica é vista como fracasso (ou como algo pior) frequentemente são onde mais vejo as pessoas tendo dificuldade para desenvolver habilidades de liderança ousada e, curiosamente, onde as pessoas estão dispostas, uma vez que compreendem, a ir mais fundo e realmente confrontar a vulnerabilidade. Você consegue imaginar como pode ser difícil fazer seu cérebro entender o papel fundamental da vulnerabilidade para a liderança quando se é diariamente recompensado por eliminá-la?

Outro exemplo disso aconteceu em Canary Wharf, o distrito financeiro de Londres, onde passei uma tarde com alguns banqueiros respeitáveis que se perguntavam o que eu fazia ali e não tinham medo de me perguntar isso diretamente. Eles explicaram que o setor bancário funciona totalmente baseado em disciplina, e não há lugar para a vulnerabilidade. Nem os banqueiros frustrados nem a maravilhosa e inovadora equipe de desenvolvimento e formação que me convidara esperavam a minha resposta.

Eu fui sincera:

— Amanhã é o meu último dia em Londres, e eu quero muito visitar a James Smith & Sons. — A famosa loja de guarda-chuvas fundada no início dos anos 1800. — Então vamos tentar entender por que estou aqui, e se não conseguirmos vou embora.

Eles pareceram um pouco ofendidos, mas interessados no acordo. Então fiz uma pergunta:

— Qual é o maior problema que vocês estão enfrentando aqui e no seu setor?

Houve uma pausa com uma certa movimentação de pessoas até que alguém elegesse a si próprio como porta-voz e gritasse:

— Tomada de decisões ética.

Maldição. Não vamos chegar a lugar nenhum.

Respirei fundo e perguntei:

— Alguém aqui já enfrentou uma equipe ou um grupo de pessoas e disse "Isso vai contra os nossos valores" ou "Isso não está de acordo com nossa ética"?

A maioria das pessoas na sala levantou a mão.

— E como vocês se sentiram?

A sala ficou silenciosa. Até que eu respondi por eles:

— Provavelmente não existe nada no trabalho que exija mais vulnerabilidade do que responsabilizar outra pessoa por questões éticas e de valores, especialmente quando você está sozinho nessa ou há muito dinheiro, poder ou influência em risco. As pessoas vão derrubar você, questionar suas intenções, odiá-lo e às vezes tentar desacreditá-lo na tentativa de se proteger. Então, se vulnerabilidade "não é para vocês" e/ou vocês têm uma cultura que trata vulnerabilidade como fraqueza, não é de admirar que a tomada de decisões éticas seja um problema.

Não havia nenhum barulho além do som de pessoas pegando canetas e blocos para tomar notas e se ajeitando nas cadeiras até que uma mulher na fileira da frente disse:

— Sinto muito pela loja de guarda-chuvas. Você terá que voltar a Londres. A cidade é linda na primavera.

A despeito de como lidamos com a vulnerabilidade sistêmica, quando tentamos eliminar a incerteza, o risco e a exposição emocional dos relacionamentos, arruinamos a coragem por definição. Mais uma vez, sabemos que a coragem é composta por quatro grupos de habilidades, e a vulnerabilidade é a principal delas. Então a má notícia é que não existe um aplicativo para isso e, não importa o que você faz ou onde trabalha, você precisa ser corajoso e vulnerável mesmo que seu trabalho seja eliminar a vulnerabilidade dos sistemas.

Felizmente, se conseguirmos desenvolver as quatro habilidades necessárias para a construção da coragem, a começar pelo modo de encarar a vulnerabilidade, teremos como resultado a capacidade de alcançar algo profundamente humano, inestimável para a liderança e impossível de se obter por meio de máquinas.

Mito 5: A confiança vem antes da vulnerabilidade.
Às vezes fazemos um exercício com grupos no qual damos às pessoas frases e elas preenchem as respostas em um Post-it. Por exemplo:

Cresci acreditando que vulnerabilidade é:
_____.

Se o grupo for grande o suficiente para garantir que os comentários serão anônimos, nós os expomos para que todos possam ler. É um exercício incrivelmente poderoso porque as pessoas sempre ficam impressionadas com a semelhança das respostas. Muitas vezes acreditamos que somos os únicos a enfrentar alguns desses problemas.

Nunca vou me esquecer de uma resposta que alguém deu uns anos atrás. Dizia: "Cresci acreditando que vulnerabilidade é: *O primeiro passo para a traição.*"

Eu estava com um grupo de líderes comunitários e ativistas, e nós passamos uma hora discutindo como muitas pessoas aprendem que vulnerabilidade é coisa para perdedores. Embora alguns de nós tenhamos crescido ouvindo essa mensagem de forma explícita e em alto e bom som, enquanto outros aprenderam por observação, a mensagem era a mesma: se você for idiota o suficiente para deixar que descubram onde está sua fraqueza ou o que é mais importante para você, é só uma questão de tempo até que usem isso para machucá-lo.

Essas conversas sempre trazem à tona o debate (bem ao estilo de "quem veio primeiro, o ovo ou a galinha?") sobre confiança e vulnerabilidade.

Como sei que posso confiar em alguém a ponto de ser vulnerável?
Posso construir a confiança sem nunca arriscar ser vulnerável?

A pesquisa é clara a esse respeito, mas não muito reconfortante para aqueles que preferem um sistema de pontos ou um teste de confiança à prova de falhas. Ou o aplicativo que acabamos de mencionar.

Precisamos confiar para ser vulneráveis e precisamos ser vulneráveis para construir a confiança.

Os entrevistados da pesquisa descreveram a confiança como um processo em camadas, contínuo e de construção lenta que acontece com o tempo. Tanto a construção da confiança como a descoberta da vulnerabilidade envolvem riscos. É isso que torna a coragem algo difícil e raro. No nosso trabalho, usamos a metáfora do **pote de bolinhas de gude**. A primeira vez que escrevi sobre isso foi em *A coragem de ser imperfeito*, mas vou contar a história aqui novamente.

Quando minha filha, Ellen, estava no terceiro ano do ensino fundamental, ela chegou da escola um dia, bateu a porta atrás de si, olhou para mim e deslizou até o chão encostada na porta, afundou o rosto nas mãos e começou a chorar.

Minha resposta, é claro, foi:

— Meu Deus, Ellen, você está bem? O que aconteceu?

— Aconteceu uma coisa muito chata na escola hoje, e eu contei para as minhas amigas e elas prometeram não contar para ninguém, mas quando voltamos para a aula a turma toda já sabia.

Dava para sentir a mamãe ursa surgindo lentamente dentro de mim. Ellen disse que tinha sido tão ruim que a Sra. Baucum, sua professora, tirou metade das bolinhas de gude do pote. Na sala há um grande pote com bolinhas de gude — quando a turma toma boas decisões coletivamente, podem colocar bolinhas de gude lá dentro; quando as decisões são ruins, as bolinhas são retiradas. A Sra. Baucum tirou as bolinhas porque todos estavam rindo, aparentemente de Ellen. Falei para minha filha que sentia muito, e então ela me olhou e disse:

— Nunca mais vou confiar em ninguém na minha vida.

Meu coração ficou em frangalhos junto com o dela. O primeiro pensamento que me ocorreu foi: *Está certo, você vai confiar na sua mãe e ponto-final. E quando você for para a faculdade longe de casa vou arrumar um apartamento ao lado do dormitório e você pode vir conversar comigo.* Pareceu uma ideia interessante na época. Mas, em vez de falar isso, deixei meus medos e a raiva de lado e fui tentando descobrir como conversar com ela sobre confiança e vínculo. Enquanto buscava a forma correta de traduzir as minhas próprias experiências com confiança e o que eu estava aprendendo sobre o assunto com a minha pesquisa, pensei: *Ah, o pote de bolinhas de gude. Perfeito.*

Eu disse a Ellen:

— Nós confiamos nas pessoas que ganharam bolinhas com o passar do tempo nas nossas vidas. Sempre que alguém a apoia, é gentil com você, fica do seu lado, ou guarda um segredo que lhe foi confidenciado por você, você coloca bolinhas de gude no pote. Quando as pessoas são más ou desrespeitosas, ou contam seus segredos para os outros, você tira bolinhas de gude do pote. Nós procuramos as pessoas que, com o tempo, sempre põem bolinhas no pote, sem parar, até que um dia quando você vê elas estão com o pote cheio. Essas são as pessoas para quem você pode contar seus segredos. É a essas pessoas que você confia as informações que são importantes para você.

E então perguntei se ela tinha uma amiga com um pote cheio.

— É, eu tenho, sim. Hanna e Lorna são minhas amigas com potes cheios de bolinhas de gude.

Pedi que ela me contasse como elas fazem para ganhar bolinhas de gude. Eu estava muito curiosa e esperava que ela contasse histórias dramáticas em que as garotas tivessem feito coisas heroicas por ela. Em vez disso, ela falou algo que me chocou ainda mais do que isso.

— Eu estava no jogo de futebol na semana passada, e Hanna olhou para a arquibancada e me disse que viu Oma e Opa.

Oma e Opa é como ela chama minha mãe e meu padrasto.

Eu quis saber mais.

— E o que aconteceu depois?

— Não, é só isso. Dei uma bolinha de gude para ela.

— Por quê?

— É que nem todo mundo tem oito avós. — Meus pais se divorciaram e casaram de novo, e os pais de Steve se divorciaram e casaram de novo. — Acho muito legal que Hanna se lembre dos nomes de todos eles.

Ela continuou:

— E Lorna também tem um pote de bolinhas de gude cheio porque ela senta de "meia bunda" comigo.

Minha resposta foi muito compreensível:

— E o que seria isso, meu Deus?

— Se eu chegar atrasada no refeitório e todas as mesas estiverem lotadas, ela chega para o lado e ocupa só metade do assento para que eu possa sentar na mesa das minhas amigas.

Tive que concordar com ela que sentar de "meia bunda" era mesmo algo muito legal, e sem dúvida merecia uma bola de gude. Já mais alegre, ela me perguntou se eu tenho amigos com potes de bolinha de gude cheios e como eles fazem para ganhar suas bolinhas.

— Acho que é um pouco diferente para os adultos.

Mas então pensei no jogo de futebol que Ellen tinha mencionado. Quando meus pais chegaram, minha amiga Eileen foi falar com eles e disse: "Ei, David e Deanne, que ótimo ver vocês." E me lembro de me dar conta de como era importante para mim que Eileen se lembrasse do nome deles.

Gosto de contar essa história porque sempre presumi que a confiança é conquistada nos momentos grandes e através de gestos grandiosos, e não nas coisas mais simples como uma amiga se lembrando de pequenos detalhes da sua vida. Mais tarde na mesma noite, liguei para os doutorandos da minha equipe e passamos cinco dias examinando toda a pesquisa sobre confiança. Começamos a investigar comportamentos que geram confiança, o que reforçou aquilo que Ellen havia me ensinado ao chegar da escola naquele dia. Percebemos que a confiança é realmente conquistada nos momentos mais simples. Não através de atos heroicos ou de ações extremamente óbvias, mas por meio de atitudes como prestar atenção, escutar e cultivar gestos de preocupação e vínculo genuínos.

Meu trabalho como pesquisadora da teoria fundamentada nos dados é compreender o que os dados dizem e depois partir para a literatura para ver como minhas descobertas se encaixam ou não no que outros pesquisadores relataram. De qualquer maneira, a teoria que surge daí não muda, mas se houver um conflito — o que acontece com frequência — o pesquisador precisa reconhecê-lo. A maioria dos pesquisadores quantitativos faz o contrário, primeiro verificando o que diz a pesquisa existente e depois tentando confirmar se é verdade. Na minha abordagem, desenvolvo teorias com base em experiências vividas, não em teorias existentes. Só depois de registrar as experiências dos participantes tento enquadrar minhas teorias na pesquisa existente. Os pesquisadores da teoria fundamentada nos dados fazem isso nessa ordem para que nossas conclusões sobre os dados não sejam distorcidas pelas teorias existentes, que podem refletir ou não as experiências reais de populações variadas.

O primeiro lugar que procurei para ver o que havia na literatura existente foi a pesquisa de John Gottman, que se baseia em quarenta anos de estudos sobre relacionamentos íntimos. Para quem não conhece o trabalho de Gottman sobre casamentos, ele conseguiu prever um desfecho de divórcio com 90% de precisão com base nas respostas a uma série de perguntas. A equipe dele investigou em busca do que ele chamou de "Os quatro cavaleiros do Apocalipse" — críticas, defensividade, respostas evasivas e desprezo, sendo o desprezo o mais prejudicial num relacionamento romântico.

Num artigo publicado num dos meus sites preferidos, o "Greater Good" da University of California em Berkeley (greatergood.berkeley.edu), Gottman descreve a construção da confiança com nossos cônjuges de um modo totalmente coerente com o que encontrei em minha pesquisa. Gottman escreve:

> O que descobri com a pesquisa é que a confiança é construída em momentos muito pequenos, que chamo de momentos de "portas de correr", termo tirado do título do filme *Sliding Doors* [no Brasil lançado como *De caso com o acaso*]. Em qualquer interação existe a possibilidade de se conectar com seu parceiro ou se afastar dele.
>
> Deixe-me dar um exemplo do meu próprio relacionamento. Certa noite, eu queria muito terminar de ler um livro policial. Eu achava que sabia quem era o assassino, mas estava ansioso para ter certeza. A certa altura da noite, larguei o livro sobre a mesa de cabeceira e fui ao banheiro.
>
> Quando passei pelo espelho, vi o reflexo do rosto da minha esposa, e ela parecia estar triste enquanto escovava os cabelos. Era um momento de porta de correr.

Eu tinha uma escolha. Poderia deixar de entrar no banheiro pensando *não quero lidar com a tristeza dela esta noite; quero ler meu livro*. Mas, em vez disso, por ser um pesquisador de relacionamentos sensível, decidi entrar no banheiro. Tirei a escova da mão dela e perguntei: "O que houve, querida?" E ela me contou por que estava triste.

Naquele momento, eu estava construindo a confiança; estava ali para apoiá-la. Estava me conectando com ela, em vez de escolher pensar apenas no que eu queria. Nós descobrimos que esses são os momentos que geram confiança.

Um momento como esse sozinho não é tão importante, porém, se sempre escolhermos nos afastar a confiança vai se deteriorando no relacionamento — bem aos poucos, bem lentamente.

A confiança é o acúmulo e a sobreposição dos pequenos momentos e da vulnerabilidade recíproca ao longo do tempo. A confiança e a vulnerabilidade crescem juntas, e trair uma delas é o mesmo que destruir as duas.

Mito 6: Vulnerabilidade é exposição.
Aparentemente há um mal-entendido circulando por aí de que eu defendo que líderes devem expor suas experiências pessoais e revelar abertamente suas emoções em todos os momentos. Acho que essa ideia vem de pessoas que têm apenas uma compreensão periférica dos temas-chave da minha palestra no TEDxHouston sobre vulnerabilidade e do livro *A coragem de ser imperfeito*, aliados ao fato de que 80% do trabalho que desenvolvo atualmente trata de vulnerabilidade e liderança. É um caso grave da loucura tipo 2 + 2 = 57 que vemos no mundo atualmente. Todos nós conhecemos pessoas (e já fomos essas pessoas) que juntam algumas coisas que *acreditam* terem entendido e chegam a uma conclusão clara, um tanto interessante e totalmente falsa. Vamos dissipar esse mito de uma vez com duas declarações que podem parecer conflitantes:

1. Eu não defendo a exposição indiscriminada e excessiva como ferramenta de liderança, ou a vulnerabilidade pela vulnerabilidade.
2. Não existe liderança ousada sem vulnerabilidade.

As duas declarações são verdadeiras.

Sei que há um problema quando as pessoas me perguntam: "Quanto os líderes devem revelar aos colegas ou funcionários?" Alguns dos líderes mais ousados que conheço são incrivelmente habilidosos em encarar a vulnerabilidade e mesmo assim revelam muito pouco. Também trabalhei com líderes que revelam muito mais do que deviam e têm pouca ou mesmo nenhuma habilidade de confronto.

Durante um período de mudanças difíceis e incertezas, os líderes ousados podem se sentar com suas equipes e dizer:

Essas mudanças estão chegando de maneira intensa e rápida, e sei que há muita ansiedade — também estou sentindo isso, e é difícil trabalhar assim. É difícil não levar essa ansiedade para casa, é difícil não se preocupar, e é fácil querer culpar alguém. Revelarei a vocês tudo que puder sobre as mudanças, assim que puder.

Quero passar os próximos 45 minutos confrontando a forma como estamos gerenciando as mudanças. Especificamente: *O que você acha do apoio que estou oferecendo? Quais perguntas posso tentar responder? Há alguma história que você tenha escutado e queira conferir comigo? Você tem alguma outra pergunta?*

Peço a todos que continuem conectados e apoiem uns aos outros durante esse momento de turbulência para que possamos realmente lidar com o que está acontecendo. Em meio a tudo isso, precisamos continuar produzindo um trabalho do qual nos orgulhemos. Peço que cada um escreva uma coisa que gostaria que todo o grupo fizesse para nos sentirmos bem ao nos abrir e fazer perguntas, e uma coisa que atrapalharia esse processo.

Esse é um ótimo exemplo de como encarar a vulnerabilidade. O líder lista algumas das emoções não ditas e cria o que chamamos de **recipiente seguro**, perguntando à equipe do que os integrantes precisam para se sentir abertos e seguros na conversa. Essa é uma das práticas mais fáceis de se implementar, e o retorno do tempo investido é enorme em termos de construção de confiança e melhoria da qualidade do feedback e do diálogo; no entanto, raramente vejo líderes de equipes, projetos ou grupos tirarem um tempo para fazer isso.

O Projeto Aristóteles, um estudo sobre equipes altamente produtivas feito ao longo de cinco anos no Google, descobriu que a segurança psicológica — quando os membros da equipe se sentem seguros para assumir riscos e ser vulneráveis na frente dos demais — era "de longe a mais importante das cinco dinâmicas que definem equipes de sucesso". Amy Edmondson, professora da Harvard Business School, cunhou a expressão *segurança psicológica*. Em seu livro *Teaming*, ela escreve:

> Simplificando, a segurança psicológica torna possível dar um feedback ruim e ter conversas difíceis sem a necessidade de ficar dando voltas para falar a verdade. Em ambientes psicologicamente seguros, as pessoas acreditam que, se elas cometerem um erro, os outros não vão puni-las ou pensar mal delas por isso. Também acreditam que os outros não vão ficar ressentidos nem humilhá-las quando elas pedirem ajuda ou informações. Essa convicção ocorre quando as pessoas confiam umas nas outras e se respeitam, e isso gera uma sensação de confiança de que o grupo não vai envergonhar, rejeitar ou punir alguém por se manifestar. Assim, a segurança psicológica é uma convicção dada como certo de como os outros responderão quando você fizer uma pergunta, pedir feedback, admitir um erro ou propuser uma ideia possivelmente maluca. A maioria das pessoas sente necessidade de "gerir" o risco interpessoal para manter uma boa imagem, sobretudo no trabalho, e mais ainda na presença daqueles que as avaliam formalmente. Essa necessidade é tanto instrumental (promoções e recompensas podem depender da impressão que os chefes e outros têm) quanto socioemocional (nós apenas preferimos a aprovação à desaprovação).
>
> A segurança psicológica não significa uma situação acolhedora em que as pessoas são necessariamente muito amigas. Nem sugere uma ausência de pressão ou de problemas.

Em nosso trabalho de construção de recipientes, a equipe revisava todos os itens que os membros anotavam e depois eles trabalhavam juntos para consolidar e combinar os itens e criar algumas regras básicas.

Os itens que costumam aparecer como coisas que atrapalham a segurança psicológica em equipes e grupos incluem julgamento, conselhos não solicitados, interrupção e revelações fora da reunião da equipe. Os comportamentos de que as pessoas precisam de sua equipe ou grupo quase sempre são ouvir, manter-se curioso, ser sincero e manter a confiança. Ouse liderar investindo vinte minutos na construção da segurança psicológica quando precisar confrontar algo. Deixe clara a sua intenção de gerar segurança e peça a ajuda da sua equipe para fazer isso de forma eficaz.

Outra coisa que eu adoro nesse exemplo é a forma como o líder é sincero sobre a dificuldade, mantendo a calma enquanto fala na ansiedade e em como ela pode estar evidente, dando às pessoas a oportunidade de fazer perguntas e checar se os boatos são verdadeiros. O que me agrada muito nessa abordagem é uma das minhas ferramentas favoritas de confronto: "**O que você acha do apoio que estou oferecendo?**" Isso não apenas dá a oportunidade de esclarecer e preparar a equipe para o sucesso, pedindo às pessoas exemplos específicos de como deve ser um comportamento de apoio — e como ele *não* deve ser —, mas também os torna responsáveis por pedir aquilo de que precisam.

Quando você colocar essa pergunta em prática, espere ver as pessoas tendo dificuldade para apresentar exemplos de comportamentos de apoio. Estamos muito mais acostumados a não pedir exatamente as coisas de que precisamos e depois nos sentir ressentidos ou decepcionados por não as termos recebido. Além disso, a maioria de nós tem mais facilidade em dizer como não é um apoio do que em imaginar como ele deve ser. Com o tempo, essa prática funciona como um grande construtor de confiança fundamentada (falaremos sobre esse conceito mais adiante).

Nesse exemplo de confronto, o líder não está revelando demais ou se expondo inadequadamente como um mecanismo para forçar o vínculo ou a confiança com os membros da equipe. Também não há falsa vulnerabilidade. A falsa vulnerabilidade pode ser algo como um líder que diz que os membros da equipe podem fazer perguntas, mas não reserva tempo para criar a segurança psicológica que possibilite isso ou nunca dá uma pausa na conversa para que as outras pessoas falem.

O líder do exemplo anterior também não está se esquivando da responsabilidade de entrar em contato com os medos e sentimentos da equipe revelando demais e tentando receber simpatia com declarações como "Eu também estou desmoronando. Eu também não sei o que fazer. Não sou o inimigo aqui". Basicamente: *Tenham pena de mim e não esperem que eu seja responsável por liderar durante esse período difícil, porque também estou com medo.* Eca.

A falsa vulnerabilidade não só é ineficaz, mas gera desconfiança. Não há forma mais rápida de irritar as pessoas do que tentar manipulá-las por meio da vulnerabilidade. A vulnerabilidade não é uma ferramenta de marketing pessoal. Não é uma estratégia de revelação excessiva. Encarar a vulnerabilidade é aceitar em vez de fugir das situações que nos fazem sentir inseguros, instáveis ou expostos emocionalmente.

Devemos sempre deixar nossa intenção bem clara, entender os limites da vulnerabilidade no contexto de funções e relacionamentos e estabelecer limites. **Limites** é uma palavra traiçoeira, mas adoro a forma como minha amiga Kelly Rae Roberts a torna simples e poderosa. Ela é artista e, há vários anos escreveu em seu blog um post sobre como as pessoas podem e não podem usar seu trabalho protegido por direitos autorais. O post tinha duas listas: o que podia e o que não podia. Era claro como água e capturava perfeitamente o que havíamos descoberto nos dados que coletamos sobre a definição eficaz de limites. Hoje ensinamos que **estabelecer limites é deixar claro o que é permitido e o que não é permitido, e por quê.**

Vulnerabilidade sem limites não é vulnerabilidade. É confissão, manipulação, desespero ou choque e espanto, mas não é vulnerabilidade.

Como exemplo do que não é vulnerabilidade, às vezes conto a história de um jovem CEO que estava havia seis meses em sua primeira rodada de fundos de investimentos. Ele me procurou depois de uma palestra e disse:

— Entendi! Entrei para a seita! Vou passar a ser bem vulnerável com a minha equipe.

Meu primeiro pensamento foi: *Que saco, lá vamos nós.* Primeiro, quando as pessoas falam em "entrar para a seita", fico cética. É uma brincadeira desagradável, e se você precisa desligar o pensamento crítico e ligar o modo de pensamento de grupo para aceitar uma ideia ou embarcar num plano, isso já me preocupa. Segundo, se você vem correndo empolgado me falar que vai se tornar mais vulnerável, não deve ter entendido o conceito de verdade. Se, por outro lado, você chega para mim e diz "tudo bem, acho que entendi e vou tentar abraçar a dificuldade da vulnerabilidade", tenho certeza de que entendeu do que se trata.

A conversa começou com vários sinais de alerta.

Sorri de nervoso e disse:

— Fale mais.

Outra das minhas ferramentas de confronto preferidas. Pedir a alguém para "falar mais" muitas vezes leva a um confronto bem mais profundo e produtivo. O contexto e os detalhes são importantes. Descasque a cebola. O sábio conselho de Stephen Covey ainda é válido: "Primeiro procure entender, depois ser entendido."

O CEO empolgado explicou:

— Vou dizer aos investidores e à minha equipe apenas a verdade: estou totalmente perdido, estamos perdendo dinheiro e não tenho ideia do que estou fazendo.

Ele fez uma pausa e olhou para mim:

— O que você acha?

Peguei o rapaz pela mão e o levei para o canto da sala, então nos sentamos. Olhei para ele e repeti o que eu havia falado na palestra e que ele aparentemente não tinha ouvido:

— O que eu acho? Acho que você não vai conseguir mais fundos e vai deixar algumas pessoas apavoradas. Vulnerabilidade sem limites não é vulnerabilidade. Pode ser medo ou ansiedade. Temos que pensar em por que estamos revelando algo e, igualmente importante, para quem. *Quais são as funções deles? Qual é a nossa função? Essa exposição é produtiva e apropriada?*

Antes de continuar, quando estou contando essa história para um grupo, sempre faço ao público a seguinte pergunta: *Provavelmente todos nós concordamos que fazer esse tipo de confissão na frente de seus funcionários e investidores não é inteligente. Mas aí vai uma pergunta para vocês: Se todos aqui tivessem o salário de um ano inteiro investido na empresa desse cara, quantos de vocês estariam torcendo para ele estar sentado diante de alguém dizendo "estou totalmente perdido, estamos perdendo dinheiro e não tenho ideia do que estou fazendo"?*

Se houver mil pessoas na sala, duas ou três podem levantar a mão nervosamente à medida que ficam cada vez mais conscientes de representarem uma minoria minúscula. A única exceção foi numa sala com cinquenta capitalistas de risco. Todos levantaram a mão.

Eu acabo com a tensão levantando a mão e explicando meu raciocínio: "Se tenho dinheiro investido na empresa dele, rezo para que ele se sente com um mentor, um conselheiro ou um membro do conselho e seja muito sincero sobre o que está acontecendo. Por quê? Porque todos nós sabemos qual é a alternativa. É que ele continue fingindo, sofrendo e forçando as mesmas mudanças ineficazes até que tudo chegue ao fim."

Agora, se eu fosse o cara, não vomitaria tudo de uma vez assim diante de todos os meus investidores ou da minha equipe de amigos e colegas, que largaram ótimos empregos para trabalhar comigo e transformar minha visão em realidade — isso não é sensato. Quando indaguei por que ele revelaria isso para eles, e não para um conselheiro ou mentor que poderia ajudá-lo sem entrar em pânico, ele revelou o que chamo de **intenção invisível e expectativa invisível**.

A intenção invisível é uma necessidade de autoproteção que se esconde abaixo da superfície e, muitas vezes, gera comportamentos que vão contra os nossos valores. E algo que está diretamente relacionado a ela é a expectativa invisível — um desejo ou expectativa que existe fora de nossa consciência e em geral reúne uma perigosa combinação de medo e pensamento mágico. As expectativas invisíveis quase sempre levam a decepção, ressentimento e mais medo.

Ele disse:

— Não tenho certeza. Acho que quero que eles saibam que estou tentando. Quero que saibam que estou fazendo o melhor que posso e que sou uma boa pessoa, mas estou fracassando. Se eu disser a verdade e me mostrar realmente vulnerável, eles não vão me culpar nem me odiar. Vão entender.

Intenção invisível: posso me proteger contra a rejeição, a vergonha, o julgamento e contra as pessoas se afastando de mim e pensando que sou uma pessoa ruim.

Expectativa invisível: eles não vão se afastar de mim nem pensar que sou uma pessoa ruim.

Acredite quando digo que as intenções e expectativas invisíveis são coisas com as quais tenho que lutar frequentemente dentro de mim, às vezes todos os dias. Eu quis gritar esse mesmo tipo de coisa para a minha equipe pelos mesmos motivos, mas tenho experiência suficiente para saber que a vulnerabilidade não é uma ferramenta para se obter simpatia. Como líder, ele precisa ser sincero com sua equipe e seus investidores, e esse diálogo vulnerável precisa acontecer com alguém que possa ajudá-lo a liderar nesse momento. Se expor somente por se expor, sem compreender o seu próprio papel, reconhecer seus limites profissionais ou deixar suas intenções e expectativas claras (especialmente aquelas que passam despercebidas) é apenas expurgar, desabafar, especular ou um milhão de outras coisas que frequentemente são impelidas por necessidades ocultas.

Com certa frequência, descubro que as pessoas que deturpam meu trabalho sobre a vulnerabilidade e o confundem com exposição ou expurgação emocional ou fazem isso porque não o entenderam, ou porque têm tanta resistência à ideia de vulnerabilidade que forçam o conceito até fazê-lo parecer ridículo e fácil de desmerecer. Nos dois casos, se você encontrar uma descrição de vulnerabilidade que não inclua a definição de limites ou de uma intenção clara, seja cauteloso. A vulnerabilidade pela vulnerabilidade não é eficaz, útil ou inteligente.

SENTIR É SER VULNERÁVEL

Para aqueles que foram criados com uma dose saudável (ou nem tanto) de "engole o choro e faz logo", encarar a vulnerabilidade representa um desafio. Juntos, os mitos que descrevi aqui nos fazem acreditar que a vulnerabilidade é o centro daquelas emoções difíceis que nos esforçamos o tempo todo para evitar, que dirá discutir (mesmo quando evitá-las traz sofrimento para nós mesmos e para as pessoas à nossa volta) — sentimentos como medo, vergonha, dor, decepção e tristeza. Mas a vulnerabilidade não é apenas o centro das emoções difíceis, ela é o cerne de todas as emoções. Sentir é ser vulnerável. Acreditar que a vulnerabilidade é uma fraqueza é acreditar que sentir é uma fraqueza. E, quer você goste ou não, nós somos seres emocionais.

O que a maioria de nós não consegue entender, e eu levei uma década de pesquisa para aprender, é que a vulnerabilidade é o berço das emoções e experiências que almejamos. É na vulnerabilidade que nascem o amor, o pertencimento e a alegria.

Sabemos que a vulnerabilidade é a pedra angular do desenvolvimento da coragem, mas muitas vezes não percebemos que sem a vulnerabilidade não existe criatividade ou inovação. Por quê? Porque não há nada mais incerto do que o processo criativo, e não existe absolutamente nenhuma inovação sem fracasso. Mostre-me uma cultura em que a vulnerabilidade é vista como uma fraqueza e mostrarei a você uma cultura que tem muita dificuldade de desenvolver novas ideias e perspectivas. Adoro uma declaração que Amy Poehler deu em sua websérie *Smart Girls: Ask Amy*:

> É muito difícil ter ideias. É muito difícil se expor assim, é muito difícil ser vulnerável, mas as pessoas que fazem isso são os sonhadores, os pensadores e os criadores. Eles são as pessoas mágicas do mundo.

A capacidade de se adaptar a mudanças, as conversas difíceis, os feedbacks, a resolução de problemas, a tomada de decisões éticas, o reconhecimento, a resiliência e todas as outras habilidades que formam a base da liderança ousada nascem da vulnerabilidade. Privar-nos da vulnerabilidade e da vida emocional por temer um preço alto demais a pagar é se afastar exatamente daquilo que dá propósito e significado à vida. Como lembra o neurocientista António Damásio: "Não somos necessariamente máquinas de pensar. Somos máquinas de sentir que pensam."

Na próxima seção, vamos examinar em detalhes uma das minhas próprias histórias de liderança para entender melhor como o medo e os sentimentos que negligenciamos podem causar grandes problemas, e vamos explorar mais a linguagem, as habilidades, as ferramentas e as práticas do confronto.

Transparência é gentileza.

**FALTA DE TRANSPARÊNCIA
É INDELICADEZA.**

Seção dois O CHAMADO DA CORAGEM

Nos primórdios da nossa empresa, certo dia me peguei sentada à mesa com minha equipe depois de eles me pedirem para nos reunirmos por uma hora. Quando me dei conta de que não havia uma pauta, tive aquela sensação de desespero: *E agora?* Charles, nosso diretor financeiro, olhou para mim e disse: "Precisamos confrontá-la sobre uma crescente preocupação em relação a como estamos trabalhando."

Durante anos, meu primeiro pensamento em situações como essa teria sido *Ai, meu Deus. Estão fazendo uma intervenção. E comigo.* Mas confio na minha equipe e confio no processo de confronto.

Chaz, como eu o chamo há 25 anos, foi direto ao ponto:

— Estamos sempre definindo cronogramas irreais, trabalhando freneticamente para cumpri-los, fracassando, estabelecendo novas datas, e continuamos não conseguindo cumpri-las. Por causa disso, vivemos num caos constante e as pessoas estão ficando esgotadas. Quando você define um cronograma e nós o adiamos porque sabemos que é inviável, você insiste tanto que nós paramos de adiar. Não está funcionando. Você tem muitas qualidades, mas não é boa em estimar prazos, e precisamos encontrar um novo processo que funcione para todos nós.

Enquanto minha equipe me encarava, ansiosa pela minha resposta e aliviada porque o problema estava sendo discutido, a despeito de qual seria a minha resposta, pensei na primeira vez que ouvi alguém dizer "Você não é boa em estimar prazos" e fui levada à lembrança de uma quase briga que tive com Steve uma década antes dessa reunião.

Steve e eu, junto com nossos vizinhos, nos oferecemos para organizar um jantar, que aconteceria nas duas casas, em prol da associação de pais e professores da escola onde nossa filha estudava. Steve e eu nos encarregamos de servir os aperitivos e a salada na nossa casa, depois os convidados iriam à casa dos vizinhos para o jantar e por fim retornariam à nossa para a sobremesa e o café. Um evento bem retrô e muito divertido.

Tudo parece fácil quando é só para daqui alguns meses.

Lembro exatamente onde eu estava quando olhei para Steve e disse:

— Vai ser ótimo. Estou empolgada com as novas receitas. Tudo que precisamos fazer é arrumar a casa. Posso dar uma retocada na pintura da sala de jantar e preciso que você adicione algumas cores ao quintal. O quintal precisa dizer: *Bem-vindo! Estamos felizes que você está aqui! Estas flores provam que somos vizinhos incríveis e que nossa vida não é uma completa bagunça!*

Steve só me encarou.

Olhei de volta.

— O quê? Por que está me olhando desse jeito?

— O jantar começa em duas horas — disse ele.

— Eu sei — respondi. — Já tenho tudo planejado. Você leva 15 minutos para chegar à Home Depot, trinta para escolher a melhor combinação de flores e mais 15 minutos para voltar. Em 45 minutos consegue plantá-las e em 15 toma banho.

Steve não conseguiu falar mais nada. Só ficou balançando a cabeça, até que eu disse:

— O que foi? Qual é o problema?

Então ele soltou:

— Você não é boa em estimar prazos, Brené.

— Talvez eu seja mais rápida que a maioria das pessoas — respondi sem pensar.

Respirei fundo, me arrependendo na mesma hora de ter dado uma de espertinha quando precisava que ele fosse correndo até a Home Depot. Eu mesma falei antes que ele pudesse retrucar.

— É sério? Por que você me considera ruim em estimar prazos?

— Bom, para começar, você esqueceu de incluir no seu plano a hora que vamos passar brigando quando eu disser "De jeito nenhum, eu não vou começar a montar um jardim no quintal faltando duas horas para os convidados chegarem" e você responder me acusando de nunca ligar para os detalhes nem me preocupar com coisas pequenas. E ainda vai falar que é por culpa da minha falta de atenção aos detalhes que você está tão estressada o tempo todo. Depois vai dizer algo como "Deve ser bom nunca ter que se preocupar com as pequenas coisas que fazem toda a diferença".

Só fiquei ali parada.

O fato de ele ter dito tudo isso numa boa e sem ser um babaca tornava as coisas ainda piores.

Ele continuou:

— Seu comentário "deve ser bom" vai soar como se você estivesse me culpando e me criticando, e isso vai me irritar. Todo o estresse de organizar essa festa só vai crescer e piorar tudo. Você vai tentar não chorar para não ficar com os olhos inchados, mas nós dois vamos acabar aos prantos. Passaremos o resto da noite torcendo para a festa acabar logo. Então não vamos comprar flores, e acho que devíamos pular a parte da briga também, dado o nosso cronograma apertado.

A profecia dele me fez rir e ficar com os olhos marejados ao mesmo tempo.

— Isso foi doloroso. E engraçado.

Steve disse:

— A melhor coisa que você pode fazer agora é dar uma corrida e depois tomar um banho. As pessoas que vejam a nossa casa como ela é de verdade.

Quando voltei a mim, sentada ali à mesa com a minha equipe, senti uma profunda gratidão por Chaz ter falado com tanta clareza. Durante os anos que passamos pesquisando e trabalhando juntos, aprendemos algo sobre a transparência que mudou desde a forma como falamos uns com os outros até o modo como negociamos com parceiros externos. É simples, mas transformador: **Transparência é gentileza. Falta de transparência é indelicadeza.** A primeira vez que ouvi isso foi há duas décadas numa reunião do programa de doze passos do AA, mas na época eu escutava uma enxurrada de slogans e nem pensei nessa fala novamente até ver os dados sobre como a maioria de nós evita a transparência com a desculpa de que assim estamos sendo gentis, quando na verdade estamos sendo indelicados e injustos.

Falar meias-verdades ou qualquer conversa fiada para que os outros se sintam melhor (o que quase sempre é para fazer com que nós fiquemos mais à vontade) é indelicado. Não deixar suas expectativas claras para um colega porque isso é difícil demais e, mesmo assim, responsabilizá-lo ou culpá-lo por não fazer o que esperávamos é indelicado. Falar *sobre* as pessoas e não *com* elas é indelicado. Essa lição transformou tão profundamente a minha vida que se tornou uma regra na minha casa. Se Ellen está tentando lidar com um problema com a colega de quarto na faculdade ou Charlie precisa falar com um amigo sobre algo... transparência é gentileza. Falta de transparência é indelicadeza.

Olhei para minha equipe e falei:

— Obrigada por confiarem em mim a ponto de se sentirem à vontade para me dizer isso. Não é a primeira nem a centésima vez que recebo esse feedback sobre minha péssima capacidade de estimar prazos. Vou trabalhar nisso. E vou melhorar.

Pude perceber que eles ficaram um pouco decepcionados com a minha resposta. "Ok, eu entendo e vou trabalhar nisso" é uma técnica muito usada para terminar conversas. Respirei fundo e me rendi à mãe de todas as ferramentas de confronto: a curiosidade. "Falem mais sobre como isso funciona para todos vocês. Gostaria de entender."

Fiquei feliz por ter perguntado. Eu precisava ouvir o que eles tinham a dizer, e eles precisavam que eu ouvisse como era frustrante, desanimador e improdutivo que eu continuasse dando ideias e estabelecendo cronogramas completamente irreais e olhando para eles como se estivessem destruindo meus sonhos quando eles faziam seu trabalho e diziam: "Isso vai levar pelo menos doze meses, não dois meses, e vai demandar um investimento em dinheiro significativo."

Foi doloroso e desconfortável. E é exatamente por isso que nós tentamos encerrar tudo e sair correndo de conversas como essa. É muito mais fácil dizer "Ok, entendi" e dar o fora.

Depois de ouvir, agradeci a todos pela coragem e honestidade e prometi mais uma vez que refletiria sobre aquilo. Perguntei se poderíamos voltar ao assunto no dia seguinte. Na minha pesquisa e na minha vida, nunca vi nenhum benefício em avançar demais numa conversa difícil, a menos que haja um problema urgente que precise ser resolvido na hora. Nunca me arrependi de dar uma breve pausa ou retomar o assunto depois de algumas horas de reflexão. No entanto, já me arrependi de muitos casos em que fiz pressão para acabar logo com a questão. Esses instintos egoístas acabam nos custando muito mais tempo do que um pequeno intervalo custaria.

Naquela noite, ao chegar em casa, comprei alguns e-books sobre gerenciamento de projetos e, por algum motivo — talvez eu tivesse lido algo sobre isso no LinkedIn —, eu me convenci de que precisava de uma "Six Sigma Black Belt". Nem fazia ideia do que era isso, mas pesquisei e, depois de ler por alguns minutos, o simples pensamento me fez querer bater a cabeça no laptop até desmaiar.

Não demorei muito para perceber que meu plano não ia funcionar. Não sou boa com tempo ou coisas muito geométricas, como Tetris ou Blokus. Eu não penso assim nem vejo o mundo desse modo. Enxergo os projetos como constelações, e não linhas. Vejo os planos da maneira como vejo os dados — de maneira relacional e com cantos arredondados e um milhão de portas de conexão. Por mais que eu lesse e tentasse, para mim parecia um mundo de planilhas terrível e estranho.

Interessado em ver um exemplo de como eu penso? *Então se prepare.*

Quando percebi que não podia chegar para a minha equipe e impressioná-los com uma faixa preta novinha em folha e estimativas de prazo superprecisas, na mesma hora lembrei de Luke Skywalker lutando para se tornar um guerreiro Jedi em *O Império contra-ataca*. Falo do meu amor por essa história em *Mais forte do que nunca*, mas vou falar sobre ela aqui também porque *Star Wars* nunca é demais.

Yoda está tentando ensinar Luke a usar a Força e explica como o lado negro da Força — a raiva, o medo e a agressividade — o está impedindo de aprender. Eles estão no pântano onde os dois vêm treinando quando Luke aponta para uma caverna escura na base de uma árvore gigante e, olhando para Yoda, diz:

— Há algo errado aqui... Sinto frio. Morte.

Yoda explica a Luke que a caverna é perigosa e o lado sombrio é forte nela. Ele fica confuso e assustado, mas Yoda apenas responde:

— Entrar você precisa.

Quando Luke pergunta o que há na caverna, o mestre explica:

— Só o que levar com você.

Enquanto Luke pega as armas, Yoda adverte, sério:

— Suas armas, não vai precisar.

Mesmo assim, Luke leva o sabre de luz.

A caverna é escura e assustadora. Luke caminha lentamente dentro dela até que é confrontado por seu inimigo, Darth Vader. Os dois puxam seus sabres de luz, e Luke logo corta a cabeça de Vader, e junto o capacete. A cabeça rola para o chão e a frente do capacete explode. Só que o rosto revelado não é o de Darth Vader; é o de Luke. O garoto encara a própria cabeça no chão.

Essa parábola me fez pensar que talvez o meu problema tivesse menos a ver com a minha capacidade de estimar prazos e gerenciar projetos e mais com os meus medos. Então pus no papel alguns exemplos bem específicos de prazos que eu tinha imposto à minha equipe enquanto ela relutava e ficou claro que meu maior inimigo não era uma incapacidade de prever prazos, mas uma falta de consciência a meu próprio respeito. Será que eu vinha cortando minha própria cabeça com um sabre de luz?

Descobri que meus cronogramas descabidos raramente eram motivados por empolgação ou ambição. Faço esses cronogramas impossíveis de cumprir por duas razões: 1) por medo, escassez e ansiedade (por exemplo,

Não estamos fazendo o suficiente, outra pessoa vai ter essa ideia antes que a gente consiga terminar, vejam o que todo mundo está fazendo); ou 2) além do trabalho que fazemos juntos no dia a dia, frequentemente estou com outras coisas na cabeça, como compromissos acadêmicos de prazo mais longo, contratos com editoras e uma dúzia de conversas sobre possíveis parcerias. Às vezes, aperto cronogramas porque estou tentando sincronizar as datas com projetos e prazos dos quais a minha equipe nem tem conhecimento porque eu não a informei.

Foi muito importante descobrir a origem do problema, mas isso não se traduziu numa vontade de voltar ao assunto com a minha equipe e falar sobre esses principais aprendizados. Não queria dizer "na verdade, eu não sou boa em estimar prazos e, quanto mais entendo esse conjunto de habilidades, menos fico confiante de que vou realmente conseguir me tornar melhor nisso".

Eu não queria revelar a verdade sobre o meu medo. *E se essa escassez e essa ansiedade estão surgindo porque eu não devia ser líder?* Até mesmo falar abertamente sobre a minha dificuldade de comunicar uma estratégia maior era assustador. *E se a minha dificuldade de comunicação for só um sintoma da minha incapacidade de gerir uma empresa?* A coisa mais séria que os fantasmas da vergonha sussurravam no meu ouvido era: *Este cargo não é para você. Você pode estudar liderança, mas não é capaz de liderar. Você é uma piada!*

Quando sentimos medo ou uma emoção que leva à necessidade de proteção, o padrão que seguimos para montar a armadura, peça por peça, é bem previsível:

1. Não sou suficiente.
2. Se eu for sincero sobre o que está acontecendo, eles vão pensar mal de mim ou até mesmo usar isso contra mim.
3. De jeito nenhum que vou ser sincero. Ninguém faz isso. Por que preciso me expor desse jeito?
4. É, eles que se danem. Eu nunca os vejo sendo sinceros sobre o que os assusta. E eles são cheios de problemas.

5. Na verdade, são os problemas e os defeitos deles que me fazem agir assim. É culpa deles, e eles estão tentando me culpar.
6. Na verdade, pensando melhor, sou melhor do que eles.

As pessoas pensam que há um longo caminho entre "não sou suficiente" e "sou melhor do que eles", mas basta ficar parado para isso acontecer. Bem no mesmo lugar. Com medo. Montando a armadura.

Não quero viver com medo ou liderar por meio do medo, e estou de saco cheio da armadura. Coragem e fé são os meus valores essenciais e, quando sinto medo, acabo agindo de maneiras que não se alinham com esses valores e não estão de acordo com a minha integridade. É nessas horas que me lembro da frase de Joseph Campbell que acredito ser um dos mais puros chamados à coragem já dirigidos aos líderes: "A caverna onde você tem medo de entrar guarda o tesouro que você busca."

Campbell foi consultor de George Lucas em *Star Wars*, e não tenho a menor dúvida de que a minha cena preferida é aquela em que Lucas dá vida a essa sabedoria.

É assim que penso. Não sou faixa preta, mas preciso acreditar que a Força está comigo.

Caça ao tesouro

Qual é o tesouro que busco? Menos medo, escassez e ansiedade. Menos solidão. Mais trabalhar juntos atrás de metas que empolguem a todos nós.

Qual é a caverna onde tenho medo de entrar? Tenho medo de admitir que não sei como fazer certas coisas que todos os "líderes de verdade" sabem fazer. Não quero revelar que, quando tenho medo, tomo decisões ruins, e que venho me sentindo empacada e assustada, cansada e solitária com muita frequência ultimamente.

Quando me sentei com a minha equipe para rediscutirmos o assunto, começamos a reunião com um dos nossos rituais: os **bilhetes de permissão**. Cada um escreveu algo que nos permitiríamos fazer ou sentir durante aquela reunião. Às vezes escrevemos em post-its, mas prefiro usar a minha agenda; assim, além das anotações da reunião, tenho um registro de como estava me sentindo naquele dia.

Naquela tarde, eu me permiti ser sincera com eles quanto às minhas experiências e às histórias que crio sobre como revelar meus sentimentos. Duas outras permissões que me lembro de terem sido reveladas naquele dia foram "Ouvir com entusiasmo" e "Pedir um intervalo caso seja necessário".

Os bilhetes de permissão são poderosos. Já vi pessoas chegarem em reuniões determinadas a obter a aprovação de uma ideia ou um plano, mas depois se permitirem manter a cabeça aberta ou ouvir mais do que falar. Também já ouvi "Eu me permito pedir mais tempo para pensar antes de compartilhar meu ponto de vista" ou "Eu me permito estar presente aqui, embora outras coisas estejam demandando minha atenção hoje".

Nós adoramos os bilhetes de permissão, porque é como quando eu assinava uma autorização para que Ellen ou Charlie pudessem ir numa excursão da escola ao zoológico: ainda era preciso que eles entregassem a autorização ao professor e entrassem no ônibus. Só porque você escreveu num papel "Permissão para falar mesmo sendo o único aqui que não é especialista em conteúdo" não significa que você vai falar. Bilhetes de permissão não são notas promissórias. Eles servem para afirmar e registrar intenções, então não há consequências se você não cumpri-las. No entanto, elas são úteis para aumentar a responsabilidade e o potencial de apoio, e também para entender o ponto de vista de todos os participantes.

Depois que lemos os bilhetes de permissão, contei a eles sobre minha experiência fracassada tentando ler os livros de negócios. Expliquei como descobri que o medo, a ansiedade e a escassez me levavam a criar cronogramas irreais e como fiquei ainda mais assustada quando eles responderam com as realidades de "contingências e caminhos críticos".

Deixei claro como me sentia quando eles rejeitavam os cronogramas que eu havia calculado com base em um milhão de coisas acontecendo ao mesmo tempo, algumas das quais eles não tinham a menor ideia. Como somos um grupo unido e eles trabalham muito, foi difícil dizer que às vezes me sinto totalmente sozinha enquanto tento manter tudo funcionando e coordenar a coisa toda. Em suma, confessei que minha mania de apertar os cronogramas vinha do medo e que, em vez de ser sincera em relação a esses sentimentos e reconhecê-los, eu **descarregava as emoções** neles através da raiva e do péssimo comportamento de encará-los como destruidores de sonhos.

Contei que tinha tentado ler os livros sobre gerenciamento de projetos e habilidades de estimativa e que acreditava que faltava no meu cérebro a parte responsável pelo cálculo de prazos. Eles não responderam com um "Não, imagina, não falta nada!"; em vez disso, eles concordaram. Murdoch, meu gerente, foi gentil e disse: "É, pode ser que você não tenha essa parte. Mas a parte boa é que sobra mais espaço no seu cérebro para toda essa criatividade." E todos nós demos boas risadas quando falei na faixa preta.

Identificamos quatro **principais aprendizados** durante o nosso confronto. Primeiro, sendo uma equipe de liderança, precisamos que todos compreendam todas as peças em movimento, para que nenhuma pessoa sozinha funcione como o tecido conjuntivo. Corrigimos isso com novos processos de comunicação, entre eles que a equipe continuasse se reunindo — em todas as áreas da empresa — quando estou enfurnada longe de lá escrevendo, pesquisando ou viajando. Também temos um novo processo de **ata da reunião**. Todos fazem suas próprias anotações, mas uma pessoa se oferece para redigir as atas.

Elas devem ser resumidas em:

Data:
Intenção da reunião:
Participantes:
Principais decisões:
Tarefas e responsáveis:

O melhor dessa nova prática é que todos os participantes são responsáveis por parar e dizer "vamos registrar isso na ata" — não apenas o redator da ata. E agora terminamos as reuniões cinco minutos mais cedo para revisar e concordar com a ata antes de irmos embora. Antes de sairmos da reunião, o redator entrega a ata para todos e depois a disponibiliza em algum canal, de modo que não haja especulações sobre precisar arrumar ou sintetizar as atas depois que nos separamos.

O processo de registrar atas também resolveu vários outros problemas que enfrentávamos, como a subjetividade das atas (que acontecia quando alguém registrava a ata de cabeça horas após a reunião) e a dificuldade de manter nossas equipes dispersas a par das frequentes engrenagens que formam o ambiente de uma start-up. Com esse novo processo de documentação das reuniões, aliado ao meu compromisso de copiar minha equipe nos e-mails de planejamento com possíveis parceiros e com meu editor, todos têm muito mais acesso ao que está acontecendo nas diferentes áreas do nosso trabalho.

Também concordamos que trabalharíamos juntos na estimativa de cronogramas e prazos, confrontando-os até que funcionassem para todos nós como equipe. Hoje utilizamos um método para definir prioridades e estimar o tempo que parece simples, mas que é eficaz e extremamente impressionante. Nós o chamamos de **Virar e aprender**. Todos nós escrevemos em post-its quanto tempo achamos que um projeto vai levar e, se estamos lidando com vários projetos, nós os ordenamos de acordo com a prioridade. Quando todos já escreveram sua estimativa e a ordem sem mostrar uns aos outros, contamos até três e mostramos nossas respostas.

Essa prática controla o "efeito de halo" que ocorre quando todos veem a resposta da pessoa com maior influência dentro do grupo e a imitam. Ela também controla o "efeito bandwagon" — o instinto humano de seguir os outros mesmo quando se discorda deles. É difícil ser o último a revelar sua opinião quando todos já concordaram com uma ideia e estão cada vez mais animados com ela.

Chamamos de "Virar e aprender" porque não se trata de estar certo ou errado, mas de criar um espaço para entender diferentes pontos de vista, aprender com todos ao redor da mesa e identificar as áreas que precisam ter as expectativas esclarecidas. Na maioria das vezes, descobrimos que todos estamos trabalhando com dados e suposições diferentes, ou não compreendemos totalmente o peso, ou não vemos a carga que certas pessoas já carregam. É uma ferramenta de conexão incrível.

Ficou claro que eu tinha uma questão pessoal séria para trabalhar, e também encontramos um padrão perigoso que precisávamos identificar e desconstruir — um padrão que observo nas organizações o tempo todo, mas que estava no meu ponto cego. É o padrão operações *versus* marketing. Financeiro *versus* criativo. Gastadores *versus* poupadores. Românticos *versus* analíticos. Sonhadores *versus* conservadores. Esse tipo de pensamento binário é muito perigoso, pois ao segui-lo não aproveitamos a plenitude das pessoas. As funções se tornam caricaturas e estereótipos: *Juan é tão otimista com suas projeções de vendas, mas tudo bem porque Kari vai vir com tudo, mostrar os dados dos piores cenários possíveis e acabar com essas fantasias.* Ser otimista e realista deveria ser responsabilidade de todos. Se você tiver fama de idealista, perde a credibilidade e a confiança. Se for forçado a agir como um fiscal da realidade, nunca tem a oportunidade de arriscar.

Essa percepção nos levou direto para as páginas do clássico *Empresas feitas para vencer*, de Jim Collins. A empresa toda tinha lido o livro, e mesmo nessa época continuávamos presos ao Paradoxo Stockdale. Como explica Collins, o Paradoxo Stockdale tem esse nome graças ao almirante Jim Stockdale, que passou oito anos como prisioneiro de guerra no Vietnã. Ele foi torturado mais de vinte vezes no cárcere, entre 1965 e 1973. Além de lutar para permanecer vivo, ele se esforçava todos os dias para ajudar os outros prisioneiros a sobreviverem ao tormento físico e emocional.

Quando entrevistou Stockdale, Collins perguntou: "Quem não conseguiu escapar?"

O almirante respondeu: "Ah, essa é fácil. Os otimistas."

Ele contou que os otimistas acreditavam que estariam livres até o Natal, e então chegava o Natal. Depois acreditavam que escapariam antes da Páscoa, até que a data vinha e eles continuavam lá. E assim anos se passaram. Stockdale explicou a Collins: "Eles morreram de decepção."

Ele também disse: "Esta é uma lição muito importante. Nunca se deve confundir a fé de que vamos vencer no fim — o que nunca podemos nos dar ao luxo de perder — com a disciplina para confrontar os fatos mais brutais da nossa realidade atual, sejam eles quais forem." Demos a esse terceiro aprendizado o nome de **fé destemida e fatos destemidos**, e hoje nós todos nos esforçamos para assumir a responsabilidade tanto por sonhar quanto por confrontar esses sonhos com a realidade dos fatos.

Quando há muita pressão, ainda acontece de recairmos em alguns desses padrões, principalmente no que diz respeito a informar tudo que acontece e manter o tecido conjuntivo. O mais importante ao fazermos esse trabalho é que agora reconhecemos o problema muito mais rápido e somos capazes de identificá-lo. Quando isso acontece, sabemos que tipo de confronto precisamos realizar e por quê.

No fim da reunião, pedi desculpas por descarregar neles as minhas emoções. E, igualmente importante, eu me comprometi a não ficar só no pedido de desculpas, mas a falar com eles quando sentisse que meus medos estavam me afligindo e a procurar ter consciência dos comportamentos que o medo me leva a ter. Também confirmei com a minha equipe se todos concordávamos que mudar esses comportamentos resolveria os principais aprendizados que estávamos discutindo. Pedir desculpas e demonstrar o arrependimento com uma mudança de comportamento é algo normal na nossa empresa desde sua criação. Embora alguns líderes considerem pedir desculpas um sinal de fraqueza, nós ensinamos que se trata de uma habilidade e encaramos a vontade de pedir desculpas e corrigir os erros como um ato de liderança corajosa.

Após refletirmos sobre os principais aprendizados, todos nós assumimos nossas responsabilidades e nos comprometemos a incorporar esses aprendizados dali em diante. Avaliar "nossa responsabilidade" também é algo fundamental no processo de confronto. Nunca participei de um confronto, ou de qualquer conversa difícil — mesmo quando tinha 99% de certeza de que estava com a razão — em que, depois de nos aprofundarmos, eu não tenha descoberto minha responsabilidade naquela situação. Mesmo que minha função fosse não falar ou me mostrar interessada. Somos grandes adeptos do **"Qual é a minha responsabilidade?"**.

O poder e a sabedoria de servir aos outros

A lição de Joseph Campbell era que, quando você encontra a coragem para entrar naquela caverna, nunca o faz para garantir seu próprio tesouro ou sua própria riqueza; você enfrenta seus medos para encontrar o poder e a sabedoria de servir aos outros.

Dentro desse tema, quero apresentar a você a coronel DeDe Halfhill. Atualmente ela é a diretora de inovação, análise e desenvolvimento de liderança do Comando Global de Ataque da Força Aérea americana, que abrange 33 mil oficiais e aviadores alistados e civis. Antes do cargo atual, ela comandou o 2º Grupo de Apoio à Missão na Base da Força Aérea de Barksdale, Louisiana, e era responsável por 1.800 aviadores e pelas operações diárias de manutenção da mesma base da Força Aérea. Foi durante seu tempo como comandante dessa organização que ocorreu o incidente a seguir. DeDe Halfhill é uma das minhas heroínas na área de liderança e ela é foda. É nessa história que costumo pensar quando preciso de inspiração para escolher a coragem em vez do conforto a fim de poder servir aos outros.

DeDe escreve:

> Acredito que uma das coisas mais úteis que aprendi com o trabalho de Brené é a importância de se usar a linguagem certa para dizer coisas difíceis e abordar assuntos complicados. Em termos conceituais, como líderes, acho que compreendemos a vulnerabilidade e até estamos pessoalmente dispostos a ser vulneráveis, mas nem sempre usamos a linguagem ou o método correto ao aplicar tais conceitos. Não é muito eficiente dizer: "Vou ser vulnerável aqui com você agora."
>
> Durante o meu primeiro ano no comando, eu estava apresentando um prêmio para um aviador num evento do esquadrão. No fim da apresentação, perguntei se alguém tinha alguma dúvida. Um jovem aviador levantou a mão e indagou:
>
> — Senhora, quando vamos reduzir o tempo de operação [o ritmo das operações em curso]? Porque estamos muito cansados.

— É — respondi. — Temos realmente bastante trabalho e estamos exigindo muito de vocês. — Eu expliquei: — Porém, não é só aqui em Barksdale. Acabei de vir de outro comando e lá ouvi a mesma coisa. Em toda a nossa Força Aérea os líderes sabem que estamos exigindo muito de vocês e sabem que estão cansados.

— Sim, senhora, estamos cansados.

Embora o esquadrão seja maior do que isso, devia haver cerca de quarenta aviadores no evento daquele dia. Pedi que todos os que estavam cansados levantassem a mão, e quase todas as mãos foram levantadas.

Pensei no trabalho de Brené e em como ele me deu o poder de falar sobre assuntos desconfortáveis.

Continuei:

— Quero compartilhar com todos vocês algo que li há pouco tempo e que realmente me fez refletir. Há três dias, li na *Harvard Business Review* um artigo sobre uma organização que vinha pesquisando empresas que relatavam níveis elevados de exaustão. Essa equipe foi até as empresas para ver o que estava causando aqueles níveis tão alarmantes. Eles descobriram que, embora os funcionários estivessem muito esgotados, isso não acontecia somente por causa do ritmo das operações. As pessoas estavam exaustas demais porque se sentiam sozinhas. Os funcionários eram solitários, e essa solidão se manifestava num sentimento de exaustão.

Parei por um segundo e olhei para as pessoas, depois continuei:

— Porque é isso que acontece, não? Quando nos sentimos sozinhos, ficamos letárgicos. Não temos vontade de fazer nada; achamos que estamos cansados e só queremos dormir. — Fiz uma pausa: — E se, em vez de perguntar a vocês quem está cansado, eu perguntasse quem está se sentindo sozinho? Quantos de vocês levantariam a mão?

Pelo menos quinze pessoas levantaram a mão.

Para muitos de nós, a solidão é uma coisa difícil demais de admitir. Eu achava que talvez uma pessoa levantaria a mão, mas quando quinze pessoas se manifestaram fiquei em choque. Para usar um vocabulário mais adequado, naquela hora eu tive um momento "Ah, merda". Eu realmente não sabia o que fazer.

Fiquei parada, atordoada, ali na frente de todo mundo, só pensando: *Não sou terapeuta. Não estou preparada para isso.* Eu certamente não estava preparada para que quase um quarto das pessoas admitisse para mim um sentimento tão doloroso. E, sendo bem sincera, sentimentos com os quais eu mesma vinha tentando lidar. Era desconfortável, e o desconforto me fez querer mudar de assunto. Mas foi aí que o trabalho de Brené me deu coragem. Cinco anos atrás, antes de conhecer o trabalho dela, eu nunca teria tido a coragem de fazer essa pergunta, e com certeza não estaria preparada para dedicar um tempo às respostas.

A Força Aérea americana, os militares americanos em geral, vem enfrentando muitos problemas relacionados a suicídios e pessoas se sentindo isoladas e sem esperança. Como líderes, estamos fazendo o possível para nos aproximar dos nossos aviadores e garantir que eles saibam que o suicídio não é a resposta. Passamos tanto tempo conversando com eles sobre os recursos disponíveis, mas não sei se estamos falando o suficiente sobre o fato de que, no fim das contas, muitas pessoas só estão se sentindo solitárias. Elas não estão se conectando, e não estão pedindo ajuda.

Antes mesmo de fazer aquela pergunta, eu sabia que ela geraria muito desconforto, mas também sabia que era uma pergunta importante a ser feita. Então decidi recorrer à coragem e à vulnerabilidade e aproveitar aquele momento.

Decidi ser sincera com eles.

— Isso me deixa muito triste. Nunca falei com vocês sobre solidão. Mas ver tantos de vocês levantarem a mão hoje me assusta um pouco, porque não tenho certeza do que fazer com essa informação. Como líder, se vocês me dizem que estão cansados, posso mandá-los para casa, pedir que tirem uma folga, se afastem por um tempo e descansem um pouco. Mas se o problema é que vocês estão se sentindo solitários, isso significa que mandá-los embora para ficarem sozinhos poderia agravar o problema que estamos tentando combater desesperadamente na Força Aérea, que é o fato de algumas pessoas estarem tão sem esperanças e se sentindo tão isoladas que estão tomando uma atitude irreversível.

Minha determinação em fazer uma pergunta desconfortável acabou abrindo espaço para uma ótima conversa. Terminamos o evento daquela tarde tendo uma discussão muito franca sobre como construímos os relacionamentos dentro na unidade, como pedimos ajuda aos outros quando nos sentimos solitários e como podemos formar uma comunidade de inclusão. Essa conversa também forneceu ideias valiosas para o comandante do esquadrão e o ajudou a achar um caminho para lidar com o verdadeiro problema: vínculo e inclusão versus sobrecarga e exaustão.

Também foi um momento crucial para o meu crescimento como líder. Naquele dia percebi que, como líder, se eu me sinto à vontade a ponto de usar a linguagem certa e perguntar "Você se sente solitário?", posso ser capaz de criar um vínculo que traga esperança às pessoas. É possível que, ao usar a linguagem certa, eu crie um vínculo que talvez, as leve a se aproximar e conversar comigo. E aí poderemos fazer algo para resolver o problema. Na maioria das vezes, se não me sinto à vontade com o desconforto que um momento como esse pode gerar e me deparo com alguém que esteja passando por sérias dificuldades, eu encaminho — corretamente — a pessoa para um profissional que possa ajudá-la, um terapeuta especializado.

No entanto, às vezes temo que, ao fazer isso, eu dê a entender que não sei como resolver o problema, que não tenho tempo para lidar com o peso dele ou que tenho tantas outras demandas que não sou capaz de lidar com ele. Sem dúvida acredito que, como líderes, todos nós queremos fazer a coisa certa, mas nem sempre temos a capacidade ou experiência para cuidar de uma pessoa do jeito que ela precisa. Encaminhá-la para um profissional é o certo a se fazer, mas também acho que isso pode aumentar a sensação de isolamento. De certa forma, pode parecer que estou mandando o aviador para longe e dizendo a ele para deixar que um profissional "lide com isso". A mensagem inconsciente que eu poderia acabar enviando com isso é: você não está comigo, e eu não estou com você.

Naquele dia, quando vi todas aquelas mãos levantadas, fui afetada de tal forma que conto essa história sempre que tenho a oportunidade. Quero que os líderes e os colegas da Força Aérea ouçam e sintam por si mesmos como nos sentimos ao usar palavras como *solitário* versus *exausto*. Já narrei esse episódio no mínimo umas trinta ou quarenta vezes para grupos diferentes, para pessoas de diversos cargos e patentes na Força Aérea. Sei que, ao fazer isso, toquei numa ferida porque, toda vez que conto a história, ao olhar para o público vejo pessoas concordando com a cabeça. Eles se sentem conectados. Dá para ver. Dá para sentir. Eles entendem como é estar nas forças armadas, longe de casa, e como é difícil formar laços comunitários a cada nova missão. Ficam fascinados com o que estou dizendo naquele momento, porque eles também enfrentaram seus próprios momentos de solidão. Eu me emociono toda vez que conto essa história porque sei que ela tem um grande impacto sobre eles, e fico triste porque não falamos abertamente sobre esse assunto com mais frequência. Em alguns casos, nossas vidas dependem disso.

Agora, depois das minhas apresentações, quase sempre alguém se aproxima e pergunta: "O que devo fazer quando me sentir solitário?"

Com certeza não sou nenhuma especialista nesse assunto, que já é intimidador em si. Eu abri espaço para uma conversa que nem sempre me sinto preparada para conduzir. Mas é por isso que o trabalho de Brené é tão importante. Precisamos ter conversas difíceis mesmo quando não estamos prontos. Sempre uso as palavras de Brené e respondo: "Sou uma viajante, não o cartógrafo. Estou seguindo por esse caminho assim como você e com você." Digo a todos que dividem esse momento comigo que sou muito cuidadosa ao fazer planos e construir relacionamentos, para que, quando esse sentimento de solidão aparecer, eu tenha alguém a quem pedir ajuda. Acima de qualquer coisa, digo a eles que sou sincera sobre o que sinto e sobre os momentos em que enfrento dificuldades. Nunca, antes desse evento, um aviador tinha me procurado para falar que se sentia sozinho. Ao começar essa conversa, acredito que dei a eles permissão para fazer isso; deixei claro que é seguro discutir esse assunto. Agora, quando eles me procuram, e se mostram vulneráveis, tenho a oportunidade de lidar com isso antes que a solidão os domine a ponto de não verem mais saída.

Certa vez, quando eu contava essa história, outra comandante se aproximou e me disse:

— Converso com o meu pessoal o tempo todo sobre estar desconectado.

Olhei para ela e perguntei:

— Por que você usa a palavra *desconectado*? É uma palavra tão árida. Por que não diz *solitário*?

Não posso afirmar com certeza, mas ela pareceu desconfortável. Continuei:

— Se eu perguntar a um aviador "Você está se sentindo desconectado?", não acho que ele vá saber que o vejo de verdade, que entendo o que ele está vivendo. Porque, como falei, *desconectado* é uma palavra árida. É uma palavra segura. Não transmite a profundidade real da experiência humana

O chamado da coragem | 77

compartilhada, como *solidão*. Por outro lado, se eu perguntar a um aviador "Você está se sentindo solitário?", acho que consigo atingi-lo num nível mais profundo, pois estou informando que, naquele momento, eu me sinto à vontade para abordar áreas complicadas da vida e que a solidão dele não me intimida. De certo modo, estou dizendo: Vamos enfrentar isso juntos, sou forte o suficiente para segurar a barra por nós dois.

As palavras que usamos importam muito. Mas termos como *solidão*, *empatia* e *compaixão* não são discutidos com frequência no nosso treinamento em liderança, nem aparecem na nossa literatura sobre o tema.

O manual mais atual da Força Aérea sobre liderança, Documento de Doutrina da Força Aérea 1-1: Desenvolvimento de Força e Liderança, foi escrito em 2011. O documento explica que os principais valores de nossa Força Aérea atualmente são uma evolução de sete traços de liderança identificados no primeiro manual sobre liderança da Força Aérea, o Manual da Força Aérea 35-15, escrito em 1948. Um dos sete traços era a humanidade.

Minha primeira reação foi: "Hã? O que seria humanidade?" Intrigada e curiosa, fui em busca do documento de 1948. Curiosamente, levei algumas horas para localizá-lo, pois ele não estava em nenhum dos arquivos sobre liderança, e sim enterrado entre os documentos históricos do Corpo de Capelães da Força Aérea. Enquanto o lia, fiquei impressionada com como as palavras ali me emocionavam. Então comecei a prestar mais atenção. As páginas estavam cheias de palavras e expressões como: *pertencimento*, *sensação de pertencimento*, *sentimento*, *medo*, *compaixão*, *confiança*, *bondade*, *simpatia* e *piedade*. Fiquei maravilhada.

É um documento militar que fala sobre liderança com compaixão, gentileza, pertencimento e amor. Sim, a palavra *amor* figurava nesse manual militar sobre liderança. Decidi fazer uma busca por essas palavras e expressões para ver com que frequência eram usadas. Uma discussão sobre sentimento — como os homens se sentiam — apareceu 147 vezes. A importância de se criar uma sensação de pertencimento foi mencionada 21 vezes. O medo do combate, o medo da exclusão, o medo que uma vida nas forças armadas pode gerar foi mencionado 35 vezes. O amor — o que significa amar seus homens sendo um líder — apareceu 13 vezes. Não vou falar de todo o documento, mas basta dizer que ele utilizava uma linguagem que fala à experiência humana enquanto instruía os líderes sobre como liderar as pessoas.

Retomei o nosso manual de liderança atual e procurei as mesmas palavras. Infelizmente, elas não foram usadas lá. A cada pesquisa, o resultado era o mesmo, zero. Essas palavras que tratam de emoções verdadeiras entre as pessoas foram completamente removidas da nossa linguagem sobre liderança.

Nosso manual de liderança mais atualizado usa expressões como *liderança tática*, *liderança operacional*, *liderança estratégica*. Conceitos importantes, sem dúvida, mas que fornecem aos nossos jovens líderes pouca orientação sobre como lidar com as muitas complexidades de como as pessoas, de como nossos aviadores, processam a experiência de estar nas forças armadas durante uma época de guerra. Ao esterilizar nossa linguagem, acho que acabamos reduzindo nosso conforto ao expressar esses sentimentos e ao dar oportunidade para que os outros os expressem.

Sinto-me à vontade usando uma palavra como *solidão* — um sentimento e uma palavra que às vezes é constrangedor e desconfortável de abordar — porque estou disposta a enfrentar esse desconforto e dar às pessoas permissão para estar ao meu lado nisso.

Quando comecei a aprender com o trabalho de Brené e a falar sobre esse assunto, especificamente sobre o poder da vulnerabilidade na liderança, as pessoas me olhavam como se eu fosse louca. Então percebi que não ia poder falar disso em larga escala. Decidi começar aos poucos e usar o trabalho dela apenas com meus seis comandantes de esquadrão. Senti que, se tudo que eu conseguisse fosse ajudar essas seis pessoas a se tornar líderes com diferentes ferramentas para lidar com os desafios da liderança, já teria feito o suficiente.

Com esses seis líderes, conseguimos dar o pontapé inicial — e, graças a isso, houve um milhão de momentos em que o trabalho de Brené mudou a forma como estamos liderando as pessoas.

Se depois de ler o relato de DeDe ou a história sobre como minha equipe e eu resolvemos nosso confronto você estiver pensando *Isso é meio "gratidão" demais para mim*, pergunte-se se não está subestimando a coragem que esse tipo de conversa exige, ou talvez desmerecendo o trabalho para não ter que dar uma chance.

Se depois de ler essas histórias você estiver pensando *Não sei se algum dia conseguirei fazer esse trabalho com minha equipe*, tenho uma sugestão. Faça cópias desta seção, peça à sua equipe para lê-la e depois se reúna com eles por 45 minutos. Faça algumas perguntas: O que acharam? Acham que implementar essa linguagem ou essas ferramentas poderia ser útil para nós? Caso achem que sim, do que precisamos para fazer isso? Essa é uma ótima oportunidade para a construção de recipientes. Se a equipe achar que não vê nenhuma utilidade aqui, pergunte por quê. Essa é uma oportunidade corajosa de expor medos, sentimentos, além de expectativas e intenções que permaneceriam escondidas, ou apenas de ouvir ideias melhores.

Se após ler essas histórias você estiver pensando *Quem tem tempo para isso?*, pedirei que você calcule o custo que a desconfiança e a desconexão têm para você em termos de produtividade, desempenho e engajamento. Eis algo que posso afirmar com certeza absoluta com base em minha experiência e que considero um dos aprendizados mais importantes dessa pesquisa: **os líderes precisam dedicar uma quantidade razoável de tempo para lidar com medos e sentimentos, ou vão desperdiçar uma quantidade exorbitante de tempo tentando gerenciar comportamentos ineficientes e improdutivos.**

Isso significa que devemos reunir coragem para ser curiosos e possivelmente trazer à tona sentimentos e experiências emocionais que as pessoas não são capazes de articular ou que podem estar acontecendo fora da consciência delas. Se nos pegarmos abordando os mesmos comportamentos problemáticos repetidas vezes, talvez seja necessário investigar melhor as ideias e os sentimentos por trás desses comportamentos.

Depois que a terceira pessoa menciona o mesmo problema individualmente, é fácil imaginar que ela só está sendo difícil ou mesmo nos testando. Mas o que descobri, a partir da minha própria experiência, é que ainda não nos aprofundamos o suficiente. Ainda não tiramos camadas suficientes da cebola. E, quando começamos a tirar, temos que fazer longas pausas e dar um tempo. Sei que ter essa conversa já é bem difícil, mas as pessoas precisam de tempo. Pare de falar. Mesmo que seja constrangedor — e realmente vai ser nas primeiras 15 vezes.

E quando as pessoas começarem a falar (e normalmente elas falam), escute. Escute de verdade. Não formule uma resposta enquanto eles estão falando. Se você tem uma grande ideia, espere. Não faça aquilo de balançar a cabeça cada vez mais rápido, não por estar ouvindo ativamente, mas porque está tentando sinalizar de forma inconsciente ao interlocutor que finalize para que você possa falar. Dê bastante espaço para que a pessoa possa falar.

Outra coisa: quando estamos em confrontos difíceis, não podemos nos responsabilizar pelas emoções dos outros. Eles têm o direito de ficar chateados, tristes, surpresos ou exaltados. Mas, se o comportamento deles não for razoável, precisamos estabelecer limites:

- Sei que esta é uma conversa difícil. É comum ficar irritado. Gritar não é comum.
- Sei que estamos cansados e estressados. A reunião está sendo longa. É comum se sentir frustrado. Interromper as pessoas e revirar os olhos não é aceitável.
- Entendo a exaltação com essas opiniões e ideias diferentes. É comum se sentir assim. Comentários passivo-agressivos não são aceitáveis.

Além disso, não se esqueça de uma das nossas ferramentas de confronto preferidas: o **intervalo**. Quando um confronto se torna improdutivo, peça um intervalo. Dê a todo mundo dez minutos para dar uma volta ou recuperar o fôlego. Em nossa organização, todos têm o direito de pedir um intervalo. E todos nós fazemos uso dele quando precisamos.

Às vezes, um membro da equipe diz: "Preciso de um tempo para pensar no que estou ouvindo. Podemos tirar uma hora e voltar depois do almoço?" Gosto muito de fazer isso porque nos leva a tomar decisões melhores. E dar às pessoas um tempo razoável para refletir ajuda a reduzir comportamentos como reunião pós-reunião e conversas extraoficiais, que não fazem parte do que é considerado aceitável na nossa cultura.

Lembre-se de que não podemos fazer nosso trabalho quando nos responsabilizamos pelos sentimentos dos outros ou pelas pessoas como uma maneira de controlar esses comportamentos, por um simples motivo: os sentimentos dos outros não fazem parte do nosso trabalho. Não podemos servir às pessoas e ao mesmo tempo tentar controlar seus sentimentos.

A liderança com ousadia, em última análise, diz respeito a servir a outras pessoas, e não a nós mesmos. É por isso que escolhemos ser corajosos.

Os líderes precisam dedicar uma quantidade razoável de tempo para lidar com medos e sentimentos,

OU VÃO DESPERDIÇAR UMA QUANTIDADE EXORBITANTE DE TEMPO TENTANDO GERENCIAR COMPORTAMENTOS INEFICIENTES E IMPRODUTIVOS.

seção três
O ARSENAL

> No passado, os empregos dependiam dos músculos, agora dependem do cérebro, mas no futuro eles vão depender do coração.
>
> — MINOUCHE SHAFIK, diretor da London School of Economics

Tenho um filho de 13 anos, o que significa que já assisti a todos os thrillers de espionagem e filmes da Marvel já feitos (*Pantera Negra* e *Guardiões da galáxia* pelo menos três vezes). Quando penso em como e por que nos protegemos da vulnerabilidade, penso naquelas cenas de filme em que, mesmo depois de penetrar em zonas extremamente fortificadas, descobrimos que há mais dez obstáculos para ultrapassar até chegar ao tesouro. Os feixes infravermelhos dos sensores de segurança, os pisos que afundam sob os pés, as armadilhas ocultas e, é claro, a lente de contato falsa para passar pelo leitor de retina. Logo após se contorcer, pular e lutar contra obstáculos impossíveis, finalmente chega-se ao santo graal. Depois de todas essas manobras hercúleas, a câmera se aproxima para mostrar uma pedra pequena e despretensiosa que guarda todo o poder do mundo, ou o elixir mágico que garante a imortalidade a quem o possuir.

No centro de todas as nossas medidas de segurança pessoal e esquemas de proteção está o tesouro mais valioso da experiência humana: o coração. Além de servir como o músculo vital que bombeia sangue para o corpo, ele funciona como metáfora universal para a capacidade de amar e ser amado, e é o portal simbólico para nossas vidas emocionais.

Sempre me referi ao ato de viver com o coração sem armadura como **plenitude**. Em *A arte da imperfeição*, defino assim a plenitude: "encarar a vida a partir de uma afirmação de valor. Significa cultivar a coragem, a compaixão e a sintonia necessárias para acordar pela manhã e pensar: *Não importa o que eu faça ou deixe de fazer, sou o suficiente.* É ir para a cama à noite pensando: *Sim, sou imperfeito e vulnerável e às vezes tenho medo, mas isso não muda o fato de que sou corajoso e digno de amor e pertencimento.*"

A plenitude captura a essência de uma vida emocional examinada por completo e um coração que é liberto, livre e vulnerável o suficiente para amar e ser amado. E um coração que é igualmente livre e vulnerável para ser partido e ferido.

Em vez de proteger e esconder nosso coração atrás de um vidro à prova de balas, a plenitude tem a ver com **integração**. É integrar nossos pensamentos, sentimentos e comportamentos. É se livrar da armadura e reunir todas as partes bagunçadas e desalinhadas da nossa história e envolvê-las em todos os diferentes papéis que, quando erroneamente separados, nos fazem sentir exaustos e despedaçados, a fim de formar uma pessoa complexa, complicada, incrível e plena. Adoro o fato de que a palavra *integrar* vem do latim *integrare*, "tornar inteiro".

Hoje, muito se fala a respeito da ideia de "levar-se por inteiro para o trabalho" — porém são raríssimas as organizações que de fato permitem que os funcionários façam isso. Não vejo uma enorme quantidade de apoio significativo e real à integração e à plenitude na maioria das empresas. Ter um slogan é fácil. Mas ter os comportamentos necessários que sustentem esse slogan não é tão fácil assim.

Sem dúvida existem empresas que acolhem a plenitude, mas frequentemente observo que muitos líderes e culturas organizacionais ainda aceitam o mito de que, se tirarmos o coração (a vulnerabilidade e outros sentimentos) do nosso trabalho, seremos mais produtivos, eficientes e (não esqueça) mais fáceis de gerir. Ou, no mínimo, seremos menos complicados e menos... bem, humanos. Essas crenças nos levam a construir, consciente ou inconscientemente, culturas que demandam e recompensam o uso de uma armadura.

Em equipes e organizações nas quais o coração e os sentimentos, sobretudo a vulnerabilidade, são vistos como riscos, a cultura ou, em alguns casos, líderes específicos, fazem uma barganha com nossos egos corruptos a fim de fecharmos nosso coração e selarmos sentimentos. Elas recompensam o uso de armaduras na forma do perfeccionismo, do estoicismo emocional, da falsa compartimentalização entre vida pessoal e trabalho, mantendo tudo fácil e confortável em vez de aceitar as conversas difíceis e complicadas, e valorizam quem parece ter sempre as respostas certas, não quem está constantemente aprendendo e se mantendo curioso.

O problema é que, quando trancafiamos o coração, matamos a coragem. Assim como dependemos do nosso coração físico para bombear o sangue que dá vida a todas as partes do nosso corpo, dependemos do nosso coração emocional para manter a vulnerabilidade correndo nas veias da coragem e para ativar todos os comportamentos sobre os quais falamos na seção anterior, como confiança, inovação, criatividade e responsabilidade.

E quando nos separamos de nossas emoções a ponto de literalmente não reconhecermos quais sentimentos físicos estão vinculados aos sentimentos emocionais, nós não obtemos controle — nós o perdemos. Sem nossa compreensão ou nosso consentimento, as decisões que tomamos e nosso comportamento passam a ser guiados exclusivamente pelas emoções, enquanto o raciocínio se encontra amordaçado e trancado em algum lugar. Por outro lado, quando o coração está aberto e livre, e nos conectamos com as nossas emoções e entendemos o que elas nos dizem, novos mundos se abrem, na forma, por exemplo, de decisões melhores e pensamento crítico, e nas experiências poderosas de empatia, autocompaixão e resiliência.

O ego é um conspirador ávido e disposto no que diz respeito a trancar o coração. Penso no meu ego como um trapaceiro interior. Ele é aquela voz na minha cabeça que me leva a fingir, atuar, agradar e buscar a perfeição. O ego adora estrelinhas douradas e anseia por aceitação e aprovação. Ele não está interessado na plenitude, apenas na proteção e na admiração.

Nosso ego fará quase tudo para evitar ou minimizar o desconforto associado à vulnerabilidade ou mesmo à curiosidade, porque o risco é grande demais. *O que os outros vão pensar? E se eu descobrir algo desagradável ou desconfortável a meu respeito?*

Embora seja poderoso e exigente, o ego é apenas uma pequena fração de quem somos. O coração é gigantesco se comparado a ele, e sua sabedoria plena e livre pode dominar a insignificância da necessidade de agradar. Adoro o modo como o psicanalista junguiano Jim Hollis descreve o ego como "aquela fina camada de consciência flutuando num oceano iridescente chamado alma".

Ele escreve: "Não estamos aqui para nos encaixar, ser equilibrados ou servir de modelo para os outros. Estamos aqui para ser excêntricos, diferentes, talvez estranhos, talvez simplesmente para adicionar um pedacinho nosso, de nossos pequenos egos desajeitados, ao grande mosaico do ser. Como pretendiam os deuses, estamos aqui para nos tornar cada vez mais nós mesmos."

É para protegermos o ego e nos encaixarmos que buscamos uma armadura quando achamos que há risco de não recebermos aprovação ou respeito porque podemos estar errados, ou não ter todas as respostas, ou podemos travar e não parecer inteligentes o bastante. Nós também criamos um bloqueio quando nossos sentimentos podem ser percebidos pelos outros de um jeito que não podemos gerir ou controlar. *Se eu for sincero sobre como me sinto, serei mal-interpretado, julgado, visto como fraco? Será que a minha vulnerabilidade vai mudar a maneira como você enxerga a mim e a minha capacidade?*

Todas essas situações levam à maior ameaça ao nosso ego e à nossa autoestima: a vergonha. **Vergonha** é aquele sentimento que nos invade e nos faz sentir tão falhos que chegamos a nos questionar se somos dignos de amor, pertencimento e vínculo. É uma experiência tão poderosa e tão potencialmente debilitante que vou passar a próxima seção explicando a vergonha e seu antídoto, a empatia.

Mas voltando ao arsenal: a ironia que existe em todo tipo de autoproteção é que, ao mesmo tempo que estamos preocupados com a possibilidade de que o aprendizado automático e a inteligência artificial tomem nossos empregos e desumanizem o trabalho, estamos criando, intencionalmente ou não, culturas que, em vez de valorizar dons exclusivos do coração humano (como vulnerabilidade, empatia e educação emocional), tentam bloqueá-los. As máquinas e os algoritmos são melhores do que nós em certas coisas por motivos simples como a capacidade de processamento, a eliminação mais rápida de variáveis que os seres humanos ou não veem ou não descartam de imediato, e o fato de que as máquinas não têm ego. Elas não precisam estar certas para proteger a própria autoestima, por isso não ficam na defensiva nem racionalizam, elas simplesmente recalculam e recalibram num instante.

A notícia que pode nos deixar um pouco mais otimistas é que há algumas tarefas que os seres humanos sempre conseguirão fazer melhor do que as máquinas *se* estivermos dispostos a nos despir da armadura e aprimorar o maior e mais exclusivo patrimônio que temos: o coração humano. Aqueles dispostos a encarar a vulnerabilidade, viver de acordo com os próprios valores, construir confiança e aprender a reiniciar não serão ameaçados pela ascensão das máquinas, pois farão parte da ascensão dos líderes audaciosos.

LIDERANÇA COM ARMADURA

01.	ESTIMULAR O PERFECCIONISMO E PROMOVER O MEDO DE FALHAR
02.	TRABALHAR USANDO A INCERTEZA E DESPERDIÇAR OPORTUNIDADES DE ALEGRIA E RECONHECIMENTO
03.	ENTORPECER-SE
04.	PROPAGAR A FALSA DICOTOMIA DE VÍTIMA OU VIKING, ESMAGAR OU SER ESMAGADO
05.	SER UM SABE-TUDO E ESTAR SEMPRE CERTO
06.	ESCONDER-SE ATRÁS DO CINISMO
07.	USAR A CRÍTICA COMO FORMA DE AUTOPROTEÇÃO
08.	USAR O "PODER SOBRE"
09.	LUTAR PARA TER VALOR
10.	LIDERAR POR MEIO DE OBEDIÊNCIA E CONTROLE
11.	USAR O MEDO E A INCERTEZA COMO ARMAS
12.	RECOMPENSAR A EXAUSTÃO COMO UM SÍMBOLO DE STATUS E ASSOCIAR A PRODUTIVIDADE À AUTOESTIMA
13.	TOLERAR DISCRIMINAÇÃO, CÂMARAS DE ECO E UMA CULTURA DE "SE ENCAIXAR"
14.	COLECIONAR ESTRELINHAS DOURADAS
15.	ZIGUEZAGUEAR E SE ESQUIVAR
16.	LIDERAR POR MEIO DO SOFRIMENTO

Coragem para liderar

LIDERANÇA COM OUSADIA

DEMONSTRAR E ENCORAJAR O EMPENHO SAUDÁVEL, A EMPATIA E A AUTOCOMPAIXÃO	01.
PRATICAR A GRATIDÃO E COMEMORAR FEITOS E VITÓRIAS	02.
ESTABELECER LIMITES E ENCONTRAR O CONFORTO VERDADEIRO	03.
PRATICAR A INTEGRAÇÃO — COSTAS FORTES, FRONTE SUAVE, CORAÇÃO INDOMADO	04.
SER UM APRENDIZ E FAZER BEM-FEITO	05.
DEMONSTRAR TRANSPARÊNCIA, GENTILEZA E ESPERANÇA	06.
CONTRIBUIR E CORRER RISCOS	07.
USAR O "PODER COM", "PODER PARA", "PODER INTERIOR"	08.
SABER SEU VALOR	09.
CULTIVAR O COMPROMETIMENTO E UM OBJETIVO EM COMUM	10.
RECONHECER, NOMEAR E NORMALIZAR A INCERTEZA E O MEDO COLETIVOS	11.
DEMONSTRAR E APOIAR O DESCANSO, A DESCONTRAÇÃO E A RECUPERAÇÃO	12.
CULTIVAR UMA CULTURA DE PERTENCIMENTO, INCLUSÃO E DIVERSIDADE DE PONTOS DE VISTA	13.
DAR ESTRELINHAS DOURADAS	14.
CONVERSAS DIRETAS E TOMADA DE ATITUDES	15.
LIDERAR USANDO O CORAÇÃO	16.

Brené Brown

O arsenal contra a vulnerabilidade

Quando crianças encontramos maneiras de nos proteger da vulnerabilidade, de sermos magoados, diminuídos e decepcionados. Vestimos armaduras; usamos nossos pensamentos, nossas emoções e nossos comportamentos como armas; e aprendemos a nos tornar escassos, até mesmo a desaparecer. Já ao nos tornarmos adultos percebemos que, para viver com coragem, propósito e vínculo — para ser a pessoa que desejamos ser —, precisamos voltar a ser vulneráveis. Precisamos tirar a armadura, soltar as armas, comparecer e permitir que nos vejam.

— *A coragem de ser imperfeito*

A seguir, listo dezesseis exemplos específicos de liderança com armadura que surgiram durante a nossa pesquisa atual, acompanhados de como seria a resposta para cada problema se fosse aplicada a liderança com ousadia. O restante desta seção traz a definição de cada tipo de armadura e depois descreve o que significa ter coragem de ser líder. *Como fazemos para nos despir da armadura, e como conseguimos inspirar nossas equipes a fazer o mesmo?*

Os três primeiros — perfeccionismo, alegria como mau presságio e dessensibilização — foram os principais tipos de armadura encontrados na nossa pesquisa original sobre vulnerabilidade (publicada em *A coragem de ser imperfeito*), e também figuram nesta lista. Os treze restantes aparecem como as formas mais comuns de proteção que vemos nas organizações; no entanto, descobri que eles têm grande aplicação em toda a minha vida e, provavelmente, na sua também.

1. Liderança com armadura
Estimular o perfeccionismo e promover o medo de falhar

Por razões óbvias, venho escrevendo sobre perfeccionismo desde que comecei a escrever: *Pesquisador, cure a si mesmo*. Também existem algumas razões não tão óbvias: como pesquisadora de vergonha, descobri que, para onde quer que o perfeccionismo esteja nos guiando, a vergonha está sempre ali no banco do carona.

Assim como a vulnerabilidade, o perfeccionismo é cercado de mitologias. A seguir, apresento o que aprendi ao longo dos anos e revelei em alguns dos meus outros trabalhos. Vamos começar com aquilo que o perfeccionismo *não é*:

- Perfeccionismo não é a mesma coisa que se esforçar para alcançar a excelência. Não está relacionado a crescimento e conquistas saudáveis. Ele é uma tática defensiva.
- O perfeccionismo não é o tipo de proteção que imaginamos. É um escudo de vinte toneladas que nós arrastamos por aí, achando que vai nos proteger, quando na verdade ele é justamente aquilo que nos impede de sermos vistos.
- Perfeccionismo não é autoaperfeiçoamento. Em sua essência, o perfeccionismo diz respeito a tentar obter aprovação. A maioria dos perfeccionistas cresceu sendo elogiada por suas conquistas e seu desempenho (tirar boas notas, ter boas maneiras, cumprir regras, agradar os outros, ter boa aparência, ser bom em esportes). Em algum momento na vida, eles adotaram esse sistema de crença perigoso e debilitante: *Sou o que consigo realizar e quão bem consigo realizar. Agradar. Desempenhar. Aperfeiçoar. Provar.* O **empenho saudável** se concentra em nós mesmos: *Como posso melhorar?* O perfeccionismo se concentra no outro: *O que as pessoas vão pensar?* O perfeccionismo é uma fraude.
- O perfeccionismo não é o segredo do sucesso. Na verdade, pesquisas mostram que ele dificulta as conquistas. Ele está correlacionado a depressão, ansiedade, vício, paralisia da vida ou a perda de oportunidades. O medo de fracassar, de cometer erros, de não atender às expectativas dos outros e de ser criticado nos mantém fora da arena onde acontecem a competição e o empenho saudáveis.
- Por fim, o perfeccionismo não é uma maneira de evitar a vergonha. Ele é uma forma de vergonha.

A coragem para liderar

Eis como defino o perfeccionismo:

- O perfeccionismo é um sistema de crenças autodestrutivo e viciante que alimenta o seguinte pensamento primitivo: *Se eu parecer perfeito e fizer tudo com perfeição, posso evitar ou minimizar os sentimentos dolorosos de culpa, julgamento e vergonha.*
- O perfeccionismo é autodestrutivo pelo simples fato de que a perfeição não existe. É uma meta inatingível. Ele tem mais a ver com percepção do que com motivação interna, e não há como controlar a percepção, não importa quanto tempo e energia se gaste tentando.
- O perfeccionismo é viciante, pois quando invariavelmente experimentamos a vergonha, o julgamento e a culpa, muitas vezes acreditamos que isso acontece porque não somos perfeitos o bastante. Em vez de questionarmos a lógica errada do perfeccionismo, ficamos ainda mais apegados à nossa busca para parecer perfeitos e fazer tudo da maneira correta.
- Na verdade, o perfeccionismo faz com que comecemos a sentir vergonha, julgamento e culpa, o que leva a ainda mais vergonha e culpa: *A culpa é minha. Estou me sentindo assim porque não sou bom o bastante.*

Liderança com ousadia
Demonstrar e encorajar o empenho saudável, a empatia e a autocompaixão

Conversas sobre perfeccionismo dentro de equipes confiáveis e corajosas podem ser restauradoras e poderosas. O objetivo é esclarecer onde, como equipe, estamos mais propensos a ser engolidos pelo perfeccionismo, de que forma ele aparece e como distinguir perfeccionismo de empenho saudável visando à excelência. Será que existem maneiras de nos comunicar que funcionam para todos? Existem alertas, avisos ou sinais luminosos que podemos nos comprometer a detectar? Vi equipes dispostas a ter essas conversas passarem por mudanças profundas, se tornarem mais próximas, aumentarem o desempenho e desenvolverem confiança no processo.

2. Liderança com armadura
Trabalhar usando a incerteza e desperdiçar oportunidades de alegria e reconhecimento

Quando falo para plateias grandes, sempre pergunto: Quando algo ótimo acontece na sua vida, quantos de vocês começam a comemorar e rapidamente se pegam pensando *Não se anime demais, ou logo acontece algum desastre*? Um monte de braços se levantam. Você foi promovido, está muito empolgado. Você ficou noivo. Descobriu que está grávida. Descobriu que vai ser avô. Algo maravilhoso acontece e, por um breve momento, você se enche de alegria — e, cinco segundos depois, a empolgação já passou e você se apavora com uma coisa ruim que vai acontecer para compensar. *Quando vai acontecer o pior?*

Para os pais que estão lendo: quantos de vocês já ficaram olhando seu filho dormir e pensaram *Meu Deus, amo este menino mais do que imaginei que seria possível* e no mesmo segundo foram dominados pelo medo e temeram que algo terrível acontecesse com seu filho? Estatisticamente, cerca de 90% de nós já fizemos isso.

Por que insistimos em antecipar tragédias em momentos de imensa alegria?

Porque a alegria é o nosso sentimento mais vulnerável. E isso é dizer muita coisa, considerando que pesquiso medo e vergonha.

O sentimento de alegria é um lugar de incrível vulnerabilidade — é como se tivéssemos beleza, fragilidade, gratidão profunda e efemeridade, tudo isso encerrado numa única experiência. Quando não conseguimos tolerar esse nível de vulnerabilidade, a alegria se torna um mau presságio, e imediatamente caminhamos para a autoproteção. É como se agarrássemos a vulnerabilidade pelos ombros e disséssemos: "Você não vai me pegar desprevenido. Não vai me dar um golpe e me fazer sofrer. Vou me preparar e estarei pronto quando você chegar."

Então, quando acontece algo que traz alegria, começamos a nos preparar para o sofrimento. Começamos a planejar como lidar com o medo da decepção. E isso adianta alguma coisa? Claro que não.

Não podemos planejar momentos de dor — sabemos muito bem disso, pois quem já se viu forçado a passar por esses momentos garante que nenhum grau de antecipação de catástrofes ou planejamento para desastres nos prepara de verdade para eles. O dano colateral desse instinto é que desperdiçamos a alegria que é necessária para construir uma reserva emocional, a alegria que nos permite desenvolver resiliência para quando as coisas trágicas acontecem.

No trabalho, o mau presságio da alegria frequentemente aparece de maneiras mais sutis e perniciosas. Por exemplo, ele nos faz hesitar em comemorar vitórias, por dois motivos essenciais. O primeiro motivo é acreditarmos que parar para comemorar com a equipe ou tirar um momento só para recuperar o fôlego é uma forma de atrair desgraça e que se fizermos isso algo vai dar errado. Você deve se identificar com este sentimento de conseguir realizar um projeto e depois se recusar a comemorar na hora porque pensa *Não dá para comemorar agora porque não sabemos se vai sair tudo perfeito, não sabemos se vai funcionar, não sabemos se o site vai ficar no ar...*

A segunda forma de manifestar mau presságio em relação à alegria no trabalho é se recusar a dar reconhecimento. Não queremos que nossos funcionários fiquem muito empolgados, pois ainda há muito trabalho a fazer. Nós não queremos que eles tirem o pé do acelerador, que fiquem acomodados. Então não comemoramos nossas conquistas. Imaginamos que vamos comemorar algum dia, mas esses mesmos fatores persistem sempre que surge a alegria. É assim que o mau presságio da alegria aparece no ambiente corporativo, e esse é um erro que sai caro.

Liderança com ousadia
Praticar a gratidão e comemorar feitos e vitórias

O que as pessoas que conseguem se entregar totalmente à alegria têm em comum?

Gratidão. Elas praticam gratidão. Não é uma "atitude de gratidão" — é uma prática real. Elas mantêm um diário, ou escrevem no celular as coisas pelas quais se sentem gratas, ou falam disso para a família.

Desde o dia em que descobrimos a importância da gratidão ao analisar os dados, nossa família passou a pôr isso em prática quando nos sentamos para jantar. Agora, depois de cantarmos nossas preces à mesa (ao estilo dos acampamentos de verão), cada um de nós compartilha um exemplo específico de gratidão. Isso nos transformou. E nos forneceu uma preciosa janela para dentro das vidas e dos corações dos nossos filhos.

Incorporar e praticar gratidão muda tudo. Não é um construto pessoal, mas um construto humano — uma parte unificadora de nossa existência —, e é o antídoto para o mau presságio da alegria, puro e simples. É se permitir o prazer da realização, do amor ou da alegria — sentir de verdade, desfrutar — ao invocar a gratidão pelo momento e pela oportunidade.

É se permitir reconhecer o calafrio da vulnerabilidade — aquele sentimento de "Ah, merda, agora tenho algo que posso perder" — e apenas viver com isso, e ser grato por possuir algo que você quer e que é bom de ter e reconhecer. Algo simples como iniciar ou encerrar reuniões com um momento de gratidão, quando todos revelam uma coisa pela qual se sentem gratos, pode gerar confiança e vínculo, servir para a construção de recipientes e dar ao grupo permissão para se entregar à alegria.

No início de 2018, fiz a palestra de abertura do WorkHuman, um congresso sobre RH promovido pela Globoforce, empresa que oferece soluções e programas de reconhecimento. Aceitei o convite porque, ao investigarmos nossos dados sobre liderança com ousadia, o reconhecimento surgiu como algo essencial para o desenvolvimento de líderes corajosos e culturas de coragem. Eu tinha lido diversos artigos que mostravam que o reconhecimento é um fator que faz crescer o engajamento, a satisfação e a retenção de funcionários num mercado de talentos mundial cada vez mais competitivo. Mas não havia lido nenhum estudo de caso, então mergulhei em alguns dos trabalhos sobre reconhecimento de colegas e líderes que a Globoforce vem realizando.

Ao trabalhar para a Cisco, a Globoforce usou o reconhecimento para aumentar o engajamento dos funcionários em 5%, e na Intuit, conseguiu atingir e manter um aumento de dois dígitos no engajamento dos funcionários numa grande comunidade de funcionários que engloba seis países. Na Hershey's, o uso do reconhecimento ajudou a aumentar a satisfação dos funcionários em 11%. E no LinkedIn, as taxas de retenção cresceram em quase 10 pontos percentuais para novos funcionários que são reconhecidos quatro vezes ou mais.

Quer estejamos liderando um grupo ou um membro da equipe, quer estejamos trabalhando num programa formal de reconhecimento ou num programa informal, é nossa responsabilidade dizer às pessoas com quem trabalhamos: "Temos que parar para comemorar nossos colegas e nossas vitórias, por menores que elas sejam. É, temos mais trabalho pela frente, e as coisas podem sair dos trilhos a qualquer momento, mas isso não vai mudar o fato de que precisamos comemorar uma conquista assim que ela acontece."

3. Liderança com armadura
Entorpecer-se

Todos nós ficamos entorpecidos. Todo mundo tem diferentes formas de se entorpecer — comida, trabalho, redes sociais, compras, televisão, videogames, pornografia, álcool (desde a cerveja barata ao "bom vinho", que é socialmente aceitável, porém perigoso da mesma forma) —, mas o fato é que todos nós fazemos isso. E, quando apelamos para esses agentes entorpecentes de forma crônica e compulsiva, passa a ser vício, não apenas um modo de aliviar a tensão.

Em termos de estatística, todo mundo que estiver lendo este livro é afetado pelo vício de alguma forma. Se não é diretamente com você, então pode ser com um amigo, colega ou alguém da família. Não importa quem ou como, se você está prestando atenção, é porque já viveu de perto essa dor, o sofrimento e os custos. De acordo com o Conselho Nacional de Alcoolismo e Dependência de Drogas dos Estados Unidos, 70% dos 14,8 milhões de americanos que usam drogas ilícitas estão empregados, e o uso abusivo de drogas custa aos empregadores 81 bilhões de dólares por ano. Quando o assunto é entorpecimento, não podemos falar somente nos outros — todos nos entorpecemos de alguma forma. A questão é em que grau fazemos isso. E, quando falamos do sofrimento que o vício causa, nunca se trata só de uma tempestade tímida, e sim de um tornado.

As consequências do entorpecimento ou do alívio de tensão não são as mesmas do vício, mas ainda assim elas são graves e marcantes por um motivo: *não é possível* entorpecer os sentimentos de forma seletiva. Se entorpecemos a escuridão, também entorpecemos a luz. Se fugimos da dor e do desconforto, acabamos fugindo da alegria, do amor, do pertencimento e das outras emoções que dão sentido às nossas vidas.

Pense nas emoções difíceis como espinhos muito afiados. Quando eles nos furam, causam desconforto e até mesmo dor. A simples antecipação ou o medo desses sentimentos pode desencadear níveis intoleráveis de vulnerabilidade. Sabemos que está por vir.

Para muitos de nós, a primeira reação à vulnerabilidade e ao desconforto desses espinhos não é enfrentar o desconforto e seguir tateando o caminho, mas sumir com ele. Fazemos isso nos entorpecendo e amenizando a dor com qualquer coisa que ofereça alívio rápido. Mais uma vez, podemos nos entorpecer com um monte de coisas, como álcool, drogas, comida, sexo, relacionamentos, dinheiro, trabalho, prestação de cuidados, jogos de azar, rotinas ocupadas, aventuras amorosas, caos, compras, planejamento, perfeccionismo, mudanças constantes e internet.

Estou sóbria há mais de vinte anos e sempre lutei para descobrir onde me encaixo no sistema de reabilitação. É quase como aquela história da Família Urso — nada se encaixava perfeitamente. Eu não era alcoólatra o bastante para os veteranos dos Alcoólicos Anônimos; as pessoas dos Comedores Compulsivos Anônimos me mandaram para uma reunião sobre codependência; e lá me disseram que eu precisava começar no AA. Quis considerar que esse processo frustrante era um sinal de que eu estava bem e comemorar isso bebendo umas cervejas, mas achei melhor não. Minha vida estava fora de controle, e um exercício sobre histórico familiar que fiz no último mês da faculdade revelou um inesperado festival de vícios, então pedi a um amigo que me levasse a uma reunião.

Após duas reuniões, meu primeiro padrinho disse: "Você tem uma tábua de petiscos em termos de vícios — um pouquinho de tudo. Só para garantir, seria melhor se você simplesmente parasse de beber, fumar, usar comida como recompensa e de se meter nos problemas da sua família."

Que ótimo. Sem dúvida vou ter algum tempo livre para as reuniões.

Nunca encontrei a minha "reunião ideal", mas consegui parar de beber e fumar no dia seguinte à conclusão do meu mestrado, em 12 de maio de 1996, e nunca mais encostei em álcool ou cigarros desde então. Confissão: ainda fantasio sobre fumar quando estou dirigindo e começa a tocar Bob Seger ou Rolling Stones. Se você me vir segurando uma caneta como se fosse um cigarro enquanto dirijo, pode ter certeza de que tem uma música muito boa tocando no rádio.

Acabei fazendo o programa do AA por um ano, e preciso dizer que todos os slogans deles são verdadeiros. Parece um quadro de *Saturday Night Live* onde há dez cartazes pendurados numa parede de madeira no porão de uma igreja, mas é tudo verdade, e se você seguir o que eles dizem seu mundo vai se transformar. Um amigo meu, que também está em reabilitação, falou: "Deixe que um bando de bêbados em reabilitação desvendem os segredos da vida." Eis alguns deles:

> Aonde quer que você vá, você vai estar lá.
>
> Você só é tão doente quanto seus segredos.
>
> Com calma se chega lá.
>
> Um dia de cada vez.
>
> Viva e deixe viver.
>
> Seja fiel a si mesmo.
>
> Não fique com fome, raiva, solidão ou cansaço demais.
>
> Esqueça e deixe nas mãos de Deus. (Eu sabia que estava com problemas quando minha terapeuta me lembrou de que a frase é assim, e não "Esqueça e deixe nas mãos de Brené". *Ai*.)

Liderança com ousadia
Estabelecer limites e encontrar o conforto verdadeiro

Nossa pesquisa mostrou que os entrevistados mencionaram vulnerabilidade, ressentimento e ansiedade como as maiores causas de entorpecimento, e o ressentimento está quase sempre relacionado à falta de limites. Estamos nos aprofundando em vulnerabilidade agora, vamos investigar a ansiedade numa seção mais à frente e depois discutiremos a relação entre ressentimento e limites na parte que fala sobre desenvolvimento de confiança. Por enquanto, fique atento ao ressentimento na sua vida quando estiver há três horas no Facebook, quando estiver prestes a acabar com um pote de meio litro de sorvete ou quando tiver gastado a maior parte do seu salário em compras on-line.

O que isso quer dizer? Como a maioria de vocês, não fui criada tendo acesso às habilidades e práticas emocionais necessárias para encarar a vulnerabilidade. Então recorri ao entorpecimento — com o tempo eu essencialmente virei uma viciada em qualquer coisa que aliviasse a tensão. Mas não existem programas específicos para isso, então juntei algumas reuniões, uma ótima terapeuta e novas práticas espirituais que funcionam para mim.

No final, a cura para o entorpecimento é desenvolver ferramentas e práticas que permitam que você encare o desconforto e renove seu espírito.

Em primeiro lugar, quando sentimos essa aflição, em vez de se perguntar "Qual é a maneira mais rápida de fazer com que esses sentimentos desapareçam?", pergunte-se "Que sentimentos são esses e de onde eles vieram?".

Em segundo lugar, descubra o que lhe traz conforto e renovação de verdade, e não apenas lhe entorpece. Nós merecemos conforto de verdade. A escritora Jennifer Louden chama nossos mecanismos de entorpecimento de "sombras de conforto". Quando estamos ansiosos, isolados, vulneráveis, sozinhos e nos sentindo desamparados, o álcool, a comida, o trabalho, as horas intermináveis na frente da TV parecem nos confortar, mas na verdade estão apenas lançando suas grandes sombras sobre a nossa vida.

Louden escreve:

As sombras de conforto podem assumir qualquer forma. Não é o que você faz, mas o motivo por trás das suas ações que faz a diferença. Você pode comer um pedaço de chocolate como um momento sagrado de doçura — um conforto verdadeiro — ou pode devorar uma barra de chocolate inteira sem nem conseguir saboreá-la numa tentativa frenética de se acalmar — uma sombra de conforto. Você pode conversar por meia hora na internet e sair revigorado pela comunidade, pronto para voltar ao trabalho, ou pode bater papo na internet porque está evitando conversar com seu companheiro sobre como está chateada com ele pela noite passada.

O que constatamos analisando os dados sobre entorpecimento foi exatamente o que Louden afirma: "Não se trata das suas atitudes, mas o motivo por trás delas é que faz a diferença." Isso nos convida a refletir sobre a intenção por trás de nossas escolhas de entorpecimento e, se for ajudar, discuta essas questões em família e com amigos próximos ou com um profissional.

Controlar meu desejo de comer para me consolar é um projeto para a vida toda, mas ainda estou seguindo os passos e mantendo os cartazes pendurados no porão da igreja dentro da minha cabeça. Um dos meus comportamentos mais importantes para cuidar de mim mesma são as caminhadas diárias. Então, uma coisa possível que faço para evitar me entorpecer com comida é manter uma foto dos meus tênis de caminhada na despensa. *Estou com fome mesmo ou será que uma caminhada não me traria mais conforto verdadeiro?*

Também passei mais de uma década definindo e mantendo os limites certos, sobretudo no que diz respeito ao meu papel de guardiã da família. Posso nunca conseguir minha certificação Six Sigma em gerenciamento de projetos, mas já sou faixa preta em estabelecer limites. Olha que engraçado: aparentemente, meu apelido secreto dentro de um de nossos parceiros externos era BB — não por causa do meu nome, mas de "Boundaries [Limites] Brown". Quando descobriram que não era mais segredo e eu sabia do apelido, eles ficaram com vergonha e pediram desculpas. Minha resposta: "Não precisam se desculpar. Foi o melhor elogio que já me fizeram."

No trabalho, precisamos incentivar confrontos saudáveis com a vulnerabilidade, respeitar os limites e praticar a calma num oceano de ansiedade. E, no que diz respeito ao vício, os empregadores com programas bem-sucedidos de assistência aos funcionários relatam o aumento do moral e da produtividade e a redução de absenteísmo, acidentes, tempo de inatividade, rotatividade e furtos. Empregadores com programas de longa data também relatam saúde melhor entre os funcionários e seus familiares.

4. Liderança com armadura
Propagar a falsa dicotomia de vítima ou viking, esmagar ou ser esmagado

Vencedor ou perdedor, sobreviver ou morrer, matar ou morrer, forte ou fraco, líderes ou liderados, sucesso ou fracasso, esmagar ou ser esmagado. Isso soa familiar? Essa é a filosofia das pessoas que aderem ao paradigma vítima ou viking. Nesse mundo binário de opostos em pares, ou você é um otário que sempre sai perdendo, ou é um viking que se recusa a ser vitimado. Você fará o que for preciso — controlar, dominar, exercer poder, bloquear as emoções — para garantir que nunca ficará vulnerável.

Essa dinâmica de poder de soma zero e ganha-perde é difundida em algumas profissões, mas também se deve à forma como as pessoas foram criadas. Se esse foi o principal modelo que você teve na infância, é provável que acredite numa dicotomia falsa e extrema: se você não esmagar, não vai sobreviver.

Quando entrevisto pessoas que se encontram dentro de uma perspectiva de vítima ou viking, costumo perguntar qual é a definição de sucesso para elas. Embora sobrevivência ou vitória possam representar sucesso em alguns contextos, quando se remove a ameaça real, sobreviver não é o mesmo que viver. Todos nós precisamos de pertencimento, todos nós precisamos de amor, e nenhum dos dois é possível sem vulnerabilidade e integração.

Liderança com ousadia
Praticar a integração — costas fortes, fronte suave, coração indomado

O oposto de viver num mundo de falsos binários é praticar a integração — o ato de reunir todas as nossas partes, como expliquei anteriormente. Todos nós somos durões e afetuosos, assustados e corajosos, delicadeza e bravura. O exemplo mais forte de integração — um método sobre o qual escrevi em *Braving the Wilderness* e que tento levar para a minha vida — é costas fortes, fronte suave, coração indomado. Eis o que minha professora Roshi Joan Halifax diz sobre a integração de costas fortes e fronte suave:

> Muitas vezes a nossa suposta força vem do medo, e não do amor; em vez de ter costas fortes, muitos de nós temos uma fronte defensiva que protege uma coluna fraca. Em outras palavras, andamos por aí frágeis e na defensiva, tentando esconder nossa falta de confiança. Se fortalecermos nossas costas, metaforicamente falando, e desenvolvermos uma coluna flexível mas resistente, seremos capazes de nos arriscar a ter uma fronte suave e aberta. (...) Como conseguimos oferecer e receber cuidados com uma compaixão de costas fortes e fronte suave, superando o medo para chegar num lugar de ternura genuína? Acredito que isso acontece quando podemos ser transparentes de verdade, enxergando o mundo com clareza — e permitindo que o mundo olhe para dentro de nós.

Para mim, essas costas fortes nascem da confiança e dos limites. A fronte suave seria se manter vulnerável e curioso. Ter um coração indomado é viver com esses paradoxos e não ceder à bobagem do "ou isso ou aquilo", que só nos reduz. É nos revelar em nossa vulnerabilidade e nossa coragem e, acima de tudo, ser forte e gentil na mesma medida.

5. Liderança com armadura
Ser um sabe-tudo e estar sempre certo

A necessidade de ser o "sabe-tudo" ou estar sempre certo é uma armadura pesada. Trata-se de uma atitude defensiva, de presunção e, pior de tudo, é um grande propulsor de besteiras. É também muito comum — a maioria de nós é um pouco sabe-tudo em algum grau. Muitas vezes estereotipamos o sabichão como o irritante mas adorável Cliff Clavin da série de TV *Cheers*. Infelizmente, a necessidade de estar sempre certo é péssima para quem é assim e para todos ao redor, pois gera falta de confiança, decisões ruins, confrontos desnecessários e conflitos improdutivos.

Parece muito simples substituir a armadura do saber por se tornar um aprendiz curioso, mas para muitos a necessidade de ser um sabe-tudo é causada pela vergonha e até por algum trauma. Ser assim pode salvar as pessoas em situações difíceis, e é fácil acreditar que ser um sabe-tudo é a nossa única contribuição nos relacionamentos e no trabalho.

O conhecimento também pode se tornar um problema de cultura quando somente certas pessoas são valorizadas como conhecedoras. Outras pessoas podem não se manifestar porque não são "experientes o bastante" ou "não cabe a elas". Um líder revelou que estava numa empresa nova havia seis meses e nunca tinha contribuído com nada numa reunião. Ele fora contratado por seus mais de vinte anos de experiência, mas esperavam que ficasse quieto nas reuniões devido a normas da cultura da empresa que valorizavam apenas as contribuições dos líderes titulares.

Liderança com ousadia
Ser um aprendiz e fazer bem-feito

Existem três estratégias que já vi funcionarem para transformar o "sempre saber" em "sempre aprender". Em primeiro lugar, chame o problema pelo nome. É uma conversa difícil, mas transparência é gentileza: *Eu gostaria que você trabalhasse suas habilidades de pensamento crítico e curiosidade. Frequentemente você é rápido em responder, o que pode ser útil, mas não é tão útil quanto fazer as perguntas certas, e é assim que você vai crescer como líder. Podemos trabalhar juntos nisso* Muita gente costuma falar dos sabe-tudo pelas costas, e isso é cruel. Em segundo lugar, faça com que o aprendizado de habilidades relacionadas à curiosidade seja uma prioridade. Em terceiro, reconheça e recompense ótimas perguntas e exemplos de "Não sei, mas gostaria de descobrir" como comportamentos de liderança com ousadia. A grande transformação aqui é sair da vontade de "estar certo" para a vontade de "fazer bem-feito". Depois destas seções sobre encarar a vulnerabilidade, vamos analisar as habilidades e ferramentas para desenvolver a curiosidade e o aprendizado.

6. Liderança com armadura
Esconder-se atrás do cinismo

O cinismo e o sarcasmo são primos próximos que ficam nos assentos baratos da arquibancada. Mas não os subestime — muitas vezes eles deixam um rastro de mágoa, raiva, confusão e ressentimento por onde passam. Já vi os dois acabarem com relacionamentos, equipes e culturas quando usados por pessoas nos cargos mais altos e/ou quando não se faz nada a respeito. Como a maioria dos comentários ofensivos e comportamentos passivo-agressivos, o cinismo e o sarcasmo são ruins pessoalmente e ainda piores quando enviados por e-mail ou mensagens de texto. E, em equipes globais, as diferenças de cultura e de idioma fazem com que eles se tornem tóxicos. Quer dizer, a palavra *sarcasmo* deriva da palavra grega *sarkazein*, que significa "arrancar a carne". *Arrancar. A carne.*

Num mundo assolado por mudanças incessantes e tumultuadas, tomado por montanhas de medo e ansiedade e sentimentos desenfreados de incerteza, o cinismo e o sarcasmo são recursos fáceis e medíocres. Na verdade, eu diria que são piores do que as armaduras — usamos o cinismo e o sarcasmo como um passe livre para não ter que contribuir com nada.

Liderança com ousadia
Demonstrar transparência, gentileza e esperança

O antídoto para o sarcasmo e o cinismo é composto de três passos:

1. Ser sempre claro e gentil.
2. Praticar a coragem de dizer o que pensa e fazer valer o que você diz. O cinismo e o sarcasmo frequentemente são usados para ocultar raiva, medo, sentimentos de inadequação e até desespero. São uma maneira segura de soltarmos um balão de ensaio emocional, e se não der certo transformamos numa piada e fazemos com que o outro se sinta ridículo por pensar que era outra coisa.
3. Se o que se esconde por trás do cinismo e do sarcasmo for desespero, o antídoto é cultivar a esperança. Segundo a pesquisa de C. R. Snyder,

a esperança não é um sentimento acolhedor; na verdade, ele define esperança como um processo emocional cognitivo que tem três partes. Trata-se de um processo que a maioria de nós, se tivermos sorte, aprende na infância, embora possa ser ensinado em qualquer momento da vida: as três partes são objetivo, caminho e ação. Podemos identificar um objetivo realista (*sei para onde quero ir*), e em seguida descobrir o caminho para alcançá-lo, mesmo que não seja em linha reta e inclua um Plano B e dificuldades (*sei que posso conseguir porque sou persistente e vou continuar tentando apesar dos contratempos e da decepção*). A ação é a crença na nossa capacidade de continuar nesse caminho até atingir o objetivo (*sei que consigo fazer isso*).

Volto a dizer, embora um cínico possa alegar que alguém que se apega à esperança é um otário, ou ridiculamente determinado, esse tipo de armadura normalmente nasce da dor. Em geral, o cinismo está ligado ao desespero. Como explica o teólogo Rob Bell: "O desespero é a crença de que o amanhã será como hoje." Essa é uma frase terrível. O problema do cinismo e do sarcasmo é que eles costumam fazer parte do sistema e da cultura — é muito fácil ser maldoso com os outros. Como líderes corajosos, é essencial não recompensar nem permitir esse tipo de comportamento. Recompense a transparência, a gentileza e o diálogo verdadeiro, e ensine a esperança em contrapartida.

7. Liderança com armadura
Usar a crítica como forma de autoproteção

Como afirmou Roosevelt: "Não é o crítico que importa; nem aquele que aponta onde foi que o homem tropeçou ou como o autor das façanhas poderia ter feito melhor." A discussão franca e sincera, na qual todos se sentem livres para dar sugestões e contribuir, estimula a criatividade. Mas a inovação é dificultada se você permite críticas vindas dos assentos baratos da arquibancada — daqueles que não estão dispostos a entrar na arena.

Existem duas formas de crítica que podem ser um pouco mais difíceis de reconhecer: a **nostalgia** e o **exército invisível**. Às vezes, quando surge uma nova ideia, a reação instintiva é "Não é assim que nós fazemos" ou "Nunca fizemos isso dessa maneira". O passado é muito usado para criticar o pensamento diferente. Também é possível usar o exército invisível: "*Nós* não queremos mudar o rumo", ou "*Nós* não gostamos da direção que você está dando ao projeto." Detesto o exército invisível, e se você usá-lo comigo vou te obrigá-lo a me dizer exatamente quem está incluído no seu *nós*. Mais de uma vez Chaz teve que me impedir de dizer "Nós por quê? Tem um rato aí no seu bolso?". Expressar e assumir sua preocupação demanda coragem. Fingir que "nós" representa muita gente quando isso não é verdade é um comportamento típico de quem está nos assentos baratos.

As críticas geralmente nascem do medo ou do sentimento de indignidade. Elas jogam os holofotes que antes estavam sobre nós em outra pessoa ou coisa. De uma hora para a outra passamos a nos sentir mais seguros. E melhores que alguém.

Liderança com ousadia
Contribuir e correr riscos
No fim do dia, da semana, da minha vida, quero poder dizer que contribuí mais do que critiquei. Simples assim. Se você se vir liderando uma equipe ou cultura em que as críticas superam as contribuições, tome uma decisão consciente e firme de não mais recompensar as críticas.

Transforme a contribuição numa habilidade de confronto. Na nossa empresa, não é permitido criticar sem oferecer em troca um novo ponto de vista — se você pretende detonar alguma coisa, precisa oferecer um planejamento específico de como a reconstruiria para torná-la mais forte e mais substancial. Na verdade, mesmo que não haja nada para criticar, ainda assim pedimos que todos que forem participar de qualquer reunião venham com um ponto de vista preparado e o compartilhem com o grupo. Isso aumenta muito as contribuições e obriga todo mundo a entrar na arena, onde os riscos são altos. Sua visão pode mudar à medida que surgirem novos dados, mas você ainda precisa participar e dar a cara a tapa um pouco. As pessoas que importam são aquelas que estão se expondo e contribuindo; quem estiver nos assentos baratos que se dane.

8. Liderança com armadura
Usar o "poder sobre"

Num discurso proferido em 1968 para um grupo de lixeiros que faziam greve em Memphis, o reverendo Martin Luther King Jr. definiu poder como a capacidade de atingir objetivos e promover mudanças. Essa é a definição de poder mais precisa e relevante que já vi. Ela não encara a natureza do poder como boa ou má, o que condiz com as descobertas que fiz em meu trabalho. O que torna o poder perigoso é a maneira como ele é usado.

A vida em empresas é essencialmente hierárquica, com pouquíssimas exceções. As pessoas no topo detêm a maior parte do poder, graças à sua proximidade com o detentor do poder supremo (CEO, fundador, presidente ou conselho de administração) — quanto mais alto for o seu cargo na empresa, maiores as chances de ter acesso às reuniões a portas fechadas, aos espaços privados onde as grandes decisões são discutidas e tomadas. A hierarquia pode dar certo, exceto quando os indivíduos em posição de liderança detêm *poder sobre* os outros — quando suas decisões beneficiam uma minoria e oprimem a maioria.

Talvez o que há de mais traiçoeiro na dinâmica do *poder sobre* seja o fato de que as pessoas que são impotentes costumam reproduzir o mesmo comportamento quando o jogo vira e elas são promovidas às posições de poder. Vemos exemplos disso nos trotes de faculdade e na perpetuação de políticas que não apoiam aqueles que não têm privilégios. *Por que eu deveria me preocupar com mães jovens que trabalham se ninguém se importava comigo?* A expressão *poder sobre* em geral já basta para dar um frio na espinha: quando alguém detém poder sobre o outro, o instinto do ser humano é se levantar, resistir e se rebelar. Como conceito, não parece certo; num contexto geopolítico mais amplo, pode representar morte e despotismo.

Liderança com ousadia
Usar o "poder com", o "poder para" e o "poder dentro"

A Just Associates, uma rede global interdisciplinar de ativistas, organizadores, educadores e acadêmicos, em sua publicação *Making Change Happen: Power*, define três variações de poder no contexto do ativismo e da justiça social. Elas também são úteis em empresas, pois apresentam caminhos para que membros de equipes possam manter sua própria função e reconhecer suas próprias fontes de poder de uma forma que leve a um bem maior. Em nossa cultura, muitas vezes falamos em "empoderar" as pessoas, mas esse conceito é nebuloso e difícil de definir. O que ele realmente significa? Acredito que estes três elementos deixem claro o trabalho que precisamos fazer.

O **poder com** "se trata de encontrar um meio-termo diante de interesses diferentes, a fim de formar uma força coletiva. Com base no apoio mútuo, na solidariedade, na colaboração, no reconhecimento e no respeito pelas diferenças, o *poder com* multiplica os talentos individuais, os conhecimentos e os recursos para gerar um impacto maior".

O **poder para** se traduz em dar a todos na sua equipe uma função e reconhecer o potencial único de cada um. Ele "se baseia na crença de que cada indivíduo tem o poder de fazer a diferença, o que pode ser multiplicado por novas competências, conhecimentos, consciência e confiança".

O **poder dentro** é definido como a capacidade de reconhecer diferenças e respeitar os outros, fundamentada por uma base sólida de autoestima e autoconhecimento. Quando agimos a partir do *poder dentro*, nos sentimos à vontade ao desafiar suposições e crenças antigas, resistir ao *status quo* e questionar se não existem outras maneiras de alcançar o maior bem comum possível.

9. Liderança com armadura
Lutar para ter valor

Quando as pessoas não conseguem identificar suas habilidades e onde agregam valor para a organização ou mesmo para um projeto específico, elas começam a lutar. E não de um jeito bom. De um jeito difícil de lidar para quem está em volta, pois entram de cabeça em tudo, mesmo naquilo em que não são boas ou onde não são necessárias, para provar que merecem um lugar ao sol. Quando não compreendemos nosso próprio valor, muitas vezes exageramos nossa importância de maneiras prejudiciais, e consciente ou inconscientemente buscamos atenção e a validação dessa importância. Damos mais valor a estar certos do que a fazer bem-feito. E isso só gera agitação, em vez de um ambiente de cooperação tranquila.

Liderança com ousadia
Saber seu valor

Líderes ousados se reúnem com suas equipes e promovem confrontos verdadeiros a fim de abordar as contribuições específicas de cada membro, para que todos saibam no que são bons. É importante lembrar também que, às vezes, não damos atenção aos nossos pontos fortes porque os subestimamos e esquecemos que são especiais. Sou uma boa contadora de histórias, e isso é influência da forma como fui criada — às vezes esqueço que tenho esse dom excepcional por ser algo tão fácil para mim. Encaixe os membros da sua equipe nas áreas em que eles fluem melhor — em geral, são áreas onde eles estão particularmente preparados para contribuir. Como explica Ken Blanchard, autor do guia de liderança best-seller de 1982 *O gerente-minuto*: "Flagre as pessoas fazendo alguma coisa certa." É muito mais importante do que compilar os comportamentos que estão errados.

Ter certeza do nosso valor e do valor dos membros da equipe vai revolucionar a empresa e abrir caminhos que antes não existiam — em vez de uma corrida em que dez pessoas competem entre si, começamos a desenvolver uma corrida de revezamento coordenada na qual os membros da equipe passam o bastão uns para os outros, e não competem para fazer todo o percurso sozinhos. Quando todos entendem o próprio valor, não há mais luta, e passamos a nos dedicar aos nossos dons.

10. Liderança com armadura
Liderar por meio de obediência e controle

Observação: a obediência de que estamos falando não é obediência à lei, à segurança ou à privacidade nem à organização (por exemplo, avaliar sócios, usar rede de cabelo, ativar o código do alarme de segurança ao sair ou solicitar férias com duas semanas de antecedência).

A armadura da obediência e de controle, em geral, tem a ver com medo e poder. Quando partimos desse ponto, frequentemente apresentamos dois tipos de comportamento de armadura:

1. Reduzimos o trabalho a tarefas e listas de afazeres e depois passamos nosso tempo verificando se as pessoas estão fazendo exatamente o que queremos, do jeito que queremos — e constantemente chamamos sua atenção quando fazem algo errado. A armadura da obediência e do controle faz com que o trabalho perca sua profundidade, seu contexto e seu objetivo principal e o transforma num mero cumprimento de tarefas, tudo isso tendo como motivação o medo de "ser pego". Isso não só é ineficaz como acaba matando a busca por soluções criativas para os problemas, a troca de ideias e toda a base da vulnerabilidade. Também deixa as pessoas infelizes, levando-as a questionar suas habilidades e até mesmo a ficar desesperadas para sair do emprego. Quanto menos elas entendem de que forma seu esforço contribui para os objetivos maiores da organização, menos engajadas se tornam. Isso acaba virando uma profecia autorrealizável de fracasso e frustração.

2. Quando trabalhamos tendo como base a obediência e o controle, também temos uma tendência a nos agarrar ao poder e à autoridade, e passar à frente somente as responsabilidades. Isso gera enormes problemas de alinhamento. As pessoas recebem ordens para fazer algo que não têm autoridade para cumprir. Não são preparadas para ter sucesso, então acabam fracassando. Isso só faz reforçar nosso ciclo

de poder e ressentimento: *Eu sabia que devia ter feito este trabalho sozinho. Serei o responsável, e você fica com estas tarefas menores que é capaz de desempenhar* versus *Vamos descobrir como poderíamos tê-lo preparado para ter sucesso. Sei que tive participação nisso.*

Liderança com ousadia
Cultivar o comprometimento e um objetivo em comum

Líderes ousados, mesmo em indústrias altamente estruturadas que giram em torno de obediência — como os setores bancário, de saúde e de alimentos — criam e compartilham contextos e detalhes.

Eles dedicam um tempo para explicar o motivo por trás das estratégias e o modo como as tarefas se relacionam com as prioridades do momento e com a missão. Em vez de sair dando ordens sem contextualizá-las, eles se responsabilizam por oferecer consistência e significado ao trabalho e deixar clara a relação entre as tarefas menores e o objetivo maior.

Antes usávamos o modelo DRI (*Directly Responsible Individual*) da Apple, indicando alguém como o "indivíduo diretamente responsável" por uma tarefa específica e registrando sua função nas atas da reunião. Mas percebemos que, apesar de estarem dispostos a assumir as tarefas e ser responsáveis pela execução delas, nem sempre os membros da equipe têm autoridade para desempenhá-las bem. Atualmente estamos mudando para o método TASC (*The Accountability and Success Checklist*) — a lista de verificação de responsabilidade e sucesso:

1. T — Quem é o responsável pela tarefa?
2. A — A pessoa tem autoridade para responder por suas decisões?
3. S — Nós concordamos que a pessoa está preparada para ter sucesso (tempo, recursos, transparência)?
4. C — Temos uma lista de verificação do que precisa acontecer para a tarefa ser realizada?

Também pegamos emprestada da metodologia Scrum a técnica "Definição de Feito" quando distribuímos as tarefas, responsabilidades e entregas. Foi um *enorme* progresso para nós, mas precisávamos ajustá-la, porque não atendia à necessidade de relacionar as entregas ao nosso objetivo.

Por exemplo, estou fora da cidade com meus colegas Murdoch e Barrett facilitando um workshop de liderança com ousadia. Peço que eles recolham de todos os participantes do nosso treinamento, que dura apenas dois dias, exemplos de situações reais, enquanto estou numa reunião com o CEO. Minha intenção é usar esses exemplos no dia seguinte. Mais tarde, na mesma noite, eles passam por baixo da porta do meu quarto uma pasta cheia de situações escritas à mão. Ao acordar na manhã seguinte, entro em pânico. Agora preciso selecionar alguns e digitá-los. Estou me sentindo frustrada com Murdoch e Barrett, e eles não têm ideia do motivo.

Na vez seguinte, peço a mesma coisa, mas Murdoch responde com:

— Claro, você pode definir feito?

— Por favor, digite os exemplos, e você e Barrett devem selecionar três que sejam específicos o suficiente para serem significativos, mas gerais o suficiente para se aplicarem a todo o grupo. Seria muito bom se eu pudesse recebê-los antes das oito da noite para que desse tempo de revisá-los ainda esta noite — respondo.

Um grande avanço. Mas...

A mesma situação, só que agora, em vez de falar "Claro, você pode definir feito?", Murdoch diz "Claro, vamos descrever feito".

Em vez de ir passando as instruções enquanto andamos — como dois personagens de *The West Wing* —, encontramos Barrett e conversamos por cinco minutos. Então digo:

— Meu plano é o seguinte: quero coletar exemplos de situações com os participantes hoje para podermos encenar novos cenários com o grupo amanhã. Não quero reutilizar os que já levamos e usamos hoje. Eles estão tendo muita dificuldade com essas conversas delicadas, e quanto mais específicas forem as situações, quanto mais próximas dos problemas e da cultura deles, mais útil vai ser o exercício de simulação. Meu plano é que vocês coletem as situações e selecionem algumas hoje à noite, procurando as que forem específicas mas de interesse mais abrangente. Gostaria que vocês digitassem três delas e fizessem cópias. Em vez de dividir a turma em pares, quero formar grupos de três, com uma pessoa de fora observando e dando apoio. Assim, se tivermos três situações para cada grupo, eles podem se revezar.

Murdoch e Barrett refletem por um minuto, então Barrett diz:

— O problema é que todos que estão aqui hoje são da área de operações. Amanhã é a equipe de marketing. Será que isso não vai afetar a identificação com as simulações?

— Droga, isso muda totalmente o que imaginei. Obrigada — respondi.

Descrever feito. Para nós, isso é muito mais útil do que o "você pode definir feito?", pois acaba revelando as expectativas invisíveis e as intenções não ditas, além de fornecer toneladas de detalhes e contexto às pessoas responsáveis pela tarefa. Estimula a curiosidade, a aprendizagem, a colaboração, a verificação de fatos e, por fim, o sucesso.

Outra situação:

BEN: Ei, Brené! Por favor, pode imprimir todas as faturas para mim até as quatro?
BRENÉ: Ok.

Duas horas depois:

BRENÉ: Aqui estão!
BEN: O que é isso?
BRENÉ: São as suas faturas.
BEN: Eu precisava das faturas desde 2005 e ordenadas por data. Agora não estou pronto para minha reunião com o diretor financeiro.
BRENÉ: Como eu ia saber disso?

BEN E BRENÉ ESTÃO MUITO FRUSTRADOS.
Descrever feito e TASC

BEN: Ei, Brené! Por favor, pode imprimir todas as faturas para mim até as quatro?
BRENÉ: Ok. Descreva feito para mim.
BEN: Imprima todas desde 2005 e ordene-as por data.

BRENÉ: É só isso?
BEN: É, preciso rastrear as despesas de dois livros.
BRENÉ: Espere aí. Não entendi. Nós não rastreávamos as despesas das faturas antes de 2007. Você vai precisar dos recibos separados.
BEN: Você pode providenciar isso também?
BRENÉ: Posso, mas não até as quatro. Do que você precisa para a reunião exatamente? Descreva feito.
BEN: Estou tentando mostrar que a mudança no modo como formatamos nossas faturas mudou as categorizações das despesas.
BRENÉ: Acho que você não precisa imprimir todas. Tem uma forma melhor de fazer isso. Consigo preparar tudo e montar um gráfico com essas informações para você até as quatro.
BEN: Muito obrigado. Isso seria incrível. Posso ajudar você em alguma coisa para que você prepare esse material? Consegue pensar em qualquer coisa que vai atrapalhá-la?
BRENÉ: Vou precisar resolver minhas coisas nas próximas duas horas.
BEN: Eu cuido delas para você.
BRENÉ: Perfeito.
BEN: Agradeço de verdade.

TASC: a lista de verificação de responsabilidade e sucesso

1. **Tarefa** — Brené assume a tarefa.
2. **Responsabilidade** — Ben forneceu a Brené a autoridade necessária para ela ser a responsável.
3. **Sucesso** — A conversa entre eles garantiu que Brené esteja preparada para ter sucesso (quanto a tempo, recursos, clareza).
4. **Lista de verificação** — Confere!

Queremos que as pessoas partilhem do nosso compromisso com o objetivo e a missão, e não que obedeçam por medo. Cumprir algo só por medo é exaustivo e insustentável para todo mundo. Líderes que trabalham com obediência se sentem constantemente decepcionados e ressentidos, e suas equipes se sentem investigadas. A liderança com base na obediência também mata a confiança e, ironicamente, pode aumentar a tendência das pessoas em testar até onde conseguem se safar.

Queremos que as pessoas policiem a si mesmas e que produzam mais do que o esperado. Descrever o feito e usar uma abordagem TASC ajuda a cultivar o comprometimento e a contribuição, dando aos membros da equipe espaço e confiança para ir além e aprender, além de permitir que eles encontrem alegria e criatividade mesmo nas menores tarefas.

11. Liderança com armadura
Usar o medo e a incerteza como armas

Em épocas de incerteza, é comum que líderes incentivem o medo e depois o utilizem como arma para se beneficiar. Infelizmente, ao longo da história esta sempre foi uma fórmula fácil, seja na política, na religião ou nos negócios: se conseguir incutir medo nas pessoas e der a elas um inimigo que seja responsável por esses medos, você pode levá-las a fazer praticamente qualquer coisa. É assim que funciona a cartilha do líder autoritário no mundo inteiro.

No curto prazo, é relativamente fácil para os líderes provocar o sentimento de escassez e em seguida prometer mais segurança oferecendo respostas fáceis e um inimigo comum que leva a culpa. Mas diante de problemas complexos, essa segurança é impossível de cumprir. Líderes corajosos e éticos combatem esse tipo de liderança.

Liderança com ousadia
Reconhecer, nomear e normalizar a incerteza e o medo coletivos

Em meio à incerteza e ao medo, os líderes têm a responsabilidade ética de apoiar sua equipe diante do desconforto — reconhecer a desordem, mas não incentivá-la, compartilhar informações, e não exagerá-las ou forjá-las. Líderes ousados reconhecem, nomeiam e normalizam desavenças e diferenças sem alimentar a discórdia ou se beneficiar dela.

Quando estamos gerenciando durante períodos de escassez ou de grande incerteza, é essencial aceitar a incerteza. Precisamos dizer a nossas equipes que vamos compartilhar com elas o máximo de informações que pudermos e quando pudermos. Precisamos estar disponíveis para esclarecer os fatos das histórias que os membros da nossa equipe podem vir a inventar, porque em épocas de escassez são pintados os piores cenários possíveis. Precisamos criar espaço para que possamos encarar a vulnerabilidade.

Sentimos um alívio e um poder incríveis ao nomear e normalizar o medo e a incerteza. Precisamos reunir coragem para olhar as pessoas que nós lideramos e dizer: "É difícil. Não existe solução simples. Seria fácil descontar a tristeza e o medo nos outros — mas isso seria injusto e iria contra a nossa integridade. Vamos enfrentar esse problema de uma forma que nos deixe orgulhosos. Vai ser difícil, mas faremos isso juntos."

12. Liderança com armadura
Recompensar a exaustão como um símbolo de status e associar a produtividade à autoestima

Escrevi a respeito dessa armadura em meu livro *A arte da imperfeição*, de 2010, numa época de crise cultural em relação à sobrecarga e à privação de sono. As coisas podem estar um pouco melhores agora — hoje definitivamente existe uma consciência cada vez maior de que o sono insuficiente contribui para o diabetes, as doenças cardíacas, a depressão e até mesmo para a ocorrência de acidentes fatais —, mas ainda temos problemas com isso numa sociedade que condiciona nosso valor ao patrimônio.

Quando o mérito depende da produtividade, perdemos a capacidade de desacelerar: a ideia de fazer algo que não acrescente nada ao resultado final provoca estresse e ansiedade. Parece se opor totalmente àquilo que acreditamos ser nosso objetivo na vida — nós nos convencemos de que o tempo livre, como brincar com nossos filhos, sair com nossos companheiros, cochilar, consertar coisas na garagem ou sair para correr, é desperdício de um tempo precioso. Por que dormir quando podemos trabalhar? E as esteiras ergométricas com estações de trabalho não deveriam substituir longas corridas aos domingos? (Para falar a verdade, não tenho nada contra esteiras com estação de trabalho, já que passamos tempo demais sentados.)

Liderança com ousadia
Demonstrar e apoiar o descanso, a descontração e a recuperação
O trabalho do Dr. Stuart Brown, psiquiatra, pesquisador clínico e fundador do National Institute for Play [Instituto Nacional da Brincadeira], argumenta que essa falta de tempo livre, de divertimento, tem um efeito deletério na nossa produtividade no escritório. Nessa busca desesperada por alegria, deixamos de notar algo importante: se queremos viver uma vida cheia de propósito e contribuições, precisamos passar a cultivar o sono e a diversão de forma intencional. Temos que nos livrar da exaustão, da sobrecarga e da produtividade como símbolos de status e medida do nosso valor. Não estamos impressionando ninguém com isso.

Além disso, de acordo com a pesquisa de Brown, a brincadeira molda nosso cérebro, estimula a empatia, nos ajuda a navegar por grupos sociais complexos e está no cerne da criatividade e da inovação. De certa forma, ela ajuda nosso cérebro superaquecido a se refrescar. Levando isso para a cultura do escritório, os líderes precisam demonstrar os limites adequados se desconectando dos e-mails num horário razoável e focando em si mesmos e em suas famílias. Não parabenize as pessoas por trabalharem durante o fim de semana ou por se gabarem de terem passado todo o feriado de Natal coladas no computador. No fim das contas, esse tipo de comportamento é insustentável e traz efeitos colaterais perigosos, como burnout, depressão e ansiedade — também cria uma cultura de competitividade e vício em trabalho que é prejudicial para todos.

Como afirma Stuart Brown, "o oposto de diversão não é trabalho — o oposto de diversão é depressão".

13. Liderança com armadura
Tolerar discriminação, câmaras de eco e uma cultura de "se encaixar"
No meu livro *Braving the Wilderness*, de 2017, ofereço a seguinte definição de **verdadeiro pertencimento**:

> O verdadeiro pertencimento é a prática espiritual de acreditar e pertencer a si mesmo tão profundamente a ponto de compartilhar o seu eu mais autêntico

com o mundo e encontrar o sagrado igualmente sendo parte de algo ou se isolando na natureza. O verdadeiro pertencimento não requer que você *mude*; requer que você *seja* você mesmo.

O maior obstáculo do verdadeiro pertencimento é quando tentamos nos encaixar ou mudar quem somos para ser aceitos. Quando criamos uma cultura de "se encaixar" e de buscar aprovação no ambiente de trabalho, não apenas passamos a sufocar a individualidade, mas inibimos nas pessoas o sentimento de verdadeiro pertencimento. Elas passam a desejar desesperadamente fazer parte de algo e a querer experimentar um vínculo profundo com os outros, mas não querem sacrificar sua autenticidade, sua liberdade ou seu poder em troca disso.

Liderança com ousadia
Cultivar uma cultura de pertencimento, inclusão e diversidade de pontos de vista

Somente quando passamos a incluir, respeitar e valorizar pontos de vista diversos é que somos capazes de ter uma visão completa do mundo: a quem servimos, do que essas pessoas precisam e como conseguimos atendê-las. Líderes corajosos lutam pela inclusão de todas as pessoas, opiniões e pontos de vista, pois com isso nos tornamos melhores e mais fortes. Isso implica termos coragem de reconhecer nosso próprio privilégio e estarmos abertos a descobrirmos nossos preconceitos e pontos cegos.

Também precisamos ficar atentos ao favoritismo — o surgimento de panelinhas ou grupinhos. Costumo formar grupos de discussão com funcionários de empresas, e cerca de metade das vezes ouço pessoas de trinta, quarenta, cinquenta e até sessenta anos ainda falando sobre o "grupinho dos legais no trabalho" e a "mesa dos populares no refeitório". Às vezes, a qualidade que define o "grupinho" são suas conquistas ou sua antiguidade, e às vezes se trata de identidade.

Líderes corajosos se esforçam para garantir que as pessoas possam ser elas mesmas e se sintam aceitas. As estratégias de liderança com ousadia mencionadas anteriormente que promovem esse sentimento de aceitação são reconhecer as conquistas; validar as contribuições; desenvolver um sistema que inclua poder com, poder para e poder interno; e saber seu valor.

14. Liderança com armadura
Colecionar estrelinhas douradas

É natural desejarmos reconhecimento pelas nossas conquistas. No início da carreira, quando contribuímos individualmente, tentar colecionar estrelinhas douradas é legal, sobretudo se formos motivados por um empenho saudável, e não pelo perfeccionismo. Na verdade, pode ser essencial para descobrir onde nossa contribuição é maior quando ainda nos encontramos numa fase de descoberta dos nossos pontos fortes (veja o item "lutar para ter valor", que mencionamos anteriormente). Contudo, depois que passamos a assumir cargos de liderança ou supervisão, conquistar medalhas e condecorações deixa de ser a nossa meta, e pode atrapalhar uma liderança eficaz.

Liderança com ousadia
Dar estrelinhas douradas

Parece contraditório, mas aquilo que nos levou a obter uma promoção e nos tornou indispensáveis para a organização pode acabar atrapalhando as competências de uma boa liderança. Passar a recompensar os outros em vez de tentar ser recompensado é a única forma de continuar crescendo dentro de uma organização e de incorporar de vez a liderança ousada.

Ao assumirmos o papel do líder corajoso, é o momento de levantar nossa equipe e ajudá-la a se destacar. Esse é um dos obstáculos mais difíceis do progresso na carreira, sobretudo para aqueles acostumados a batalhar ou que não sabem exatamente onde agregar valor, uma vez que as áreas em que contribuíamos foram agora delegadas a pessoas que vieram depois de nós. Por isso é essencial que a liderança seja uma prioridade expressa para qualquer pessoa num cargo ao qual funcionários se reportem diretamente — ela não pode ser uma tarefa extra ou algo para fazer no tempo livre.

Bill Gentry fala sobre a necessidade de "virar o jogo" quando nos encontramos num novo cargo de liderança. Seu livro *Be the Boss Everyone Wants* to Work For: A Guide for New Leaders [Seja o chefe para quem todos querem trabalhar: um guia para novos líderes] oferece dicas práticas e inteligentes de como desenvolver habilidades para aqueles que relutam em abrir mão de receber estrelinhas.

15. Liderança com armadura
Ziguezaguear e se esquivar

Quando eu estava na terceira série do fundamental, morávamos em Nova Orleans, e certo dia meus pais levaram meu irmão e eu para pescar num pântano. Ao chegarmos lá, o encarregado do local disse: "Se um jacaré se aproximar, corra em ziguezague — eles podem ser rápidos, mas não são bons em fazer curvas." Bem, nós estávamos lá havia apenas cinco minutos quando um jacaré arrancou a ponta da vara de pescar da minha mãe. Graças a Deus, ele não tentou nos perseguir; mas, se ele tivesse tentado, garanto que teríamos voltado correndo para o carro, ziguezagueando feito loucos.

O ziguezague é uma metáfora para a energia que gastamos tentando desviar das balas da vulnerabilidade — seja na forma de conflito, desconforto, confronto ou uma possível vergonha, mágoa ou crítica.

Tenho tendência a ziguezaguear em momentos de vulnerabilidade — como quando preciso dar um telefonema difícil, e escrevo um roteiro, depois me convenço de que é definitivamente melhor deixar para a manhã seguinte, para em seguida rascunhar um e-mail, porque dizer as coisas por escrito vai ser muito melhor do que falar por telefone. Fico pulando de uma coisa para a outra até acabar exausta. E no fim das contas ainda preciso fazer a ligação.

Liderança com ousadia
Conversas diretas e tomada de atitudes

Todo mundo sabe que encarar de frente qualquer coisa que estejamos adiando nos economiza uma quantidade imensa de tempo e capacidade mental. Sabe qual é a outra vantagem de enfrentar o desconforto? É que, na verdade, avaliar uma situação de frente é muito menos assustador e intimidador do que olhar para ela por cima do ombro enquanto fugimos.

Nesses momentos, precisamos parar e respirar — levar clareza e consciência para aquilo que estamos tentando evitar — para, então, resolver o que precisa ser feito para encararmos a vulnerabilidade.

Quando nos flagramos ziguezagueando — nos escondendo, fingindo, evitando, procrastinando, racionalizando, culpando, mentindo —, precisamos nos lembrar de que fugir é um enorme desperdício de energia e provavelmente vai totalmente contra os nossos valores. Em algum momento, temos que aceitar a vulnerabilidade e dar aquele telefonema.

Alguns anos atrás, dei uma palestra num evento de liderança global da Costco. Estava sentada a uma mesa na primeira fila observando o CEO da empresa, Craig Jelinek, responder a perguntas de líderes da empresa. As perguntas eram difíceis e, em 90% das vezes as respostas de Craig eram tão difíceis quanto elas, ou até mais. Já vi muitos CEOs responderem a perguntas que não haviam sido previamente informadas e, na maioria das vezes, quando as respostas são difíceis, o líder ziguezagueia como se houvesse um jacaré em seu encalço. O que se ouve são um monte de não respostas:

"Ótima pergunta. Deixe-me dizer uma coisa."

"Uau, boa ideia. Alguém anote isso para que possamos investigar a fundo."

"Bem, essa é uma maneira de fazer a pergunta..."

Mas naquela manhã fria em Seattle, não havia nenhum ziguezague, apenas uma conversa franca:

"Sim, nós de fato tomamos essa decisão e eis o porquê..."

"Não, nós não estamos indo nessa direção, e vou dizer como chegamos a essa decisão..."

Comecei a pensar: *Droga, tenho que subir no palco depois desta sessão aberta de perguntas e respostas, e essas pessoas vão estar agitadas.*

Quando Craig terminou, a plateia se levantou para aplaudir e aclamá-lo. Fiquei chocada. Virei para a mulher sentada ao meu lado e falei:

— A conversa foi bem difícil. Ele não deu as respostas que eles estavam esperando. Por que todo mundo está aplaudindo?

Ela sorriu e disse:

— Na Costco nós aplaudimos a verdade.

Amamos a verdade porque ela é cada vez mais rara. Então deixe-me dizer uma verdade: caso esteja no pântano, você precisa saber que os seres humanos podem facilmente correr mais rápido que os jacarés, pois eles têm uma velocidade máxima de 16 quilômetros por hora e não aguentam muito tempo. Mas eles têm dentes. Muitos dentes.

16. Liderança com armadura
Liderar por meio do sofrimento

Aprendi a viver segundo a máxima "Você nunca consegue o suficiente daquilo de que não precisa". Não é fácil, especialmente quando se trata de séries de investigação, tortilla chips com molho de queijo e aprovação. Um dos padrões que observei ao trabalhar com líderes é que muitas pessoas comandam por meio da dor e da mesquinhez e usam sua posição de poder para tentar preencher uma lacuna na autoestima. Mas não podemos preencher uma lacuna na nossa autoestima usando a liderança e o poder sobre as pessoas, pois não é bem disso que precisamos.

Em outras palavras, nós descontamos nossas merdas nos outros, e nunca ficamos satisfeitos com o que quer que seja que estejamos buscando, porque não estamos lidando com o verdadeiro problema. Em geral, é justo dizer que todos nós descontamos as coisas nos outros o dia todo. Mas, quando adicionamos a isso o diferencial do poder de liderança é que surge o perigo.

Um comportamento de "liderança por meio do sofrimento" seria não nos sentirmos valorizados pelo nosso parceiro ou nossos filhos e então redobrarmos o esforço para sermos vistos como "importantes" no trabalho, levando crédito por ideias que não são nossas, nos comparando aos outros o tempo todo e sempre sabendo tudo em vez de buscar aprender. A origem mais comum desse tipo de mágoa, pelo que observo, é a nossa família imediata. As questões da família imediata podem se manifestar na busca pela aprovação e aceitação dos colegas para compensar o que nunca recebemos de nossos pais. Além disso, se os fracassos e as decepções profissionais de nossos pais tiverem moldado a nossa educação, podemos passar toda a carreira tentando desfazer essa dor. Isso muitas vezes se manifesta na forma de um apetite insaciável por reconhecimento e sucesso, competitividade improdutiva e, ocasionalmente, tolerância zero a correr riscos.

Identificar a origem do sofrimento que move a nossa forma de liderar e o modo como nos mostramos para os outros é importante, pois retornar até esse ponto e trabalhar o problema é a única solução verdadeira. Projetar nossa dor nos outros direciona essa dor a quem não tem nada a ver com ela e provoca sérias quebras de confiança. Essa nossa busca longa e difícil por aquilo de que precisamos, seja o que for, não acaba nunca e deixa um rastro de vínculos desfeitos.

Liderança com ousadia
Liderar usando o coração

Vamos retomar esta frase da Seção 2: "Os líderes precisam dedicar uma quantidade razoável de tempo para lidar com medos e sentimentos, ou vão desperdiçar uma quantidade exorbitante de tempo tentando gerenciar comportamentos ineficientes e improdutivos." Bem, líder, cure a si mesmo.

Também precisamos dedicar tempo para lidar com nossos próprios medos, sentimentos e com o nosso passado, ou vamos acabar sendo obrigados a gerir nossos próprios comportamentos improdutivos. Como líderes corajosos, temos que nos manter curiosos a respeito dos nossos próprios pontos cegos e de como abordar esses problemas, e precisamos nos comprometer a ajudar as pessoas a descobrirem seus pontos cegos com segurança e apoio.

Como todos nós, a maioria dos líderes ousados e inspiradores com quem trabalhei tinham superado experiências dolorosas — desde doenças na infância e passados familiares de sofrimento até violência e trauma. Muitos estão passando por dificuldades profundas, como o fim de um casamento, filhos lutando contra o vício em drogas ou problemas sérios de saúde. A diferença entre liderar por meio do sofrimento e liderar com o coração não é o que você viveu ou está vivendo atualmente: é o que você faz com a dor e o sofrimento.

Um dos exemplos mais poderosos de liderança com o coração que presenciei foi a reação de Tarana Burke à prisão de Harvey Weinstein. Tarana é a diretora sênior do Girls for Gender Equity (organização que busca criar oportunidades para mulheres e meninas em situações vulneráveis) e fundadora do movimento Me Too — movimento para acabar com a violência sexual. Numa entrevista com o apresentador Trevor Noah, Tarana disse: "Este não é o momento para, digamos, celebrar a queda dos poderosos." Ela explicou que o foco deveria ser a recuperação dos sobreviventes e o reconhecimento da coragem deles.

Num mundo cheio de fúria e ódio, Tarana, que é uma sobrevivente da violência sexual e que dedicou a carreira a ajudar outros sobreviventes, declarou: "Isso não me traz nenhuma satisfação pessoal, esse não é o foco." Ela explicou: "Não queremos derrubar homens poderosos, e também não é um movimento só de mulheres — esse é outro tipo de equívoco comum. Trata-se de um movimento pelos sobreviventes."

Repito, antecipando um pouco o que trabalharemos juntos na parte sobre aprender a se levantar: quando dominamos e confrontamos nossos passados difíceis, nos tornamos capazes de escrever um novo final — um final que inclui usar aquilo que conseguimos superar para nos tornar mais piedosos e empáticos. Quando negamos nossas dificuldades do passado, elas nos dominam. Dominam e passam a ditar a maneira como nos comportamos, o que sentimos, o que pensamos e o modo como lideramos. Liderar com ousadia é liderar com o coração, e não por meio do sofrimento.

Despir-se da armadura

O discurso de Roosevelt não faz menção a uma armadura ou a armas — não há escudos que reluzem sob o sol da tarde, nem sabres, espadas ou fuzis. Dá a entender que a pessoa desarmada na arena luta por meio da inteligência, da bravura e das próprias mãos. Roosevelt está falando de luta corpo a corpo.

É quem recebe o crédito: a pessoa "cujo rosto está manchado de poeira, suor e sangue; que luta bravamente; que erra, que decepciona, que, na melhor das hipóteses, conhece no final o triunfo da grande conquista e que, na pior delas, se fracassar, ao menos fracassa ousando grandemente". O crédito vai para a pessoa que está na arena — e a maior arena num mundo tomado por medo, críticas e cinismo é a vulnerabilidade.

Desde que comecei meus estudos sobre vulnerabilidade (o que remonta à pesquisa da minha dissertação em 1998), sempre considerei que o melhor exemplo de vulnerabilidade é ser o primeiro a dizer "eu te amo". Isso é que é se despir da armadura! Só de pensar nesse momento fico sem fôlego. Como muitos de vocês, eu assumi esse risco e já passei pela experiência indescritível de ouvir "Meu Deus! Também te amo!". E já vivi a péssima situação de escutar um "Ah, obrigado! Mas acho que não temos nada a ver".

PESSOAS, PESSOAS, PESSOAS

Nessas horas, é difícil lembrar que aqueles que se magoam são os mais corajosos, pois superaram seu ego e libertaram o coração da prisão para que pudessem amar. Sim, vai haver dor. E mais poeira, suor e sangue. É difícil. E, quando não entendemos que a disposição ao risco de se magoar ou fracassar é sinônimo de coragem ou não temos a habilidade para encarar isso e nos recuperar, fica mais fácil vestir uma armadura e pegar em armas diante da mera ameaça de vulnerabilidade.

Como o trabalho que fizemos pelo mundo nos ensinou, o medo da vulnerabilidade e de tudo que vem ao nos despirmos da armadura — o medo de ser julgado ou mal-compreendido, de cometer um erro, de estar errado e de passar vergonha — é universal. Os líderes que entrevistei para este livro representam organizações do mundo inteiro, desde estúdios de cinema, empresas de tecnologia e escritórios de contabilidade até comandos militares, escolas e organizações de desenvolvimento comunitário. Como é possível que o medo de despir a armadura seja universal? *Em todo lugar pessoas, pessoas, pessoas são apenas pessoas, pessoas, pessoas.*

Alguns anos atrás fizemos um treinamento em Londres com participantes de mais de quarenta países. Quando estávamos nos aprofundando nos temas de vulnerabilidade e vergonha, um dos participantes se levantou e disse: "É muito impressionante ver as experiências que todos nós vivemos com essas emoções. É o que temos em comum mais do que qualquer coisa."

As mensagens e expectativas que alimentam sentimentos de vulnerabilidade e até de vergonha podem ser diferentes em cada cultura, mas as experiências em si, assim como a capacidade que elas têm de mudar quem somos e o modo como nos mostramos, são universais. Uma verdade universal poderosa que pudemos comprovar na nossa pesquisa global é: se *a vergonha e a culpa* são o nosso estilo de gestão, ou se são uma norma cultural difundida, não podemos esperar que as pessoas sejam vulneráveis ou corajosas. Quando a vergonha ultrapassa um certo nível, as pessoas passam a precisar usar uma armadura e, às vezes, se afastar para ficarem seguras.

Outra lição sobre a aplicação universal das descobertas quanto à liderança ousada surgiu com os nossos entrevistados que lideram equipes globais espalhadas pelo mundo. Eles falaram da importância de ter constantemente conversas difíceis e vulneráveis sobre as diferentes mensagens e expectativas culturais que desgastam a confiança e a segurança psicológica numa equipe se não forem identificadas e discutidas.

Uma participante, que é uma defensora da liderança com ousadia em sua empresa, lidera uma equipe de analistas altamente qualificados, espalhados por todo o mundo, que variam não apenas em termos culturais, mas também quanto à idade e à identidade de gênero.

Para ela: "Uma das partes mais importantes e desafiadoras do meu trabalho é trazer à tona o que está atrapalhando a comunicação e o desempenho da equipe. No ano passado, notei na nossa equipe de Hong Kong um padrão de ausência nas reuniões por videoconferência. Eles são colaboradores, então não consegui entender por que estavam se abstendo. Entrei em contato com eles sem nossos outros colegas na linha e falei: 'Precisamos ouvir o que vocês têm a dizer nessas reuniões. Não participar delas é não trabalhar. O que posso fazer para ajudá-los a participar?'"

Ela me disse que depois de uma longa pausa um homem respondeu: "Pedimos muitas vezes para receber a pauta das reuniões com antecedência. Quando recebemos a pauta dez minutos antes do início da reunião, nós nos sentimos desrespeitados. Se realmente quisesse nossa contribuição, você nos daria tempo para revisarmos as informações e nos prepararmos."

Ela explicou que esse tipo de conversa franca era uma norma. "São quase sempre conversas sobre normas e diferenças culturais. Ninguém quer falar sobre esses problemas porque são constrangedores e incômodos. Mas sei que é extremamente importante, e é minha função como líder ajudar a enfrentar o desconforto. Nunca é fácil, mas sempre nos sentimos gratos e fortalecidos no final."

EMPATIA NÃO É CONECTAR-SE A UMA EXPERIÊNCIA.

Empatia é conectar-se às emoções que sustentam uma experiência.

seção quatro
VERGONHA E EMPATIA

Dissecando a empatia

Se quiser ver o ego disparar um alerta vermelho, deixe a vergonha se aproximar. O que torna a aceitação da vulnerabilidade tão aterrorizante é o modo como despir a armadura e expor o coração pode nos deixar abertos para sentir vergonha. Nosso ego está disposto a manter o coração encerrado dentro da armadura, custe o que custar, se isso evitar nos sentirmos inferiores ou indignos de amor e aceitação. O que o ego não entende é que inibir o crescimento emocional e reprimir a vulnerabilidade não nos protege da vergonha, da desconexão e do isolamento, mas garante que eles vão ocorrer. Vamos ver como a vergonha funciona e por que ela não pode sobreviver a uma dose saudável de empatia.

A vergonha, muitas vezes chamada de "emoção mestra" por pesquisadores, é o sentimento de *nunca ser bom o suficiente*. Ela pode nos perseguir por muito tempo ou tomar conta de nós num segundo — de qualquer forma, seu poder de nos fazer sentir que não somos dignos de vínculos, aceitação ou mesmo de amor é inigualável no reino das emoções. Se aceitarmos a vulnerabilidade e resistirmos ao desejo de usar uma armadura, e isso nos fizer sentir culpados, abatidos, ignorados ou rejeitados, a vergonha pode ser um golpe tão doloroso na nossa autoestima que só o medo de isso acontecer já pode nos fazer sair correndo do confronto com a vulnerabilidade.

Depois de ter escrito extensivamente sobre a vergonha em todos os meus livros, decidi reunir as partes mais importantes de outros livros para oferecer aqui um manual. Mas, antes de dissecarmos a vergonha, vamos dar uma olhada num exemplo recente.

Em julho de 2017, um mês após entregar o manuscrito final de *Braving the Wilderness* ao meu editor, eu estava na terceira semana do meu treinamento imersivo para a turnê do meu livro. Uma semana depois do fim da turnê de *Mais forte do que nunca*, eu tinha jurado para mim mesma que nunca iniciaria outra turnê de livro sem estar em boa forma física, mental e espiritual. O novo livro seria lançado no dia 12 de setembro.

Adoro sair em turnê e passar um tempo com nosso público incrível e pleno. É realmente um dos grandes presentes inesperados que a vida me trouxe. Mas, se não estiver física, mental e espiritualmente em forma, os voos, hotéis e a saudade de casa podem acabar comigo. O serviço de quarto noturno vira o meu melhor amigo, minha perseverança começa a se desgastar e, se eu não tomar cuidado, a ansiedade e a solidão podem se instalar.

A pior parte é que, quando não estou em forma, desmorono ao chegar em casa. Não consigo sair da cama por dois ou três dias, e meus filhos vêm ao meu quarto me visitar como se eu estivesse no hospital.

No começo, achei que fossem problemas causados pela minha introversão. Numa escala de um a dez, minha introversão está no nível dez. Preciso passar um bom tempo sozinha para conseguir funcionar direito. Mas começamos a testar novas estratégias para viagens, e percebi que não era só isso. Nunca consegui ficar bem sem me exercitar e cuidar da minha vida espiritual. Quando estou comprometida com essas práticas, parece mágica. Bem, está mais para mágica, disciplina e muito trabalho pesado. Mas é muito, muito sério.

Nessas três semanas, corri, malhei, segui minha dieta cetogênica, pratiquei minha oração centrante, comprei roupas lindas para a turnê e estabeleci os

Vergonha e empatia | 131

limites para a turnê, e tudo parecia ótimo. No dia 10 de julho, dirigi por vinte minutos da minha casa até o Wire Road Studios, em Houston Heights, para gravar o audiolivro de *Braving the Wilderness*. Adoro esse estúdio e faço todos os meus trabalhos de gravação lá. Lembro-me de entrar empolgada na gerência naquela manhã e passar pela minha foto preferida da Beyoncé na parede. Eu estava de ótimo humor, empolgada com as possibilidades. Minha vontade era falar "toca aqui" para a foto. *As garotas de Houston mandando ver.*

Estávamos gravando havia uns dez minutos quando ouvi a voz do engenheiro de som nos fones de ouvido:

— Dá para ouvir seus brincos. Você pode tirá-los, por favor?

— Claro! Desculpe — respondi.

Saí da cabine de som em direção a um banco no corredor onde deixara a minha bolsa. Andando rápido e olhando para baixo para prender a tarracha do brinco que eu tinha acabado de tirar da orelha, bati a testa com força numa parede de vidro de 15 centímetros de espessura.

Não me lembro de muita coisa depois disso, só de acordar no chão. E me lembro da dor. Fiquei inconsciente por um minuto e, quando recobrei os sentidos estava totalmente confusa. Eu chorava, e as pessoas me amparavam, mas eu estava perdida.

Karen, a produtora dos meus audiolivros, insistiu que devia me levar para casa ou para um médico, mas eu quis retomar a leitura. Nosso cronograma estava muito apertado. Li por mais uns trinta minutos até que por fim comecei a chorar de novo. Olhei para Karen e disse: "Não estou conseguindo. Não sei o que há de errado comigo."

Ela se ofereceu para me levar para casa, mas garanti que estava bem. Fui dirigindo até o escritório, mas não me recordo de um único momento desse trajeto. Quando entrei, as pessoas se assustaram com o galo do tamanho de uma bola de pingue-pongue que havia na minha testa.

Mais uma vez, garanti para todos que estava bem. Comecei uma reunião por videoconferência com a minha equipe pelo Zoom. Eu estava sentada ao lado de Barrett e Suzanne na nossa sala. Murdoch e Chaz participavam de Nova York e de Austin. Aparentemente, alguns minutos depois do início da reunião, eu disse:

— Não entendo o que está acontecendo. Não consigo entender.

— Brené, tem certeza de que está bem? — respondeu Murdoch.

Eles disseram que meu humor mudou, e eu retruquei:

— Me deixa em paz. Só estou cansada.

Então, vomitei na lata de lixo sob a mesa de Suzanne, limpei a sujeira do meu queixo, cruzei os braços sobre a mesa dela e dormi.

Quando acordei, estava em casa. Minha equipe tinha ligado para meu marido, e ele saíra do trabalho para nos encontrar em casa. Ele ficou me fazendo perguntas, e me disseram que eu estava agressiva, frustrada e que chorava. Por mais que eu tentasse, não conseguia alinhar meus pensamentos ou minha visão. Steve ficava me pedindo para olhar para ele, mas lembro que estava tão difícil fazer isso que doía. Eu só conseguia olhar para atrás dele. Minha irmã estava fora do meu campo de visão, assustada e tentando conter as lágrimas.

Fui diagnosticada com uma concussão grave. Mas, por mais que isso soe familiar, eu logo descobriria que não tinha ideia do que aquilo significava.

No dia seguinte, minha equipe entrou em ação. Começaram a cancelar as próximas palestras e a mexer na minha agenda. Fiquei bem irritada. Eu dizia:

— Vou ficar boa em uma semana. Esses são eventos enormes com contratos que foram fechados há mais de um ano. Não há motivo para cancelar.

Murdoch foi claro:

— Você não decide isso.

Eu não ia desistir. Não podia. Eu estava tomada por vergonha e medo.

Os pesquisadores Tamara Ferguson, Heidi Eyre e Michael Ashbaker descobriram que a "identidade indesejada" é um dos principais gatilhos para a vergonha. Eles explicam que identidades indesejadas são características que sabotam nossa visão do nosso eu ideal.

Doente e não confiável são identidades *altamente* indesejáveis para mim. Sendo a quinta geração de uma família texana teuto-americana, cresci acreditando que doença é uma fraqueza. Não com os outros — com os outros acontece, e tudo bem, e devemos ajudar e cuidar. Mas na nossa família, ficar doente é coisa de preguiçoso e, se for forte o suficiente, você pode aguentar qualquer coisa. Acredite quando digo que ninguém que vive assim gosta disso, mas a vergonha é tão envolvente que é difícil se libertar.

Desaprender essa crença é uma das lições mais difíceis e dolorosas da minha vida, uma batalha que preciso encarar constantemente, por causa do reforço de sua cultura. Mas vou continuar lutando e falando sobre isso, porque não quero passar essa crença para os meus filhos. É uma forma terrível de viver.

Cinco dias depois de bater a cabeça, eu não conseguia fazer nada. Tinha um hematoma que ia do meu olho até a bochecha, e havia um machucado enorme na minha testa. Eu não conseguia ler, assistir TV, olhar para uma tela de computador ou ficar sob luz forte. Pensar doía. E quanto mais eu tentava voltar ao normal, pior ficava. Toda vez que tentava forçar, eu regredia. Tinha conseguido me livrar do diálogo interno da vergonha por ter cancelado os eventos com a ajuda de um pouco de autocompaixão e da empatia da minha equipe, mas agora sentia vergonha por estar perdendo o controle do que eu acreditava ser o que me fazia ser *eu*: minha mente.

E quanto aos meus planos de ficar mais forte para a turnê do livro? E se eu não melhorar? E se não ficar curada? E se tiver escrito meu último livro? E se eu nunca mais conseguir pesquisar de novo?

Até que, por fim, Trey, um querido amigo da nossa família, sentou-se para conversar comigo e compartilhou sua sabedoria do alto dos seus 19 anos. Ele falou tudo abertamente, sem se conter. Disse coisas difíceis que eu não queria ouvir, mas fez isso com tanta sensibilidade e empatia que só fiquei ali escutando e chorei. Ele jogava rugby no ensino médio e tinha sofrido sua primeira concussão havia seis meses, jogando como calouro na faculdade.

Trey disse: "Sei que é assustador e que nem dá para descrever para as outras pessoas, mas isso é sério. E, quanto mais você lutar, pior vai ficar e mais tempo vai demorar para você se recuperar. Não dá para vencer essa batalha dando uma de durona. Você não vai conseguir melhorar se ficar lutando contra isso. Você precisa de tempo. Isso tudo é real, e é muito assustador quando sua mente para de funcionar. Você vai ter que dar um jeito de relaxar pelas próximas semanas."

Depois de um mês, comecei a retomar o trabalho aos poucos. Toda vez que forçava demais, eu piorava. Ainda não conseguia me exercitar, mas conseguia ir até a despensa para me consolar com comida. Engordei cinco quilos — só o suficiente para que nenhuma roupa que tinha comprado para a turnê coubesse mais. O que quer que fosse estar em boa forma física, mental e espiritual, aquilo era exatamente o oposto.

O medo de que eu nunca voltasse a ser como antes, e de que tentar voltar ao normal estaria lesionando meu cérebro permanentemente se transformou numa ansiedade grave. Marquei uma consulta com a neuropsicóloga que trabalha com os times dos Houston Texans e dos Houston Rockets e é especializada em tratar concussões.

Steve e eu fomos juntos, e isso ajudou muito. Descobri que a ansiedade que eu sentia pelo medo de nunca mais voltar a ser eu mesma era normal, e ela me ensinou algumas estratégias para lidar com isso. Também fui liberada para retornar ao trabalho e fazer atividade física leve, e ela me deu algumas dicas de como perceber as necessidades do meu corpo.

Cheguei em casa me sentindo esperançosa naquele dia. *Vou conseguir. Ainda tenho pouco mais de duas semanas antes da turnê, e posso começar a me preparar amanhã logo cedo se o tempo melhorar.*

No dia seguinte, o furacão Harvey atingiu Houston. Nosso bairro foi devastado. Alguns membros da minha equipe perderam suas casas. Foi terrível.

O livro foi lançado na data, nos mudamos em meio à recuperação dos danos causados pelo furacão, passamos por outras coisas difíceis, e também por coisas bonitas, e me conectar com a minha comunidade foi restaurador. De alguma forma, todos nós conseguimos nos amar e apoiar uns nos outros com tanta empatia e gentileza ao longo daqueles meses que a vergonha não se aproximou.

Felizmente, de lá para cá não tive outro problema de saúde tão grave quanto aquela concussão, mas lutei contra um vírus no Natal e precisei cuidar dos meus dois filhos com mononucleose no último ano. E fico feliz em informar que, embora nunca tenha usado "engole o choro" e "aguenta o tranco" com ninguém além de mim mesma, essas expressões não fazem mais parte do meu vocabulário. Levei cinquenta anos para abandonar essas mensagens de vergonha, mas antes tarde do que nunca.

INTRODUÇÃO À VERGONHA

Sempre começo com estes três pontos sobre a vergonha:

1. Todos nós temos vergonha. Ela é universal e um dos sentimentos mais primitivos do ser humano. As únicas pessoas que não experimentam a vergonha são aquelas que não têm capacidade de sentir empatia e conexão humana. Pode escolher: ou você confessa que tem vergonha ou admite que é um sociopata. *Lembrete: Esta é a única hora em que a vergonha parece ser uma boa opção.*
2. Todos temos medo de falar sobre a vergonha. Só a palavra já é desconfortável.
3. Quanto menos falamos da vergonha, mais ela passa a controlar as nossas vidas.

Em primeiro lugar, a vergonha é o medo da desconexão. Como falamos ao abordar os mitos da vulnerabilidade, somos física, emocional, cognitiva e espiritualmente conectados pelo vínculo, pelo amor e pelo pertencimento. O vínculo, junto com o amor e o pertencimento, é a razão de estarmos aqui e é o que dá propósito e significado às nossas vidas. A vergonha é o medo da desconexão — é o medo de que algo que tenhamos feito ou deixado de fazer, um ideal ao qual não correspondemos ou uma meta que não alcançamos nos torne indignos desse vínculo. Eis a definição de vergonha que surgiu na minha pesquisa:

A vergonha é a emoção ou a experiência intensamente dolorosa de acreditar que somos imperfeitos e, portanto, indignos de amor, pertencimento e vínculo.

A vergonha gera dois pensamentos:
Nunca sou bom o bastante.
Quem você pensa que é?

Essas vozes na nossa cabeça se tornam um hábito terrível. Bem quando você supera a voz sussurrando "nunca sou bom o bastante" e reúne coragem para entrar na arena, os fantasmas da vergonha vêm e atacam com um "Uau, você acha que consegue fazer isso? Boa sorte".

Bater em retirada vira a maneira mais atraente e fácil de continuar seguro quando a vergonha nos esmaga. Mas, como falei aqui, quando usamos uma armadura e nos forçamos a não evoluir, as coisas começam a desmoronar, e nos sentimos sufocados.

Eis algumas respostas que recebemos quando pedimos aos entrevistados um exemplo de vergonha:

- Vergonha é ser demitido quando estamos esperando o primeiro filho.
- Vergonha é esconder o meu vício.
- Vergonha é explodir com meus filhos.
- Vergonha foi a minha reação ao ver a vergonha dos meus pais quando me assumi.
- Vergonha é encobrir um erro no trabalho e ser descoberto.
- Vergonha é falir o meu negócio depois que meus amigos investiram nele.
- Vergonha é ser promovido e depois rebaixado após seis meses porque eu não estava sendo bem-sucedido.
- Vergonha é ser chamado de idiota pelo meu chefe na frente dos nossos colegas.
- Vergonha é não conseguir me tornar sócio do escritório.
- Vergonha é minha esposa pedir o divórcio e me dizer que quer filhos, mas não comigo.
- Vergonha é sofrer assédio sexual no trabalho, mas ter medo de dizer qualquer coisa, porque ele é o cara que todos adoram.
- Vergonha é ser constantemente convidado a falar em nome de todos os latinos nas reuniões de marketing. Sou do Kansas e nem mesmo falo espanhol.
- Vergonha é ter orgulho de um projeto concluído, e depois ouvir que não era aquilo que meu chefe queria ou esperava.
- Vergonha é ver as coisas mudarem rápido demais e não saber mais como e em que posso contribuir. O medo de ser dispensável é um enorme gatilho de vergonha que não é abordado no trabalho.

Podemos não nos identificar com esses exemplos específicos, mas se conhecemos a nós mesmos e temos contato com nossa vulnerabilidade, conseguimos reconhecer essa dor insuportável nas experiências de outras pessoas. A vergonha é universal.

Hoje, as pesquisas em neurociência mostram que a dor e os sentimentos de rejeição que a vergonha inflige são tão reais quanto a dor física. Emoções podem nos ferir. E, assim como precisamos descrever, nomear e falar sobre a dor física para curá-la, temos que reconhecer e falar sobre a vergonha para conseguir superá-la. Isso é ainda mais difícil do que falar da dor física, pois a vergonha se torna mais forte justamente por não se falar dela. É por isso que até mesmo pronunciar a palavra *vergonha* é algo difícil de fazer.

VERGONHA, CULPA, HUMILHAÇÃO E CONSTRANGIMENTO

Outro motivo de ser tão difícil falar sobre vergonha é o vocabulário. Muitas vezes usamos os termos *constrangimento*, *culpa*, *humilhação* e *vergonha* como se fossem intercambiáveis, quando, na realidade, essas experiências são muito diferentes em termos de biologia, biografia, comportamento e diálogo interno, e elas têm consequências radicalmente diferentes. Vamos começar com vergonha e culpa, pois são os dois termos que mais geram confusão, e confundi-los pode ter consequências graves.

A maioria dos pesquisadores e clínicos especializados em vergonha concordam que é mais fácil entender a diferença entre vergonha e culpa como a diferença entre "sou ruim" e "fiz algo ruim".

Culpa = fiz algo ruim

Vergonha = sou ruim.

Quando estava tentando decidir quanto eu queria revelar à minha equipe sobre como o medo e a ansiedade eram as causas por trás dos meus cronogramas nada razoáveis, era a vergonha que me impedia. Como falei na seção anterior, a voz na minha cabeça dizia: *Você estuda liderança, mas nem é capaz de liderar. Você é uma piada.*

Não era culpa: *Nossa, fui injusta com a minha equipe ao fazer esses cronogramas. Tomei a decisão errada pelas razões erradas.*

Era vergonha: *Não é que eu tenha tomado decisões ruins. Sou uma líder ruim.*

No caos político em que vivemos, as pessoas usam a expressão *sem vergonha* quando veem alguém tomando uma decisão egoísta ou antiética, e atribuem um comportamento inescrupuloso à falta de vergonha. Isso é errado e perigoso. A vergonha não é a cura, é a causa. Não se engane achando que o que parece ego inflado e narcisismo é na verdade falta de vergonha. A vergonha e o medo estão quase sempre por trás desse comportamento antiético. Hoje vemos que a vergonha muitas vezes alimenta o comportamento narcisista. Na verdade, para mim a definição de narcisismo é o medo de ser comum movido pela vergonha.

É fácil atribuir grandiosidade e arrogância a um ego superinflado. Difícil é ver o medo e a falta de autoestima que estão por trás da presunção e do egoísmo, pois a presunção leva a usar a dor como arma e a disparála contra os outros. A última coisa de que pessoas assim precisam é sentir mais vergonha. Elas precisam de mais responsabilidade por seu comportamento e pela falta de empatia? Sim. Mais vergonha só as torna mais perigosas, dá a elas a oportunidade de redirecionar a atenção para o comportamento que causa vergonha e, estranhamente, pode atrair o apoio de outras pessoas que também estão em busca de uma forma de descarregar a dor e de um inimigo para culpar.

A vergonha não é um limite para o comportamento moral. É muito mais provável que ela provoque um comportamento destrutivo, prejudicial, imoral e que infle o ego do que sirva de cura para ele. Por quê? Porque onde há vergonha, quase sempre falta empatia. É isso que torna a vergonha perigosa. O oposto de sentir vergonha é experimentar empatia. O comportamento que muitos de nós consideramos ofensivo diz mais respeito à falta de empatia das pessoas, e não à falta de vergonha.

Embora a vergonha seja muito associada a vício, violência, agressão, depressão, distúrbios alimentares e bullying, a **culpa** está negativamente correlacionada a essas consequências. A empatia e os valores cercam a culpa, por isso se trata de um sentimento forte e socialmente adaptável. Quando pedimos desculpas por algo que fizemos, nós nos redimimos ou mudamos um comportamento que não se alinha a nossos valores; a culpa — e não a vergonha — é, na maioria das vezes, o que está por trás disso.

Sentimo-nos culpados quando expomos algo que fizemos (ou deixamos de fazer) contra os nossos valores e descobrimos esse conflito. Trata-se de um sentimento psicologicamente desconfortável, porém útil. O desconforto da dissonância cognitiva é o que acaba impulsionando uma mudança significativa. No entanto, a vergonha destrói o nosso lado que acredita que podemos mudar e ser pessoas melhores.

Humilhação é outra palavra que muitas vezes confundimos com *vergonha*. Donald Klein explica bem a diferença entre vergonha e humilhação quando afirma: "As pessoas acreditam que merecem a vergonha que sentem; mas não acreditam que merecem a humilhação." Se Sonja está numa reunião com os colegas e o diretor, e o diretor a chama de fracassada por causa dos resultados dos testes de seus alunos, Sonja provavelmente vai encarar isso ou como vergonha ou como humilhação.

Se a voz na cabeça de Sonja disser *Sou um fracasso*, trata-se de vergonha. Se a voz disser *Nossa, meu chefe está tão fora de si, não mereço isso*, é humilhação. A humilhação nos faz sentir muito mal e contribui para um péssimo ambiente tanto no trabalho quanto em casa — e se persistir certamente pode se tornar vergonha se começarmos a acreditar no que essas mensagens dizem. Contudo, ela ainda é menos destrutiva do que a vergonha, que nos faz internalizar a ideia de ser um "fracasso". A voz na cabeça de Sonja, quando se trata de humilhação, diz "Não sou o problema". Quando fazemos isso, é menos provável que nos fechemos, façamos uma cena ou revidemos. Nós nos mantemos alinhados aos nossos valores enquanto tentamos resolver o problema.

O constrangimento costuma ser um sentimento passageiro e muitas vezes pode acabar sendo engraçado. Dessas emoções, é de longe a menos grave e perigosa. Um traço característico dele é que, quando fazemos algo constrangedor, não nos sentimos sozinhos. Sabemos que outras pessoas fizeram a mesma coisa e, assim como o rubor, a sensação passa, em vez de nos definir.

Esclarecer bem a terminologia é um começo importante para compreender a vergonha. A alfabetização emocional é a base para criarmos resiliência à vergonha, e ela nos ajuda a avançar da vergonha para a empatia — que é o verdadeiro antídoto para a vergonha. Vamos falar sobre a empatia mais adiante nesta seção.

COMO A VERGONHA SE MANIFESTA NO TRABALHO

Procurar por vergonha em organizações é como inspecionar uma casa atrás de cupins. Se você notar que há cupins dentro de uma casa, significa que existe ali um problema grave que provavelmente já vem acontecendo faz tempo. Da mesma forma, se você vê exemplos de vergonha dentro de um escritório, escola ou local de adoração — um gerente repreendendo um funcionário, um professor depreciando um aluno, um clérigo usando a vergonha como mecanismo de controle ou um ativista usando a vergonha como ferramenta de justiça social —, está testemunhando uma ameaça séria à sua cultura. Você precisa descobrir como e por que isso está acontecendo e resolver o problema imediatamente (e sem utilizar a vergonha).

O mais complicado é que, na maioria dos casos, a vergonha se esconde atrás das paredes das organizações. Não está adormecida — está corroendo aos poucos a inovação, a confiança, os vínculos e a cultura —, mas é mais difícil de notar. Eis os sinais que você deve procurar:

- **Perfeccionismo**
- **Favoritismo**
- **Fofocas**
- **Conversas extraoficiais**
- **Comparação**
- **Autoestima associada a produtividade**
- **Assédio**
- **Discriminação**
- **Poder sobre**
- **Intimidação**
- **Acusações**
- **Provocações**
- **Acobertamentos**

Todos são sinais comportamentais de que uma cultura está permeada pela vergonha. Um sinal mais óbvio é se a vergonha tiver se tornado uma ferramenta definitiva de gerenciamento. Existem evidências de que há pessoas em cargos de liderança intimidando os outros, criticando subordinados na frente dos colegas, fazendo repreensões em público ou estabelecendo sistemas de premiação que intencionalmente constrangem, envergonham ou humilham as pessoas?

Num dos nossos workshops, uma mulher se recostou na cadeira com lágrimas nos olhos e disse: "Minha vergonha é tão profunda que nem sei por onde começar." Seus colegas escutaram com atenção enquanto ela desabafou sobre um chefe que a criticava constantemente na frente dos outros.

As comunidades religiosas e as escolas não são locais isentos de vergonha. Na nossa pesquisa original sobre vergonha, 85% das pessoas que entrevistamos se lembravam de algum incidente da infância ocorrido na escola que foi tão vergonhoso que mudou a forma como elas se enxergavam como alunos. O que torna isso ainda pior é que cerca de metade dessas lembranças eram do que chamo de *cicatrizes da criatividade*. Os participantes da pesquisa poderiam destacar um incidente específico em que alguém disse ou mostrou para eles que não eram bons escritores, artistas, músicos, dançarinos ou qualquer outra atividade criativa. A ferramenta da vergonha usada nessas situações era quase sempre a comparação. Isso ajuda a explicar por que as vozes na nossa cabeça são tão poderosas quando se trata de criatividade e inovação, e por que usar a comparação como ferramenta de gerenciamento acaba reprimindo as duas.

Por outro lado, os mesmos dados mostraram que mais de 90% das pessoas entrevistadas conseguiam lembrar de um professor, treinador, diretor ou membro do corpo docente que fortaleceu sua autoestima e os ajudou a acreditar em si mesmos e em sua capacidade. O que essas descobertas aparentemente opostas nos dizem? As figuras de autoridade na escola têm um poder e uma influência enormes, e o modo como eles escolhem usar esse poder e essa influência transforma as pessoas. Para o bem ou para o mal.

Já conheci muitos líderes ousados que se comprometem a não fazer uso da vergonha, mas nunca estive numa organização totalmente isenta de vergonha. Talvez elas existam, mas eu ficaria surpresa de encontrar uma que fosse. Nos melhores casos, trata-se de um problema limitado ou controlado, em vez de uma norma cultural.

Uma das situações mais comuns que surgiram na pesquisa é a vergonha que as pessoas sentem quando são demitidas, e pela forma *como* são demitidas.

Susan Mann tem mais de três décadas de experiência como líder sênior nos setores de bancos, ensino superior e filantropia. Antes de abrir seu próprio escritório de coaching e consultoria, Susan chefiava a equipe global de aprendizagem e desenvolvimento da Fundação Bill e Melinda Gates. Credenciada pela International Coach Federation, Susan é membro fundador do corpo docente do Daring Way. (Daring Way é o programa de treinamento e certificação para ajudar profissionais oferecido pela Daring Education, nossa entidade sem fins lucrativos.)

Susan ajuda a elevar a qualidade da liderança na nossa empresa treinando nossos líderes iniciantes. Quando perguntei a ela sobre a dificílima tarefa que é demitir funcionários, ela respondeu o seguinte:

No início da minha carreira em recursos humanos, um dos meus mentores me ensinou a sempre **dar às pessoas uma "forma de sair com dignidade"**. Depois de três décadas — e após incontáveis conversas em que aconselhei líderes sobre como demitir funcionários —, sinto que segui esse conselho centenas de vezes.

O que significa dar a alguém uma forma de sair com dignidade? Lembrar-se de que ali há um ser humano e dar atenção aos sentimentos dele. É claro que os líderes devem tomar as difíceis decisões de negócios que são certas para a empresa: cortar pessoal, demitir alguém, transferir uma pessoa para uma função diferente. Realizar definitivamente o que fizer sentido para atingir os objetivos da empresa.

E, enquanto faz o que precisa fazer, lembre-se sempre do ser humano. Pense nessa pessoa que será impactada pela sua decisão, bem ali na sua frente. Essa pessoa tem uma família, uma carreira e uma vida que serão afetadas.

Quando estiver dando a notícia, seja gentil. Seja claro. Seja respeitoso. Seja generoso. Você sabe se a pessoa prefere pedir demissão a ser demitida? Pode oferecer indenização? Pergunte à pessoa como ela quer que os colegas saibam que ela está indo embora e faça o que ela pede, se possível.

Vergonha e empatia | 143

Você pode permitir que a pessoa vá embora de uma maneira que possa manter a dignidade? Não se trata de evitar decisões difíceis e conversas delicadas, mas de saber que todos nós temos corações que podem ser magoados. Grandes líderes tomam decisões difíceis em relação a pessoas e as executam com sensibilidade. É isso que significa dar às pessoas uma forma de sair com dignidade.

Perguntei a Susan o que atrapalha as pessoas na hora de saírem com dignidade. Susan deu as seguintes respostas:

- Armar-se: Já vi muitos líderes ficarem na defensiva quando decidem demitir alguém. É uma decisão penosa, e vejo pessoas sendo extremamente racionais, citando todas as razões por que sua decisão é correta e justificável. É uma forma de proteção.
- Tempo e dinheiro: Dar às pessoas uma chance de saírem com dignidade é um investimento maior de tempo, dinheiro, emoção, energia. Nos obriga a desacelerar, ser mais atenciosos e ter conversas mais completas. Isso não acontece com a frequência que deveria.
- O bode expiatório: Às vezes uma pessoa leva a culpa por uma equipe ou um sistema fracassado. O líder procura — em geral inconscientemente — alguém para culpar pelo que não está indo bem, em vez de se olhar no espelho e se perguntar o que poderia fazer para resolver os problemas maiores.
- Falta de vulnerabilidade e coragem: a incapacidade de manter o equilíbrio entre razão e emoção e abraçar os dois ao mesmo tempo. Vejo líderes expressarem medo quanto à emoção que a pessoa demitida pode demonstrar: "Tenho medo de que ela chore ou fique irritada." Às vezes o medo é de que eles mesmos demonstrem alguma emoção: "E se eu ficar nervoso e me descontrolar?"

Ela concluiu: "Dar às pessoas uma chance de sair com dignidade é uma arte. É uma habilidade enorme que dá trabalho de desenvolver e requer prática. Poucas empresas e poucos líderes tratam essa habilidade como prioridade."

Talvez o sinal mais devastador de que a vergonha infestou um ambiente seja o acobertamento. Os acobertamentos são cometidos não só pelas pessoas que originalmente provocaram o problema, mas por toda uma cultura de cumplicidade e vergonha. Às vezes, os indivíduos são coniventes porque ficar calado ou esconder a verdade os beneficia de alguma forma e/ou não representa uma ameaça a seu poder ou influência. Outras vezes, são coniventes porque essa é a norma — eles trabalham em meio a uma cultura de acobertamentos que usa a vergonha para manter as pessoas caladas.

Seja como for, quando a cultura de uma corporação, organização sem fins lucrativos, universidade, governo, igreja, projeto esportivo, escola ou família determina que é mais importante proteger a reputação de seu sistema e daqueles que estão no poder do que proteger a dignidade básica das pessoas ou das comunidades, pode ter certeza de que esse ambiente apresenta os seguintes problemas:

A vergonha é sistêmica.
A conivência faz parte da cultura.
O dinheiro e o poder se sobrepõem à ética.
A responsabilização já era.
O controle e o medo são ferramentas de gestão.
E há um rastro de devastação e sofrimento.

Se formos ter uma conversa séria sobre vergonha, temos que fazê-lo do jeito certo para que as pessoas se sintam seguras. Essas conversas são intensas. Dar a alguém permissão para falar sobre vergonha é libertador. É como lançar uma luz num canto escuro — as pessoas percebem que não estão sozinhas. Compartilhar as histórias com outras pessoas torna a vergonha normal, cria conexão e gera confiança. Essas são as conversas difíceis que podem apontar o caminho para os novos comportamentos e as mudanças na cultura que desejamos. E, em alguns casos, uma conversa sobre a vergonha pode mudar nossas vidas.

RESILIÊNCIA À VERGONHA

A má notícia é que a *resistência* à vergonha não é possível — enquanto nos preocuparmos em criar vínculos, o medo da desconexão será sempre uma força poderosa na nossa vida, e a dor causada pela vergonha será sempre real. Mas eis uma boa notícia: a *resiliência* à vergonha é possível, pode ser ensinada e está ao alcance de todos.

A resiliência à vergonha é a capacidade de praticar a autenticidade quando sentimos vergonha, de passar pela experiência sem sacrificar nossos valores e de sair da experiência da vergonha com mais coragem, compaixão e conexão do que tínhamos ao entrar nela. Em última análise, a resiliência à vergonha significa mudar da vergonha para a empatia — o verdadeiro antídoto para a vergonha.

Na próxima seção, vamos nos aprofundar nos temas empatia e autocompaixão, mas, por enquanto, é importante entender que, se compartilharmos nossa história com alguém que reage com empatia e compreensão, a vergonha não conseguirá sobreviver. A autocompaixão também é muito importante, mas como a vergonha é um conceito social — acontece entre as pessoas — sua cura também é melhor entre as pessoas. Uma mágoa social precisa de conforto social, e a empatia é esse conforto. A autocompaixão é fundamental porque, quando somos capazes de ser gentis com nós mesmos em meio à vergonha, é mais fácil pedir ajuda, criar vínculos e experimentar a empatia.

Empatia

A empatia é um dos pilares das culturas baseadas no vínculo e na confiança — também é um ingrediente essencial para as equipes que assumem riscos e realizam confrontos. Existem cinco elementos da empatia, e vamos explorar cada um deles. Enquanto isso, basta dizer que a empatia é facilmente confundida com pena, com dar conselhos e com julgamentos disfarçados de preocupação. Para acrescentar empatia às ferramentas necessárias para desenvolver a coragem, é importante ser capaz de traduzi-la na forma de habilidades específicas que podemos aprender e praticar, além de distinguir de imediato empatia de pena e entender os grandes obstáculos à empatia. Vamos começar com uma história.

Há alguns anos, Suzanne — nossa presidente e diretora de operações — e eu passamos um dia facilitando nosso programa de liderança com ousadia na base do exército de Fort Bragg. Foi uma experiência incrível, e coordenei toda a logística da viagem com uma precisão militar. O plano era deixar a base quando terminássemos, dirigir 119,2 quilômetros até o Aeroporto Internacional de Raleigh-Durham, devolver o carro alugado, almoçar e chegar ao portão de embarque com uma hora e meia de antecedência. Depois de estudar vários cenários possíveis e checar o histórico de pontualidade dos voos no aeroporto, fiquei confiante de que poderia chegar em casa naquela noite para o grande jogo.

Ellen pegou num taco de hóquei sobre grama pela primeira vez no verão antes de começar o ensino médio. Com o incentivo de um treinador que conheceu no evento de recepção dos novos alunos e depois de algumas aulas extenuantes sob um sol de quase quarenta graus durante o verão, ela conseguiu entrar para o time logo no primeiro ano.

Infelizmente, no que diz respeito a esportes terrestres, Steve e eu temos zero talento para transmitir aos nossos filhos. Nós dois nadamos, e Steve joga polo aquático, mas não temos velocidade na hora de correr. Ellen adorava seus treinadores e as colegas de equipe. Ela se esforçou muito, nunca faltou a um jogo ou treino, passou horas praticando as jogadas no nosso quintal, e jogou com dedicação total durante os anos do ensino médio.

Suzanne e eu íamos aterrissar em Houston duas horas antes do grande jogo, o que me dava tempo suficiente para trocar de roupa, botar vinte cabeções no carro e chegar no campo para a noite da grande final. (Cabeções são placas com fotos ampliadas dos rostos das jogadoras, medindo noventa centímetros de altura por sessenta de largura, para os torcedores segurarem na arquibancada.) Era a última partida de Ellen no ensino médio, e durante a cerimônia do intervalo os pais iam presentear as filhas com flores e acompanhá-las pelo campo.

Tudo estava indo conforme o planejado, e mal consegui conter minha empolgação quando recebi uma mensagem de Ellen dizendo: "Mal posso esperar para ver você hoje à noite. Não acredito que já é a final!!! Caramba! Como o tempo passou tão rápido???"

Estávamos na fila para embarcar e respondi com uma mensagem: "Estou muito orgulhosa de você! Em poucas horas estarei aí. VOCÊS VÃO ARRASAR!!!"

A fila ainda não tinha começado a andar quando o funcionário do embarque anunciou que nosso voo estava dez minutos atrasado devido a problemas mecânicos. *Sem estresse. Deixei uma margem de sessenta minutos para possíveis atrasos. Se o atraso chegar a noventa minutos, parto para o Plano B: vou direto para o jogo e minha amiga Cookie pega os cabeções.*

Vinte minutos depois, vejo o piloto conversando com os funcionários do embarque e seguro Suzanne pelo braço. Ela tem um sobressalto e sussurra:

— O que houve? Algum problema? Você está bem?

Estou tentando não fazer uma cena, então também sussurro:

— Nosso voo vai ser cancelado. Abra o notebook agora e reserve o próximo voo.

Eis uma das muitas qualidades de Suzanne: ela consegue resolver de tudo como ninguém. Se você se meter numa briga de rua, vai querer tê-la do seu lado.

Sem perguntar nada, ela começa a pesquisar os voos, mas a única forma de sair da Carolina do Norte é pegar um voo até Atlanta, mudar de companhia aérea e aterrissar em Houston às dez da noite. Depois de fazer a reserva, ela olha para mim e diz:

— Por que acha que vão cancelar o nosso voo?

Antes que eu possa responder, o funcionário do embarque anuncia que o voo foi cancelado por problemas mecânicos, e na mesma hora ocorre uma debandada até o balcão. Suzanne e eu achamos um lugar livre para sentar e ligamos para nosso escritório em Houston. Em poucos minutos, temos três pessoas trabalhando para nos levar para casa a tempo do jogo. Após 45 minutos, Suzanne me encara e diz:

— Sinto muito. Não tem como chegar lá a tempo do jogo.

— Mas se formos de carro...

Ela pôs a mão no meu braço.

— Já tentamos de tudo. Sinto muito.

Então falei aquilo que costumo dizer e ficar repetindo quando sou dominada pelo desespero:

— Não dá para entender. Não dá para entender.

Suzanne me olhou bem nos olhos.

— Não vamos conseguir chegar lá antes das dez da noite.

Comecei a soluçar. Chorar a ponto de as pessoas ficarem olhando. Foi uma profunda experiência de empatia para mim, pois Suzanne não se importou que eu estivesse me descontrolando em público. E, mais importante, ela não tentou falar nada para melhorar as coisas. Apenas disse:

— Que droga. Isso é muito injusto. Eu iria a pé para Houston com você se isso fosse ajudar.

— Não dá para entender — voltei a dizer, baixando a voz.

— Sei que isso é muito importante para você. Que droga. Também estou arrasada.

— Mas é muito importante — expliquei, como se ela não tivesse acabado de confirmar isso de todas as formas possíveis.

Suzanne olhou para mim e disse:

— Claro que é. É importante pra caramba. Você fez tudo que podia para conseguir ir. É uma noite importante.

Muitas vezes, quando alguém está sofrendo, temos medo de dizer: "É verdade, está doendo muito. É muito importante mesmo. Que droga." Achamos que nosso trabalho é tentar melhorar as coisas, então minimizamos a dor. Mas Suzanne não minimizou minha dor. Ela teve a coragem de me responder com a realidade de como eu me sentia: eu estava arrasada porque não conseguiria estar presente naquela noite importantíssima para minha filha. Ela escolheu usar a empatia comigo em vez de optar pelo próprio conforto.

— Estou arrasada por você, de verdade.

Ela acertara em cheio o que eu estava sentindo quando falou que também se sentia arrasada. Olhando para trás, vejo que não eram só o grande jogo e a cerimônia especial, mas também o fato de que em poucos meses Ellen ia sair de casa e começar a faculdade, e esse era o primeiro de vários eventos de despedida da escola. Eram camadas de tristeza.

Respondi para Suzanne:

— Sei que, num contexto maior, isso não é tão importante. Quando vejo pessoas chorando em aeroportos, sempre penso no que podem estar passando, e tento dar um sorriso do tipo *Estou vendo você e sinto muito*. Não se trata de um funeral, um acidente ou algo muito ruim. Não sei o que está havendo comigo.

Suzanne não aceitou aquilo de **comparar sofrimentos**. Ela não ia minimizar minha dor, e ela não ia permitir que eu desmerecesse a minha tristeza:

— Não, não se trata de nada disso, mas não deixa de ser muito importante. Isso dói muito.

Aprendi muito com minhas pesquisas sobre o perigo de se comparar sofrimentos e hierarquizar a tristeza. Se acreditarmos que empatia é algo finito, como pizza, e que ao praticarmos empatia com uma pessoa sobram menos fatias para as outras, talvez fosse necessário comparar os níveis de sofrimento. No entanto, felizmente a empatia é infinita e renovável. Quanto mais você dá, mais todos nós temos. Isso significa que toda dor pode ser recebida com empatia — não há motivo para classificar e racionar.

Essa experiência com Suzanne foi empatia na prática. Nesses momentos ruins, não é nosso papel tentar melhorar as coisas. Simplesmente não é. Nosso trabalho é criar vínculo. É enxergar o ponto de vista de outra pessoa. **Empatia não é se conectar a uma experiência, mas se conectar às emoções por trás de uma experiência.**

Muitos me perguntam como podem demonstrar empatia para alguém que está passando por algo que eles nunca experimentaram. Repito, empatia é se conectar ao sentimento por trás da experiência, não à experiência em si. Se você já sentiu tristeza, decepção, vergonha, medo, solidão ou raiva, então está qualificado. Agora só precisa ter coragem de praticar e desenvolver suas habilidades de empatia.

De volta ao aeroporto, eu estava prestes a fazer uma cena com meu choro, então encontrei um lugar para me esconder na loja Life Is Good do aeroporto. *Ah, a ironia...* Se você for a mulher que estava trabalhando lá naquele dia, obrigada por me notar e perguntar se eu estava bem. Mas, acima de tudo, agradeço muito por você ter me deixado sentar no chão e me esconder por trinta minutos. Sua gentileza fez diferença.

Sentada atrás da arara redonda com camisetas coloridas, mandei uma mensagem para Ellen avisando que ia perder o jogo. Pensei em ligar, mas decidi mandar uma mensagem porque não queria desabar com ela no telefone antes do jogo. É claro, a mensagem dela em resposta foi exatamente o tipo de coisa de que o amor é feito:

> Sinto muito pelo seu voo. Para ser sincera, sei que você está surtando. Mas é só uma noite, e você já foi a uns 100 jogos, treinou comigo, me fez ir para o acampamento quando eu não queria, organizou festas e levou todo o meu time para Galveston. É isso que conta. Eu te amo muito. Vou pedir para o papai tirar muitas fotos.

Já Steve recebeu um telefonema direto da arara de camisetas. Ele ficou escutando. Quando jurei que ia largar meu trabalho e nunca mais entraria em outro avião, ele disse: "Não posso culpá-la. Você teve muito trabalho para conseguir aquelas cabeças gigantes e as flores. Você tem dado um apoio enorme a Ellen. Sinto muito que isso esteja acontecendo."

E, mais uma vez, graças a Deus, Suzanne estava lá. Já nos voos de volta, várias vezes olhei para o relógio e comecei a chorar. Ela só apertava minha mão e dizia "eu sei".

Por volta das oito e meia daquela noite, olhei para ela e falei:

— O jogo acabou.

Ela me olhou de volta e respondeu:

— Nós já temos alguma foto?

Ela disse *nós*, e não "Foi difícil, mas felizmente acabou". Perguntou se *nós* já tínhamos alguma foto. Ela ainda estava envolvida, porque eu ainda estava envolvida. Foi muito difícil, mas em momento algum eu me senti sozinha.

A empatia é uma escolha. E é uma escolha vulnerável, porque se escolho me conectar com você através da empatia, preciso me conectar com algo em mim que conhece aquele sentimento. Numa conversa difícil, quando vemos que alguém está sofrendo ou com dor, é nosso instinto, como seres humanos, tentar fazer as coisas parecerem melhores. Queremos resolver, queremos dar conselhos. Mas a empatia não é resolver nada, é a escolha ousada de estar ao lado de alguém na escuridão — não é ir correndo acender a luz para nos sentirmos melhor.

Se eu compartilhar algo com você que é difícil para mim, prefiro que você diga: "Nem sei o que dizer, mas estou muito feliz por você ter me contado." Porque a verdade é que raramente uma resposta pode melhorar as coisas. O que cura é a conexão.

Se a dificuldade de uma pessoa for estar presa num buraco, empatia não seria entrar no buraco junto e absorver as emoções dela, ou assumir a dificuldade da pessoa como algo que você deve resolver. Se os problemas dela passarem a ser seus também, agora serão duas pessoas presas num buraco. Isso não ajuda em nada. É importante estabelecer limites. Temos que saber onde nós terminamos e onde começam os outros se realmente quisermos agir com empatia.

Theresa Wiseman, uma pesquisadora na área da enfermagem no Reino Unido, estudou a empatia em todas as profissões que exigem profunda conexão e relacionamento, e identificou quatro atributos da empatia. Esses atributos estão totalmente alinhados com o que descobri a partir dos meus dados, mas não tratavam da ideia de "dar atenção" tanto quanto as descobertas da minha pesquisa. Para resolver isso, acrescentei um quinto atributo que surgiu na pesquisa de Kristin Neff. A Dra. Neff realiza estudos sobre autocompaixão na Universidade do Texas em Austin — já, já, conheceremos mais do trabalho dela.

Embora cada um desses componentes seja importante em termos de pesquisa — você pode encontrar centenas de livros sobre cada um dos cinco em qualquer biblioteca —, vamos explorar de que modo esses elementos se juntam para criar empatia, o combustível necessário para construir confiança e aumentar a conexão.

Habilidade de empatia 1: Ver o mundo como os outros o veem, ou enxergar os pontos de vista
Nós vemos o mundo através de um jogo de lentes únicas que reúnem quem somos, de onde viemos e nossas vastas experiências. Nossas lentes, sem dúvida, incluem fatores como idade, raça, etnia, habilidades e crenças espi-

rituais, mas também temos outras lentes que moldam a forma como vemos o mundo: nossos conhecimentos, percepções e experiências. Nossa visão do mundo é completamente única, pois nosso ponto de vista é um produto da nossa história e das nossas experiências. É por isso que dez pessoas podem testemunhar o mesmo incidente e oferecer dez perspectivas diferentes sobre o que aconteceu, como e por quê.

Existe alguma verdade universal que pode ser observada e conhecida? Claro. A matemática e a ciência nos fornecem muitos exemplos. Mas, quando se trata do turbilhão formado pelas emoções, pelo comportamento, pela linguagem e pela cognição humanos, são muitas as perspectivas válidas.

Um dos erros comuns em relação à empatia é acreditarmos que é possível tirar nossas lentes e enxergar através das lentes de outra pessoa. Mas não é. Nossas lentes estão soldadas a quem nós somos. O que podemos fazer, no entanto, é respeitar e tratar os pontos de vista das pessoas como verdade, mesmo quando são diferentes dos nossos. Isso é um desafio se você foi criado dentro da cultura da maioria — branco, heterossexual, homem, de classe média, cristão — e provavelmente aprendeu que sua perspectiva é a correta e que todos os outros é que precisam ajustar suas lentes. Ou, sendo mais precisa, você não aprendeu nada sobre pontos de vista, e o padrão — *Minha verdade é a verdade* — é reforçado por todos os sistemas e situações em que você esbarra.

As crianças são muito receptivas a aprender habilidades de aceitação de pontos de vista porque são naturalmente curiosas a respeito do mundo e de como os outros lidam com ele. Aqueles que aprenderam essas habilidades na infância devem ser muito gratos aos pais. Já os que não foram apresentados a esse conjunto de habilidades quando mais jovens têm que se esforçar mais e lutar contra a tendência a se armar para que possam adquirir essas competências na vida adulta.

Se queremos aprender a aceitar pontos de vista, precisamos nos tornar aprendizes, em vez de saber tudo. Digamos que eu esteja conversando com um colega de equipe que tem 25 anos, é afro-americano, gay e cresceu num bairro rico de Chicago. Em nossa conversa, percebemos que temos opiniões completamente diferentes sobre um novo programa que queremos desenvolver. Como estamos debatendo os problemas, ele diz: "Minha experiência me leva a acreditar que essa abordagem não vai dar certo com as pessoas que queremos alcançar." Não posso tirar as minhas lentes de mulher branca e heterossexual de meia-idade e usar as dele para ver o que ele vê, mas posso perguntar "Fale mais sobre isso. O que você tem em mente?", e respeitar a verdade dele como uma verdade completa, não apenas uma versão de fora da minha verdade.

É exatamente por isso que todo estudo que encontramos confirma a correlação positiva entre inclusão, inovação e desempenho. Repito, somente quando passamos a incluir, respeitar e valorizar pontos de vista diversos é que podemos começar a ter uma visão completa do mundo, das pessoas a quem servimos, do que elas precisam e como conseguir atendê-las.

Adoro o que Beyoncé disse em seu relato pessoal na edição de setembro de 2018 da *Vogue* americana:

> Se as pessoas em posições de poder continuarem contratando e escalando somente indivíduos que se pareçam com elas, soem como elas e venham dos mesmos bairros em que elas foram criadas, essas pessoas nunca vão conseguir ter uma compreensão maior de experiências diferentes das suas próprias. Vão contratar os mesmos modelos, selecionar a mesma arte, escalar os mesmos atores sem parar, e todos nós perdemos com isso. A beleza das mídias sociais está justamente no fato de serem completamente democráticas. Todo mundo tem algo a dizer. A voz de todos é importante, e todos têm a chance de descrever o mundo a partir do próprio ponto de vista.

Para a capa dessa edição, ela foi fotografada por Tyler Mitchell, tornando-o o primeiro fotógrafo afro-americano a assinar a capa da *Vogue* nos 126 anos de história da revista.

Conforme avançamos nessas questões e vamos descobrindo nossos próprios pontos cegos (todos temos), precisamos ficar muito atentos ao processo de formação de uma armadura: não é possível praticar empatia se temos necessidade de ser o sabe-tudo; se não conseguirmos agir como aprendizes, então não podemos ser empáticos. E, falando de forma bem transparente (e gentil), se sentimos necessidade de saber tudo, a empatia não é a única coisa que perdemos. Como a curiosidade é o segredo para encarar a vulnerabilidade, quem sabe tudo tem muita dificuldade com todos os quatro fundamentos da coragem.

Habilidade de empatia 2: Não julgar as pessoas
Não é fácil fazer isso quando se gosta de julgar como a maioria das pessoas. Segundo pesquisas, existem duas maneiras de prever quando vamos julgar os outros: julgamos quando se trata de áreas em que somos mais suscetíveis à vergonha e julgamos pessoas que estão se saindo pior do que nós nessas áreas. Então, se você se flagrar sendo terrivelmente crítico em relação à aparência dos outros, e não conseguir descobrir por quê, é um indício de que essa é uma questão difícil para você.

É importante investigar com que assuntos nos sentimos mais críticos, porque isso logo pode virar um círculo vicioso de vergonha. Os julgamentos que recebemos dos outros nos fazem sentir vergonha, então descontamos essa mágoa julgando os outros. Vejo isso acontecer com frequência em organizações. As coisas despencam ladeira abaixo e acabam no colo do consumidor. Nunca vi uma empresa que tenha uma cultura dominada por vergonha e julgamento e um ótimo atendimento ao cliente.

Não julgar significa ter consciência daquilo que nos deixa mais vulneráveis à nossa própria vergonha, nossas próprias dificuldades. A boa notícia é que não julgamos os outros naquilo em que temos a autoestima e a confiança fortalecidas, então quanto mais melhoramos em relação a essas questões, mais deixamos de julgar.

Habilidade de empatia 3: Entender os sentimentos de outra pessoa
Habilidade de empatia 4: Comunicar o que entendeu dos sentimentos dessa pessoa
Estou combinando esses dois atributos porque, ao dividi-los em habilidades, elas estão intimamente conectadas. Para entender as emoções dos outros e comunicar o que entendemos delas, precisamos entrar em contato com nossos próprios sentimentos. Idealmente, isso também significa que somos fluentes na linguagem dos sentimentos, ou, no mínimo, que temos algum domínio dela

e nos sentimos razoavelmente à vontade no mundo das emoções. A grande maioria das pessoas que entrevistei não se sente à vontade no mundo das emoções e está longe de ser fluente na linguagem dos sentimentos.

Na minha opinião, a alfabetização emocional é tão importante quanto a aquisição de uma língua. Quando não podemos nomear e articular o que está acontecendo conosco no campo das emoções, não conseguimos avançar. Imagine ir ao médico com uma dor excruciante no ombro direito, uma dor tão grande que, toda vez que dói você fica sem fôlego e se dobra. Mas ao chegar ao consultório médico, você está com uma fita adesiva na boca e as mãos amarradas atrás das costas.

O médico está disposto a ajudá-lo, mas quando pergunta o que aconteceu, você só consegue dizer "hummf, hummf" através da fita. Você está desesperado para explicar, mas não consegue falar, então não é capaz de nomear, articular nem descrever o que está sentindo. O médico pede que você aponte onde está o problema, mas suas mãos estão amarradas, e tudo que você consegue fazer é pular e indicar com os olhos para a direita. E fica murmurando e pulando até que você e o médico não aguentam mais e desistem. Isso é exatamente o que acontece quando não somos fluentes na linguagem dos sentimentos. É quase impossível processar emoções quando não conseguimos identificar, nomear e falar sobre nossas experiências.

E, se achar que isso não é motivo suficiente para começar a aprender, a alfabetização emocional também é um pré-requisito para a empatia, a resiliência à vergonha e a capacidade de recomeçar e se levantar após uma queda. Por exemplo, como conseguiremos nos levantar depois de uma queda se não somos capazes de reconhecer as diferenças sutis porém importantes entre decepção e raiva, vergonha e culpa, medo e tristeza? E, se não conseguimos reconhecer esses sentimentos em nós mesmos, é quase impossível identificá-los nos outros.

Atualmente estamos bem na reta final de um estudo sobre **alfabetização emocional**, e vou dar uma prévia dele aqui para você. Escolha uma música e finja que esta é a voz dramática de um locutor de trailer de cinema: *Num mundo com alfabetização emocional, seríamos capazes de reconhecer e nomear de trinta a quarenta sentimentos em nós mesmos e nos outros.* Não dou o número exato porque estamos nos estágios finais de confirmar exatamente quais são essas emoções, mas é seguro afirmar que ser fluente na linguagem dos sentimentos significa conseguir nomear pelo menos trinta deles.

O último atributo, comunicar o que entendemos desses sentimentos, pode parecer o mais arriscado, porque podemos errar. E, não *se*, mas *quando* isso acontecer, precisamos ter coragem para voltar atrás. Na verdade, se conseguirmos agir com sinceridade, dar atenção e nos manter curiosos, é possível corrigir o rumo das coisas. É por isso, que ao estereotiparmos os terapeutas, muitas vezes atribuímos a eles frases como "Então o que você está me dizendo é...". Essa é uma deixa que permite que o paciente diga: "Não, não é isso que estou dizendo. Não estou triste. Estou irritado."

Por exemplo, numa linguagem comum, sem ser de terapeuta, você poderia dizer: "Sinto muito por você não ter ficado com o projeto. Que droga isso ter acontecido, deve ser muito frustrante. Quer conversar?" Essa pergunta deixa claro ao seu colega que você está disposto a conversar e confrontar abertamente o que ele está sentindo.

Como você se mostrou disposto a falar sobre emoções, isso dá a ele a oportunidade de responder: "Não é que esteja me sentindo frustrado, mas acho que estou muito constrangido e decepcionado. Quer dizer, todo mundo dizia que eu era a pessoa perfeita para o projeto. Nunca imaginei que não fosse conseguir. Agora preciso explicar por que não consegui e nem sei o motivo." Esse diálogo por si só já constrói a conexão e o alinhamento necessários para termos uma conversa profunda, capaz de estabelecer confiança e até mesmo ajudar a pessoa a superar a dor.

NAVEGAR NO ICEBERG

Uma razão para ser tão difícil identificar e nomear as emoções é o efeito iceberg. Pense num iceberg. Ele tem uma parte que é possível ver acima da água e, depois, provavelmente se estende por quilômetros abaixo da superfície do mar. Muitas das emoções que sentimos podem dar a impressão de que estamos irritados ou fechados à primeira vista. Mas, por baixo dessa superfície, existem muito mais nuances e mais profundidade. Vergonha e tristeza são dois exemplos de sentimentos difíceis de expressar plenamente, então costumamos recorrer à raiva ou ao silêncio.

Esse conceito é fácil de entender por um motivo: a grande maioria das pessoas acha mais fácil ficar irritado do que magoado. Não só a raiva é mais fácil de expressar do que o sofrimento, mas nossa cultura a aceita melhor. Então da próxima vez que você se fechar ou estiver com raiva, pergunte-se o que há por baixo disso.

Revisando, a empatia é, em primeiro lugar: aceitar o ponto de vista de outra pessoa, o que significa tornar-se ouvinte e aprendiz, e não um sabe-tudo. Em segundo lugar: não fazer nenhum julgamento. E em terceiro e quarto lugares: tentar entender qual emoção a pessoa está articulando e comunicar o que entendi dessa emoção.

Habilidade de empatia 5: Atenção plena

Peguei o quinto elemento, a atenção plena, emprestado dos estudos de Kristin Neff. Ela descreve a atenção plena como "enfrentar as emoções negativas de forma equilibrada, para que os sentimentos não sejam sufocados nem exagerados. (...) Não podemos ignorar nossa dor e sentir compaixão por ela ao mesmo tempo. (...) A atenção plena requer que nós não nos 'identifiquemos em demasia' com pensamentos e sentimentos, para que não sejamos carregados pela negatividade."

O termo *atenção plena* às vezes me dá nos nervos, então prefiro chamar de *prestar atenção*. As descobertas de Neff sobre atenção plena, sobretudo a parte de não se identificar demais ou exagerar nossos sentimentos, se alinham completamente com o que descobrimos na nossa pesquisa. Ficar ruminando um sentimento e não sair do lugar é tão inútil quanto não perceber nada. Em suma, tento praticar a atenção plena prestando atenção ao que acontece durante essas conversas, aos sentimentos que elas despertam em mim, à minha linguagem corporal e à linguagem corporal da pessoa com quem estou falando. Tanto minimizar quanto exagerar as emoções nos faz cometer erros de empatia na mesma medida.

COMO É A EMPATIA

Sempre que ensino sobre empatia, as pessoas pedem algo mais preciso. No início da minha carreira como professora, um estudante de serviço social perguntou se eu podia desenvolver uma árvore de decisão de empatia: *Se a pessoa disser tal coisa, respondo com isso. Se tomar o rumo tal, faço o mesmo e digo isso.* Não temos essa sorte. Empatia se trata de vínculo, e se conectar é o melhor sistema de navegação. Se cometermos um erro na tentativa de apoiar alguém que esteja passando por dificuldade, a conexão não só permite que a pessoa nos perdoe como logo nos põe no caminho certo.

A árvore de decisão da empatia não tem como funcionar, porque somos diferentes. Por exemplo, ao compartilhar algo difícil com alguém, você prefere que essa pessoa:

Faça contato visual?
Desvie o olhar?
Abrace você?
Mantenha alguma distância?
Responda na mesma hora?
Fique calada e escute?

Se perguntar essas coisas a cem pessoas, receberá cem respostas diferentes. A única solução é se conectar e prestar atenção.

Depois que olhei para Suzanne no aeroporto e falei "Não dá para entender", e ela deixou claro que eu ia perder o jogo de Ellen, ela se afastou um pouco, mas ficou ali ao meu lado. Tentar me abraçar teria sido uma péssima ideia. Eu não ia dar um soco ou uma chave de braço nela, mas a minha vontade seria essa. Ela estava me apoiando, se envolvendo, e conseguiu ler meu temperamento bem o suficiente para saber que precisava me olhar bem nos olhos, dizer que eu não ia conseguir chegar ao jogo de Ellen, e então recuar e me dar um pouco de espaço.

Suzanne e eu estávamos conectadas, após passarmos um dia inteiro juntas na base militar de Fort Bragg, mas também funciona se você estiver praticando empatia com alguém que não conhece tão bem. Envolva-se, mantenha-se curioso e conectado. Esqueça o medo de dizer a coisa errada, a necessidade de se corrigir e o desejo de oferecer a resposta perfeita que vai curar tudo (isso não vai acontecer). Você não precisa fazer tudo com perfeição. Só precisa fazer alguma coisa.

Tive o prazer de trabalhar com líderes da Fundação Bill e Melinda Gates há alguns anos e conhecer Melinda, que é defensora do desenvolvimento de coragem na fundação e vem fazendo um trabalho incrível de demonstrar como a empatia e a vulnerabilidade criam uma cultura mais conectada.

Eis uma breve história sobre Melinda: Depois de ingressar na Microsoft, em 1987, ela se destacou como líder no desenvolvimento de produtos multimídia e, mais tarde, foi nomeada gerente geral de produtos de informação da empresa. Em 1996, Melinda deixou a Microsoft para se dedicar ao trabalho filantrópico e à família.

Hoje, ao lado de Bill, ela cria e aprova as estratégias da fundação, analisa os resultados e define os rumos da organização. Juntos, eles se reúnem com os beneficiados e os parceiros para promover o objetivo da fundação de aumentar a equidade nos Estados Unidos e no mundo. Melinda viu de perto como a capacitação de mulheres e meninas pode proporcionar melhorias significativas na saúde e na prosperidade de famílias, comunidades e sociedades. Seu trabalho atual se concentra na equidade de gênero como um caminho para mudanças significativas.

A respeito de suas experiências com vulnerabilidade, Melinda escreve:

> Comecei a testar a vulnerabilidade e, sinceramente, fiquei chocada com o resultado. Bill e eu nos reunimos com todos os funcionários da fundação várias vezes por ano, e essas reuniões são ótimas oportunidades de formarmos um vínculo com nossa equipe. Recentemente, numa dessas sessões, admiti que Bill e eu mantemos uma lista de coisas para fazer e não fazer — basicamente questões que precisamos trabalhar para garantir que estamos dando um bom exemplo. Muitas pessoas me procuraram depois e disseram que saber que eu tenho noção de que preciso melhorar fez com que se sentissem bem em relação ao que elas próprias poderiam fazer melhor.

Além disso, comecei a falar um pouco mais sobre meus filhos nessas reuniões. Antes, eu sempre desviava desse assunto, pois achava que era algo muito pessoal. Mas isso acabou sendo importante para muitos funcionários que também tentam equilibrar o trabalho e a vida pessoal — e que também estão vivendo segundo seus valores todos os dias dentro da fundação e na criação dos filhos. Eu me sinto mais conectada com as pessoas e com a cultura coletiva da fundação porque tomei medidas que me permitiram ficar vulnerável.

A EMPATIA NA PRÁTICA

Quando estamos enfrentando dificuldades e necessitamos de conexão e empatia, é preciso compartilhar isso com alguém que nos acolha com nossas forças e nossas batalhas — alguém que fez por merecer o direito de ouvir a nossa história. Encontrar a pessoa certa requer certa prática. Assim como *ser* essa pessoa certa requer prática. No que diz respeito à empatia, é uma questão de ser a pessoa certa, na hora certa, sobre os problemas certos.

Existem seis obstáculos que podem fazer a prática de empatia ir por água abaixo ou levar você a experimentar uma falha empática. Todo mundo sabe como é quando compartilhamos algo pessoal, que nos deixa vulneráveis, como um problema, ou mesmo um fato empolgante ou feliz, e sentimos que não fomos ouvidos, notados ou compreendidos. Parece que estamos afundando, nos sentimos expostos e, às vezes, no limiar da vergonha. O termo clínico para isso é fracasso empático, embora eu prefira falha empática, porque não é tão vergonhoso.

Vamos dar uma olhada nos seis principais erros que costumamos cometer, para que possamos reconhecê-los quando acontecerem e saber como agir quando tivermos a oportunidade de nos conectar com pessoas que estão enfrentando problemas.

Falha empática 1: Pena *versus* empatia
Quer saber o que me faria sentir solitária e me deixaria ainda pior no episódio do aeroporto? Pena. Se Suzanne tivesse dito "Sinto muito, coitadinha de você" ou "Nem posso imaginar como deve estar sendo difícil para você". Ela não se sentiu mal *por* mim. Ela sofreu *comigo*.

Empatia é sentir com as pessoas. Pena é sentir por elas. A empatia estimula a conexão. Pena provoca falta de conexão. Sempre penso na empatia como um espaço sagrado onde tem alguém no fundo de um poço, e a pessoa grita lá de baixo: "Está escuro e assustador aqui embaixo. Não estou aguentando."

Nós olhamos lá de cima e respondemos "Estou vendo você", depois descemos, com a confiança de que conseguiremos subir de volta. "Sei como é estar aqui embaixo. E você não está sozinho." É claro que você não desce sem ter um meio de sair. Pular dentro do poço sem ter como sair é **se enredar** — ficar ao lado de uma pessoa que está em dificuldades, porém deixando bem claro o que pertence a cada um é empatia.

Já pena é olhar lá de cima e dizer "Ah, que pena, parece terrível, sinto muito" e ir embora. A Royal Society for the Encouragement of Arts, Manufactures and Commerce desenvolveu um divertido curta de animação sobre a diferença entre empatia e pena, com base num pequeno trecho de uma palestra sobre empatia que dei em Londres. Ele foi ilustrado e animado pela talentosa Katy Davis. Você pode assisti-lo em brenebrown.com/videos/.

As duas palavras mais poderosas para se dizer quando alguém está enfrentando um problema são "Eu também". Elas são tão poderosas que Tarana Burke iniciou um dos movimentos mais importantes da atualidade, o Me Too, com essas duas palavras, apoiando-as com ações. O movimento combate a prevalência generalizada de assédio e agressão sexual, sobretudo no local de trabalho, e é um ótimo exemplo de como a empatia gera coragem e pode promover mudanças profundas.

"Eu também" quer dizer: *Posso não ter tido a mesma experiência que você, mas sei como é enfrentar algo assim, e você não está sozinho.*

Já pena quer dizer: *Nossa, que chato, sinto muito por você. Não sei como é nem entendo o que está passando, mas garanto que parece ser muito ruim e não quero saber como é.*

Repito, a diferença entre empatia e pena se resume em: sentir *com* e sentir *por*. A resposta empática: *Entendo, sinto a sua dor e já me senti assim.* A resposta de quem tem pena: *Sinto muito por você.*

Quer ver um furacão de vergonha se tornar mortal? Fale para a pessoa alguma coisa como: "Ah, coitadinho." Quando alguém sente pena de nós, isso aumenta o nosso sentimento de solidão. Quando alguém sente a nossa dor, isso aumenta nosso sentimento de vínculo e normalidade.

Falha empática 2: O suspiro e o choque
Agora outra situação: um colega de trabalho ouve você contar a sua história e sente vergonha no seu lugar — pode ser que ele suspire e depois provavelmente vai confirmar como você deve estar aterrorizado. Ele fica chocado. Fica chateado. Há um silêncio constrangedor e você precisa fazer algo para que seu colega se sinta melhor. Eis um exemplo: "Finalmente entreguei aquele relatório ontem e fiquei empolgadíssimo. Eu estava bem feliz, mas aí meu diretor me ligou e disse que faltavam as duas últimas páginas. Esqueci de anexá-las."

Você espera que seu colega diga: "Ah, cara, também já fiz isso. Que droga." Mas, em vez disso, a pessoa suspira e diz: "Meu Deus, se fosse comigo eu ia morrer." Então você se apressa em dizer: "Não, tudo bem." De repente, você precisa fazer algo para a pessoa se sentir melhor.

Falha empática 3: A queda do ídolo
Neste cenário, seu amigo precisa pensar em você como um pilar do valor e da autenticidade. Ele não pode ajudá-lo porque está muito desapontado com as suas imperfeições. Está decepcionado. Essa é a pessoa em quem você decidiu confiar, para quem revelou algo como: "Minha avaliação de desempenho não foi como eu esperava e eu meio que... Não sei se estou tendo um ataque de vergonha ou... Estou me sentindo quase num transe. Não acredito que minha classificação tenha sido tão baixa neste trimestre."

A resposta da pessoa é: "Eu não esperava isso de você. Quando penso em você, não imagino o tipo de pessoa que recebe uma avaliação dessas. Quer dizer, o que aconteceu?" De repente, você não está experimentando nem conexão, nem empatia. Está se explicando para alguém porque a pessoa se diz decepcionada. (Dica: isso acontece com frequência na infância e é uma grande causa de perfeccionismo.)

Falha empática 4: O bloqueio com ataque
Vamos usar a análise de desempenho do exemplo anterior nesta situação, e agora seu amigo se sente tão desconfortável diante da vulnerabilidade que o repreende: "Como você pôde deixar isso acontecer? O que estava pensando?" Ou ele procura outra pessoa em quem pôr a culpa. "Quem é o cara? Nós vamos acabar com ele. Ou denunciá-lo!" Isso é uma enorme falha empática. Eu procuro a pessoa porque estou enfrentando alguma dificuldade, e ela tenta facilitar as coisas para si se recusando a encarar o desconforto — prefere ficar irritada com outra pessoa ou me criticar. Isso não ajuda em nada.

Falha empática 5: Não é tão ruim...
Este é aquele colega de trabalho que precisa desesperadamente fazer as coisas parecerem melhores para se livrar do próprio desconforto. Essa pessoa se recusa a reconhecer que você de fato pode cometer erros ou tomar decisões ruins. É aquela pessoa que diz: "Sabe, não é tão ruim. Não pode ser tão ruim assim. Você sabe que é incrível. Você é o máximo." Ele está se esforçando para fazer você se sentir melhor, mas não dá ouvidos a nada do que você sente e não se conecta a nenhuma emoção que você esteja descrevendo. É bem desconcertante e cheira a mentira.

Falha empática 6: Se você acha que isso é ruim...
Esta pessoa confunde conexão com a oportunidade de competir: "Isso não é nada. Você precisava ver a minha avaliação de desempenho no quarto trimestre de 1994." Por isso é perigoso comparar ou competir. As palavras mais importantes que você pode dizer para alguém ou ouvir de uma pessoa quando está passando por um problema são: "Eu também. Você não está sozinho." Isso é diferente de "Ah, é? Eu também. Ouça essa." A principal diferença entre as duas é que a segunda resposta muda o foco para a outra pessoa.

AQUI ESTAMOS NÓS

Eis a má notícia: quando o assunto é empatia, todos nós conhecemos pessoas que deixam a desejar, e todos nós fomos a pessoa que deixou a desejar. Empatia é uma habilidade. Mas eis a ~~boa~~ ótima notícia: se desenvolvermos algumas habilidades, todos podemos aprender como praticar a empatia. Esse é um dom maravilhoso.

Devemos refletir sobre as seguintes perguntas como parte de nosso desenvolvimento dessas habilidades:

1. Quando você pensa nesses seis tipos de falhas empáticas, há uma ou duas delas que o deixam desestabilizado?
2. O que você sente ao revelar algo e encontrar um desses obstáculos, e como isso afeta sua conexão com a pessoa?
3. Por outro lado, como você avaliaria sua própria habilidade em ser empático?
4. Há uma ou duas respostas que você costuma usar e que precisa mudar?

Repito, todos nós temos amigos e colegas que agem assim. E todos nós *somos* os amigos e colegas que agem assim. Não estamos falando só de nós ou só deles. Isso diz respeito a todos nós. Até mesmo a mim, e olha que eu ensino essa habilidade há duas décadas.

Tenho que ficar de olhos bem abertos quando alguém conta uma história que desperta meu próprio temor perfeccionista — especialmente se acho que a situação me afeta. Quando isso acontece, sou muito suscetível a cometer esta grave falha empática: "Ah, meu Deus, como você pôde fazer isso?"

Sou muito boa em evitar sentir pena, porque estudo empatia e pena há muito tempo. Não costumo falar "me sinto mal por você" ou "sinto muito por você", mas só porque esse é o tipo que mais me aborrece quando sou eu do outro lado. Também recebo muita decepção disfarçada de empatia.

Certa vez numa palestra eu falei: "Eu só queria dar um soco em alguém." Durante as perguntas da plateia, alguém levantou a mão e disse:

Vergonha e empatia | 165

— Sabe, a necessidade de dar um soco em alguém não me parece uma atitude muito plena. E você é meu modelo de plenitude.

Fui bem direta:

— Eu não deveria ser o seu modelo de plenitude. A sinceridade é algo que eu me esforço para alcançar, mas não recomendo ter a mim como modelo. Estou com você nessa jornada tentando chegar lá, mas ainda não domino a plenitude." Qualquer suposição de perfeição é uma falha empática.

A empatia é uma habilidade difícil de aprender porque dominá-la requer prática, e isso significa que você vai fazer tudo errado mais de uma vez. Mas é assim que funciona a prática. Se não estiver disposto a errar 3.759 vezes, você nunca vai ser bom de verdade.

Em muitos workshops de empatia, pedimos que os participantes assinem um cartaz que diz:

Concordo em praticar empatia, fazer tudo errado, voltar, consertar tudo e tentar novamente.

Assuma esse compromisso com você mesmo, sua equipe, seus amigos e sua família. Você não tem ideia do quanto é importante para o outro quando voltamos atrás e dizemos: "Você me contou algo bem difícil, e eu gostaria de ter agido de uma maneira diferente. Eu me importo muito com você e com o que me contou. Posso tentar de novo?" Isso é liderar com ousadia.

COMO PRATICAR A AUTOCOMPAIXÃO

O obstáculo mais complicado para a empatia? Dê uma olhada no espelho. Agir com gentileza, e estender a generosidade a nós quando fazemos besteira é o primeiro passo. Resistir ao impulso de se punir e ter vergonha de si próprio quando somos nós que cometemos erros é dominar de verdade a empatia.

A Dra. Kristin Neff, da Universidade do Texas em Austin, que mencionei anteriormente nesta seção, chefia o Laboratório de Pesquisa de Autocompaixão e é autora de *Autocompaixão: pare de se torturar e deixe a insegurança para trás*. Ela fala sobre os três elementos que compõem a prática: gentileza consigo mesmo, humanidade e atenção plena. Você vai se lembrar da atenção plena como a habilidade de empatia 5, listada há algumas páginas, a qual ajustei e chamei de "prestar atenção".

Embora a atenção plena tenha aplicações na empatia, assim como na autocompaixão, no caso da autocompaixão, Neff afirma que é preciso não assumir como nossos os pensamentos e emoções que podem não nos pertencer. Simplificando: não assuma a responsabilidade pelas palavras dos outros — faça apenas a sua parte. Então, na prática, em vez de dizer "Ela estava muito irritada comigo" diga apenas "Ela estava muito irritada". Não fique obcecado, não fique ruminando, não fique empacado.

A definição de Neff para gentileza consigo mesmo é simples e autoexplicativa: "Ser acolhedor e compreensivo conosco quando sofremos, fracassamos ou nos sentimos inadequados, em vez de ignorar nossa dor ou nos flagelarmos com autocrítica." Na minha vida, isso se traduz num simples decreto: **Fale com você da maneira como fala com quem você ama.** A maioria de nós sente vergonha, menospreza e critica a si próprio de formas que nunca pensaríamos em fazer com os outros. Eu nunca chegaria para Ellen ou Charlie e diria: "Nossa, você é muito burro!" Mas sou capaz de sussurrar isso para mim mesma num piscar de olhos.

Vou dar um exemplo real da minha vida. Há pouco tempo fui entrevistada por um jornalista para uma revista. Sempre me sinto extremamente vulnerável durante entrevistas para a mídia porque não sou boa em filtrar, seguir o roteiro e tomar cuidado com tudo o que digo. A situação é exatamente o contrário do tipo de entrevista que já fiz milhares de vezes por mais de vinte anos, em que o objetivo é revelar experiências reais estabelecendo vínculos, sendo franco e compartilhando histórias mutuamente sem nenhum medo ou filtros. Nunca vou usar numa pesquisa nada do que me pedirem para não usar, e nunca divulgamos a identidade de ninguém, a menos que tenhamos combinado previamente, e a pessoa concorde e aprove a forma como suas palavras foram registradas.

Pois bem, no meio dessa entrevista de duas horas (o que é tempo demais), o entrevistador me pergunta sobre como equilibrar várias prioridades, ao que respondo com um "Ah, é difícil pra c...". Mas uso a palavra mesmo. E na mesma hora digo: "Desculpe! Pode cortar isso!"

Mas era tarde demais. Já estava registrado. Era justo, eu havia sido descuidada.

Mas não me entenda mal — falo palavrão e isso vem de uma longa linhagem de mulheres desbocadas na minha família. Estou superconfortável com isso; apenas tento limitar isso na minha escrita. Acho que tem a ver com a minha crença de que, numa conversa, um palavrão bem-empregado, ou mesmo três, funciona muito bem, mas por escrito fica parecendo mais intencional e menos natural. E, se estiver escrito numa camiseta ou em qualquer coisa que se usar em público então, repreendo a pessoa como uma velhinha carola.

De acordo com Steve, meu vocabulário hoje é muito pior do que quando comecei meu trabalho, e vai piorando a cada ano de pesquisa. As pessoas compartilham comigo os momentos mais difíceis e dolorosos de suas vidas, e não fazem nenhuma questão de pegar leve na linguagem que usam, felizmente. Suas palavras são tão verdadeiras, ásperas e brutais quanto as histórias que elas contam.

Para piorar a situação, Steve me apelidou de "Borg", de *Jornada nas estrelas*. Assim como os robôs fictícios da série, que copiam e reproduzem outros alienígenas, eu tenho tendência de pegar os sotaques e trejeitos das pessoas se passo algum tempo com elas. Há alguns meses entrevistei um homem que se referia o tempo todo aos chefes como "completos babacas". Menos de uma semana depois, Steve e eu estávamos na caminhonete dele quando alguém nos fechou, eu colei o rosto no vidro fechado e disse: "Que completo babaca. Não seja um completo babaca, cara!" Steve, que não me ouvia usar essa expressão específica havia trinta anos, só abanou a cabeça e deu uma risada.

Enfim, ao me dar conta de que meu deslize tinha sido registrado na entrevista, a primeira coisa que disse a mim mesma foi: "Você é uma idiota, Brené. Será que é tão difícil se segurar por duas horas?" Repito, eu nunca falaria desse jeito com alguém da minha família nem com meus colegas de trabalho. Eu diria: "Você está exausta, terminando um livro num prazo apertadíssimo e se sentindo sobrecarregada. Dê um desconto a si mesma. E não se cobre tanto. Você é humana, e esses momentos de caos acontecem com todo mundo."

Mas eu me martirizei por dois dias até Steve me agarrar pelos ombros e dizer exatamente essas palavras. Ser gentil consigo mesmo é se tratar com empatia. E, até quando falo comigo mesma como se estivesse falando com alguém que amo e soa esquisito, isso já ajuda.

Também gosto muito da definição de Neff de humanidade comum: é nos unirmos no desconforto em vez de insistirmos numa visão de mundo como "é só comigo". A humanidade comum reconhece, Neff escreve, "que o sofrimento e a inadequação pessoal fazem parte da experiência humana compartilhada — algo que todos nós vivenciamos, e não algo que só acontece 'comigo'". Esse é um dos fundamentos da empatia e um dos pilares do movimento Me Too. Quanto mais praticamos esses diálogos que criam vínculos, mais descobrimos que estamos todos conectados — tanto nas coisas boas quanto nas ruins.

Não esqueça que a empatia é a ferramenta de conexão e aumento de confiança mais poderosa que temos, e é o antídoto para a vergonha. Se você puser a vergonha numa placa de Petri e cobri-la de críticas, silêncio e segredos, terá criado o ambiente perfeito para que a vergonha se expanda até afetar cada canto e cada fresta da sua vida. Por outro lado, se puser a vergonha numa placa de Petri e embebê-la de empatia, a vergonha vai perdendo força e começa a definhar. A empatia cria um ambiente hostil para a vergonha — um ambiente onde ela não consegue sobreviver, porque a vergonha precisa que você acredite que está sozinho e que aquilo só acontece com você.

É por isso que há tanta força em frases como:

- Ah, cara, entendo com você se sente.
- Sei como é se sentir assim. e é uma droga.
- Eu também.
- Entendo você. Você não está sozinho.
- Já estive numa situação parecida, e é muito difícil.
- Acho que muita gente passa por isso. Ou todo mundo é normal, ou todo mundo é esquisito. De qualquer forma, não é só com você.
- Entendo como é passar por algo assim.

EMPATIA E RESILIÊNCIA À VERGONHA

Agora que estamos desenvolvendo nossa compreensão e nossas habilidades em relação à empatia, vamos dar uma olhada nos quatro elementos da resiliência à vergonha. Quando sentimos vergonha e podemos compartilhar nossa história com alguém que reage com empatia e compreensão, a vergonha não consegue sobreviver.

1. Reconhecer a vergonha e entender seus gatilhos

Você consegue reconhecer os indícios físicos de quando está envergonhado, tatear à sua volta e descobrir quais mensagens e expectativas causaram essa vergonha? Os entrevistados da pesquisa que apresentaram os níveis mais altos de resiliência à vergonha são capazes de reconhecer os sintomas físicos dela — conhecem a fisiologia da vergonha, e isso é um sinal importantíssimo para prestarmos atenção. Minha regra é: "Quando sinto vergonha, não falo, não mando mensagens de texto nem digito nada — sinto-me inadequada para o contato humano" até recuperar a estabilidade emocional.

Quando compreendemos a vergonha e temos consciência dela, ficamos menos propensos a apelar para os **escudos de vergonha** — ou o que Linda Hartling e seus colegas pesquisadores do Stone Center em Wellesley, chamam de estratégias de desconexão:

Afastar-se: recuar, se esconder, silenciar e guardar segredos.

Aproximar-se: procurar aplacar e agradar.

Avançar contra: tentar se impor sobre os outros sendo agressivo e usando a vergonha para combater a vergonha.

Como todas as armaduras, essas são formas atraentes de se proteger, mas nos afastam da autenticidade e da plenitude.

2. Praticar a consciência crítica

A vergonha funciona como a lente de zoom numa câmera. Quando estamos envergonhados, o zoom está aproximado o máximo possível, e só conseguimos nos ver cheios de defeitos, sozinhos e em dificuldade. Nós pensamos: "Só eu sou assim. Tem alguma coisa errada comigo. Estou sozinho."

Quando afastamos o zoom, começamos a ver uma imagem diferente. Percebemos muitas pessoas passando pelo mesmo problema. Em vez de pensarmos "só eu sou assim", começamos a pensar "Não acredito! Você também? Sou normal? Achei que era só comigo!" Depois que passamos a ver tudo num contexto maior, nos tornamos mais capazes de confirmar o que provoca a nossa vergonha e as expectativas sociais que a alimentam.

3. Pedir ajuda

Um dos benefícios mais importantes de pedir ajuda é descobrir que as experiências que nos fazem sentir mais solitários são, na verdade, universais. Não importa quem somos, como fomos criados ou no que acreditamos, todos enfrentamos batalhas ocultas e silenciosas contra a sensação de que não somos bons o bastante e não nos encaixamos o suficiente. Quando reunimos a coragem para compartilhar nossas experiências e a compaixão para ouvir os outros contarem suas histórias, obrigamos a vergonha a parar de se esconder e acabamos com o silêncio. Quando não pedimos ajuda, muitas vezes acabamos dominados pelo medo, pela culpa e pela desconexão.

4. Falar sobre a vergonha

A força da vergonha vem do medo de se falar nela. É por isso que ela adora os perfeccionistas — é muito fácil nos manter em silêncio. Se desenvolvermos consciência em relação à vergonha, definindo-a e falando sobre ela, basicamente estaremos cortando o mal pela raiz. A vergonha odeia que falem dela. Se passamos a fazer isso, ela começa a definhar. As palavras e as histórias jogam um holofote sobre a vergonha e a destroem. Quando não falamos sobre como nos sentimos e a respeito das nossas necessidades, costumamos nos fechar, causar uma cena ou fazer as duas coisas.

Aprender a falar sobre a vergonha também nos permite captar um pouco de como funciona sua linguagem sutil e até mesmo manipuladora. Essa linguagem é usada para envergonhar e proteger a vergonha quando tentamos

Vergonha e empatia | 171

explicar nossos sentimentos e necessidades. Hoje em dia fico muito cautelosa quando ouço coisas como:

- Você é muito sensível.
- Não sabia que você era tão frágil.
- Não sabia que isso era uma questão tão grande para você.
- Você está sempre na defensiva.
- Acho que vou precisar ter cuidado com o que falo perto de você.
- É tudo coisa da sua cabeça.
- Você está sendo muito hostil.

E eliminei de vez do meu vocabulário palavras como *perdedor*, *patético* e *fraco*.

Também não sou fã de nada que seja cruel, inclusive a sinceridade. Ser sincero é a melhor política, mas a sinceridade motivada por vergonha, raiva, medo ou mágoa não é "sinceridade". São vergonha, raiva, medo ou mágoa disfarçados de honestidade.

Só porque alguma coisa é verdadeira ou correta não significa que não possa ser usada de forma destrutiva: "Desculpe. Só estou dizendo a verdade. São apenas os fatos."

A grande lição desta seção é que a empatia é a essência da conexão — é o segredo para aceitar os sentimentos dos outros, refletindo uma experiência compartilhada do mundo e lembrando às pessoas que elas não estão sozinhas. Ser capaz de enfrentar o desconforto ao lado das pessoas que estão passando por um momento de vergonha, mágoa, decepção ou dificuldade e falar para elas "estou notando você e posso ficar aqui ao seu lado" é o ápice da coragem. A melhor parte é que a empatia não é algo inserido no nosso código genético: é possível aprendê-la. E nós precisamos fazê-lo, porque como a poeta June Jordan escreveu: "Nós somos aqueles pelos quais estávamos esperando."

AUTOCONHECIMENTO E AMOR-PRÓPRIO SÃO IMPORTANTES.

Nós somos o nosso modo de liderar.

Seção cinco
CURIOSIDADE E CONFIANÇA FUNDAMENTADA

A confiança fundamentada é o difícil processo de aprender e desaprender, praticar e fracassar e sobreviver a alguns erros. Esse tipo de confiança não reflete excesso de arrogância, presunção nem se baseia em mentiras; ela é verdadeira, sólida e construída com base em autoconhecimento e prática. Depois que testemunhamos como a coragem pode transformar nosso modo de liderar, podemos trocar aquela armadura pesada e sufocante, que só serve para nos limitar, pela confiança fundamentada, que nos faz crescer e apoia o nosso empenho em nos tornarmos corajosos.

Não é nada razoável acreditar que podemos simplesmente nos desfazer dos mecanismos de autoproteção e correr livres pelo escritório. A maioria das pessoas usa uma armadura desde cedo porque na infância ela foi necessária. Em alguns casos, a armadura nos protege do sofrimento ou da decepção, de nos sentirmos invisíveis ou incapazes de ser amados. Em certas situações, foi necessário se proteger para garantir segurança física ou emocional. A perda da vulnerabilidade é a maior que o trauma pode causar. Quando somos criados em ambientes não seguros, somos confrontados com racismo, violência, pobreza, machismo, homofobia e vergonha generalizada, ser vulnerável pode ser fatal, e a armadura representa segurança.

E, se formos pensar na forma como os millennials e a geração Z foram criados, muitos de seus pais os encheram de armaduras por pura falta de confiança em si mesmos como pais e pessoas. Quanto mais confiança fundamentada os pais tiverem, maior a probabilidade de *prepararem os filhos para a jornada,* ensinando-os a ter coragem, incentivando o empenho e servindo como exemplo de determinação, em vez de tentarem *preparar o caminho perfeito para os filhos* manipulando, exaltando somente os resultados positivos e interferindo.

Gastamos um tempo absurdo lidando com a vulnerabilidade por uma simples razão: ela *é a* habilidade fundamental para desenvolvermos a coragem. Desenvolver a confiança fundamentada para encarar a vulnerabilidade e o desconforto em vez de se armar, fugir, se fechar ou desistir, nos prepara totalmente para seguirmos os nossos valores, criarmos ambientes de confiança e aprendermos a crescer.

Compreender que o confronto com a vulnerabilidade é a habilidade fundamental para a liderança corajosa é essencial. Uma ótima analogia para entender isso é o desenvolvimento de habilidades esportivas.

Todos os esportes se baseiam em fundamentos-chave, habilidades que os jogadores exercitam desde o primeiro dia em que se inscrevem para uma aula ou entram num time. Quando penso nas minhas experiências com tênis e natação, lembro-me de pensar "Vamos competir! Estou cansada de fazer cinquenta viradas seguidas" ou "Não quero desfilar por essa droga de quadra de tênis segurando a raquete na posição de voleio outra vez, vamos jogar!" Contudo, desenvolver as habilidades fundamentais por meio da prática e da disciplina é o que dá aos jogadores a confiança fundamentada para enfrentar grandes desafios.

O mesmo vale para os líderes — desenvolver a prática disciplinada do confronto com a vulnerabilidade dá aos líderes a força e o vigor emocional necessários para enfrentar grandes desafios.

Nos esportes, quando se encontra no calor da competição e sob pressão, você precisa confiar nas habilidades que desenvolveu para ser capaz de executá-las e ter um bom desempenho. Se tiver praticado viradas e desfilado pela quadra o número de vezes necessárias, a mecânica desses movimentos estará gravada na sua memória muscular. Ter essa confiança fundamentada, que nos permite confiar nas habilidades que conseguimos desenvolver com o tempo, nos permite focar em objetivos, desafios e metas de ordem superior. Meu empenho para jogar sinuca é um bom exemplo.

Sempre achei que jogar sinuca parecia ser muito fácil e eu atribuía meu desempenho fraco na época da faculdade às tentativas de conciliar uma cerveja numa das mãos e um cigarro na outra enquanto fazia uma jogada. Mas Chaz, que já mencionei antes, joga sinuca a sério e me desiludiu da crença de que era o fato de eu estar me divertindo que me impedia de ganhar todas as partidas. Descobri que na verdade eu sou péssima na sinuca porque só joguei algumas poucas vezes, e os jogadores que fazem tudo parecer fácil são altamente experientes nos fundamentos do jogo.

Quando planejam uma tacada, os jogadores sempre consideram três elementos: ângulos, velocidade e giro. O sucesso da execução da tacada planejada depende da competência fundamental em conseguir atingir sempre e com segurança o taco no ponto da bola branca que dará início à jogada. Isso significa que bons jogadores de sinuca passam centenas de horas desenvolvendo uma competência fundamental: a execução precisa da tacada. Isso sem falar no esforço igualmente entediante para conseguir fazer uma ponte firme, dominar a tacada com o braço em pêndulo e desenvolver uma postura estável. Um exercício fundamental muito praticado é o treino com garrafa vazia. Os jogadores colocam sobre a mesa uma garrafa de vidro vazia de lado e praticam acertar a ponta do taco dentro do gargalo da garrafa sem movê-la. Não há muita margem para erros.

É claro que ninguém vê uma garrafa de vidro numa mesa de sinuca durante um torneio, mas pode apostar que os melhores jogadores gastaram horas praticando jogadas, saídas e tacadas. Quando chega o momento de estar sob pressão, eles já construíram a força e a resistência necessárias para sobreviver a dez horas de jogo, e têm confiança suficiente no domínio dos fundamentos para se concentrar na estratégia e na escolha das tacadas.

Lauren, nossa diretora de engajamento comunitário e pesquisa de facilitadores, já jogou futebol profissionalmente na Escócia e foi minha aluna na pós-graduação. Ela explicou que a habilidade fundamental no futebol é o controle da bola. Segundo Lauren, desde pequena os treinadores realizavam treinos em que os jogadores precisavam tocar a bola um milhão de vezes com diferentes partes do pé. Mesmo quando já atuava como atleta profissional, ela gastava inúmeras horas trocando passes com uma parceira, sempre com diferentes partes do pé.

Ela conta: "Havia um muro de tijolos de 1,20 metro que circundava todo o jardim da minha casa na Escócia. Eu ficava na frente de um trecho do muro, escolhia um tijolo e tentava acertá-lo com a bola. Passava horas fazendo isso, escolhendo um tijolo, depois outro. O tempo todo eu estava praticando o meu controle da bola."

Como na história de Chaz sobre como o domínio total dos princípios básicos permite se concentrar nos grandes desafios, Lauren afirma: "Temos que dominar os fundamentos do controle da bola para durante um jogo poder erguer a cabeça e ver o que está acontecendo ao nosso redor. É preciso ler o campo e criar estratégias para a próxima jogada antes mesmo de termos a posse da bola. Precisamos ter total confiança sobre nosso domínio dessa habilidade para nos concentrarmos em outras coisas."

Nas conversas delicadas, reuniões difíceis e decisões carregadas de emoção, os líderes precisam da confiança fundamentada para conseguirem se ater a seus valores, responder em vez de reagir emocionalmente e agir usando autoconhecimento, não autoproteção. Ter as habilidades de confronto para se manter firmes diante da tensão e do desconforto nos permite dedicar cuidado e atenção aos outros, permanecer abertos e curiosos e enfrentar os desafios.

No início deste ano, tive a oportunidade de trabalhar com a Nutanix, uma empresa especializada em software de nuvem empresarial no Vale do Silício. Nas minhas conversas com o fundador, presidente e CEO, Dheeraj

Pandey, fiquei impressionada não apenas com a crença dele na importância da vulnerabilidade para a liderança, mas com o *motivo* por trás dessa crença. Dheeraj me explicou que, quando não têm as habilidades para aceitar a vulnerabilidade, os líderes não conseguem aguentar a tensão dos paradoxos inerentes ao empreendedorismo. Seus exemplos dos paradoxos que trazem à tona a vulnerabilidade dos líderes se alinham ao que ouvimos dos participantes da pesquisa:

- Otimismo e paranoia
- Deixar o caos reinar (o ato de construir) e controlar o caos (o ato de crescer)
- Corações plenos e decisões difíceis
- Humildade e forte determinação
- Velocidade e qualidade ao desenvolver coisas novas
- Lado esquerdo e lado direito do cérebro
- Simplicidade e escolha
- Pensar globalmente, agir localmente
- Ambição e atenção aos detalhes
- Pensar alto, mas começar pequeno
- Curto e longo prazos
- Maratonas e sprints, ou maratona de sprints na construção de negócios

Dheeraj me disse: "Os líderes devem aprender as habilidades necessárias para aguentar essas tensões e ser peritos em se equilibrar na 'corda bamba' da vida. Em última análise, a liderança é a capacidade de prosperar em meio à ambiguidade de paradoxos e opostos."

Desenvolver competências de confronto não é fácil, mas facilidade é algo superestimado. Um número cada vez maior de estudos vem confirmando o que a maioria de nós sempre soube mas detesta: O aprendizado fácil não forma **competências consolidadas.** Em um artigo da revista *Fast Company*, Mary Slaughter e David Rock, do Instituto NeuroLeadership, escrevem:

Infelizmente, em muitas organizações a tendência é tornar o aprendizado o mais fácil possível. Com o objetivo de respeitar a vida atribulada de seus funcionários, as empresas desenvolvem programas de treinamento que podem ser feitos a qualquer momento, sem pré-requisitos e, muitas vezes, num dispositivo móvel. O resultado são programas de treinamento divertidos e fáceis que os funcionários cobrem de elogios (ficando assim mais fácil para os desenvolvedores vender seus produtos), mas que na verdade não promovem um aprendizado duradouro.

E pior, programas como esses podem levar os empregadores a superestimar em métricas enganosas, como "curtidas" ou "compartilhamentos" ou altos "índices de satisfação dos clientes", que são fáceis de obter quando os programas são divertidos e fluentes, mas não quando exigem mais de seus usuários. Em vez de fazer algo pensando na memória ou em mudanças de comportamento, corremos o risco de pensar apenas na popularidade.

A realidade é que, para ser eficaz, a aprendizagem precisa exigir *esforço*. Isso não significa que qualquer coisa que facilite o aprendizado seja contraproducente — ou que todo aprendizado desagradável seja eficaz. A chave aqui é a dificuldade desejável. Assim como você sente um músculo "queimar" quando o fortalece, o cérebro precisa sentir algum desconforto quando está aprendendo. Sua mente pode doer por um tempo, mas isso é bom.

Aprender a encarar a vulnerabilidade dá trabalho. E a vulnerabilidade não vira algo confortável em momento algum, mas praticá-la significa que, quando a vulnerabilidade tomar conta de nós, ouviremos a confiança fundamentada sussurrando no nosso ouvido: "Isso é difícil, constrangedor e desconfortável. Você pode não saber como essa história vai acabar, mas você é forte e praticou o que é preciso fazer para dar atenção a isso."

Confiança fundamentada = Habilidades de confronto + Curiosidade + Prática

Vimos aqui muitas expressões, habilidades e ferramentas novas, e como você deve ter notado, todas compartilham o mesmo DNA: **curiosidade**.

Curiosidade e confiança fundamentada | 179

A curiosidade é um ato de vulnerabilidade e coragem. Pesquisadores vêm descobrindo evidências de que a curiosidade está correlacionada com criatividade, inteligência, melhoria do aprendizado e da memória e resolução de problemas. Um estudo publicado na edição de 22 de outubro de 2014 da revista *Neuron* sugere que a química do cérebro muda quando ficamos curiosos, nos ajudando a aprender e a reter informações melhor. Mas a curiosidade é desconfortável porque envolve incerteza e vulnerabilidade.

Em seu livro *Curious: The Desire to Know and Why Your Future Depends on It* [Curiosidade: O desejo de saber e por que seu futuro depende dela], Ian Leslie escreve: "A curiosidade é indisciplinada. Não gosta de regras, ou no mínimo considera que todas as regras são provisórias, sujeitas à laceração de uma pergunta inteligente que ninguém ainda pensou em perguntar. Ela despreza os caminhos aprovados, preferindo desvios, excursões não planejadas, curvas súbitas à esquerda. Em suma, a curiosidade é desviante."

É exatamente por isso que a curiosidade gera confiança fundamentada nas habilidades de confronto. Temos conversas difíceis porque não podemos controlar o caminho que vão tomar ou o resultado delas, e começamos a nos apavorar quando não encontramos uma solução rápida. É como se preferíssemos encontrar uma solução ruim que levasse à ação do que permanecer na incerteza de identificar o problema.

Einstein é um dos nossos melhores conselheiros quando o tema é curiosidade e confiança. Gosto muito destas duas frases dele:

"Se eu tivesse uma hora para resolver um problema, passaria 55 minutos pensando no problema e cinco minutos pensando nas soluções."

Segundo dizem, ele também afirmou: "Não é que eu seja tão inteligente, eu só passo mais tempo com os problemas."

O sabe-tudo que habita em nós (nosso ego) ou se apressa em falar antes de todos, dando uma resposta que pode ou não resolver os verdadeiros problemas, ou pensa: *Não quero falar sobre isso porque não tenho certeza* de onde isso vai parar ou como as pessoas vão reagir. Pode ser que eu não diga a coisa certa nem dê as respostas certas.

A curiosidade diz: *Não se preocupe. Adoro uma aventura. Estou pronta para aonde quer que isso leve. E estou pronta para aguentar o tempo que for necessário para chegar ao cerne do problema. Não preciso saber as respostas nem dizer a coisa certa, só tenho que continuar ouvindo e continuar questionando.*

Eis algumas **perguntas e expressões para iniciar o confronto:**

1. Na história que criei... (Esta é de longe uma das ferramentas mais poderosas de confronto no mundo livre. Ela mudou todos os aspectos da minha vida. Vamos explorá-la na parte "Aprendendo a crescer".)
2. Estou curioso sobre isso...
3. Conte-me mais.
4. Essa não é a minha experiência (em vez de "Você está errado sobre ela, ele, eles, isso...").
5. Eu me pergunto se...
6. Ajude-me a entender...
7. Explique-me...
8. Nós dois estamos nessa. Conte-me da sua paixão por isso.
9. Diga-me por que isso não serve/funciona para você.
10. Estou partindo dessas premissas — e você?
11. Que problema estamos tentando resolver? Às vezes, já estamos há uma hora num confronto difícil quando algum corajoso vai e diz: "Espera aí, estou confuso. Que problema estamos tentando resolver?" Noventa por cento das vezes percebemos que não estamos nos entendendo porque pulamos o processo de identificação do problema e a intenção da reunião virou encontrar uma solução para um problema que ainda não tinha sido definido.

Às vezes, os melhores confrontos começam com uma conversa de trinta minutos estabelecendo os fatos e um acordo para retomar a reunião em algumas horas ou no dia seguinte (mas não deixe passar muito tempo). Recentemente, conversei com dois colegas sobre um treinamento que estamos planejando. Assim que nos sentamos e eles apresentaram o planejamento eu soube que ia ser difícil. Estávamos totalmente fora de sintonia. Eu só falei: "Não estamos conseguindo nos entender. Por que não passamos vinte minutos confrontando sobre como chegamos até aqui, depois retomamos amanhã e chegamos a uma estratégia?"

"Explique-me todas as premissas das quais você está partindo."

"Como você chegou nesse cronograma?"

"Qual é o objetivo do treinamento para todos vocês?"

"Ajude-me a entender qual é o benefício dessa estratégia para você."

Levou apenas dez minutos para percebermos que estávamos focando em objetivos diferentes, tínhamos prioridades diferentes e estávamos trabalhando com dados diferentes.

Meu colega disse: "Nossa, isso ajudou muito. Que tal retomar o assunto amanhã com algumas informações que nós dois deixamos passar e então nos entender em relação às metas e prioridades?" *Ótimo!*

Outra ferramenta de curiosidade bem útil é ficar atento a **conflitos de horizontes**. Nossa função determina onde devemos focar em termos do horizonte organizacional. Como fundadora e CEO de uma empresa, espera-se que eu trace um caminho para a empresa a longo prazo. Procuro pensar nas coisas partindo de um cenário daqui a dez anos e voltando aos dias de hoje. Outros líderes da minha equipe são responsáveis por diferentes horizontes. Um líder de operações pode se concentrar num horizonte de seis meses devido ao enorme cronograma de lançamentos.

Para liderar de forma eficaz, somos responsáveis por respeitar e incentivar os diferentes pontos de vista e nos manter curiosos em relação a como frequentemente eles podem entrar em conflito. Quando os confrontos começam a ficar difíceis, sabemos que precisamos checar se não há um conflito de horizontes. E, embora possamos ver as coisas sob perspectivas diferentes e não possuir o mesmo nível de conhecimento a respeito de cada detalhe da organização, precisamos enxergar uma mesma realidade do estado atual da organização como um todo. O conflito de horizontes não significa que podemos perder o foco na organização como um todo. Não posso ficar tão preocupada com a meta para os próximos cinco anos a ponto de deixar de conhecer uma questão cultural que precisamos trabalhar.

INCENTIVAR A EXCELÊNCIA A PARTIR DA CURIOSIDADE E DO APRENDIZADO

Na época em que pesquisava e escrevia *Mais forte do que nunca*, aprendi que o obstáculo mais comum à curiosidade é ter "um poço seco". No artigo "A Psicologia da Curiosidade", de 1994, George Loewenstein apresentou sua ideia da lacuna de informação ao falar sobre curiosidade. Loewenstein, professor de economia e psicologia da Carnegie Mellon University, propôs que a curiosidade é o sentimento de privação que experimentamos quando identificamos e focamos numa lacuna no nosso conhecimento.

O que é importante sobre essa perspectiva é que isso significa que precisamos ter algum nível de conhecimento ou consciência antes de ficarmos curiosos. Não ficamos curiosos com algo que desconhecemos ou sobre o qual não sabemos nada. Loewenstein explica que incentivar as pessoas a fazer perguntas não tem muito efeito no estímulo à curiosidade. Ele escreve: "Para induzir a curiosidade sobre algum assunto em particular, pode ser necessário 'colocar água na bomba antes de bombear'" — usar informações intrigantes para fazer com que as pessoas se interessem e se mostrem mais curiosas.

E eis uma boa notícia: se você leu o livro até aqui, está preparado e pronto para começar. Podemos não saber o bastante ou ter as ferramentas para realizar todos os confrontos com perfeição, mas sabemos o suficiente para ficarmos curiosos. E outra boa notícia é que um número cada vez maior de pesquisadores acredita que a curiosidade e a construção do conhecimento crescem juntas — quanto mais sabemos, mais queremos saber.

Quero compartilhar com você dois exemplos que demonstram como a combinação de habilidades de confronto e confiança fundamentada para tirar a armadura e se manter curioso pode transformar uma organização. O primeiro caso é de Stefan Larsson e o segundo é da Dra. Sanée Bell.

Stefan Larsson é um líder experiente no setor de varejo que, mais recentemente, foi diretor executivo da Ralph Lauren Corporation. Ele é considerado o responsável pela reviravolta da icônica marca de moda americana Old Navy, em que ele e sua equipe conseguiram alcançar crescimento por doze trimestres consecutivos e aumentaram as vendas em 1 bilhão de dólares em três anos. Ele também passou 14 anos como um dos principais nomes da equipe de liderança que colocou a gigante de moda sueca H&M entre as três marcas de moda mais valiosas do mundo, com operações globais em 44 países e vendas que cresceram de três bilhões para 17 bilhões de dólares.

Ao ler este estudo de caso, você entenderá o papel que a vulnerabilidade tem como a base dos próximos três conjuntos de habilidades: viver segundo nossos valores, desafiar a confiança e aprender a se levantar.

Stefan escreve:

Quando assumi o comando da Old Navy, a marca vinha tendo problemas havia vários anos, e precisávamos encontrar uma forma de voltar à visão original da empresa. Depois de alguns dias estudando os arquivos, descobrimos a declaração original da visão, que consistia em tornar o estilo americano ousado acessível a todas as famílias. Agora só precisávamos realizar isso! O componente essencial para conseguirmos e o maior motivo do sucesso acabou sendo a transformação da cultura organizacional. Ao longo de vários anos de dificuldades, o que antes era uma cultura empreendedora, veloz e que incentivava a autonomia havia se tornado hierárquica, fragmentada, política e dominada pelo medo.

A maior parte dos integrantes da equipe entendia nossos desafios coletivos; eles viam claramente o que precisávamos fazer e o que estava impedindo. No entanto, poucos se atreveram a compartilhar suas percepções ou expressar suas preocupações em contextos maiores ou fazer algo a respeito delas, devido ao medo de serem malvistos ou de fazerem alguém ficar malvisto. Para conseguir transformar a marca, nosso principal trabalho era construir uma cultura de confiança.

Com isso em mente, definimos alguns objetivos que se revelaram os principais motivos do nosso sucesso:

- Começamos com sessões de aprendizado semanais para os nossos sessenta principais líderes: duas horas por semana reunidos como uma equipe, com a condição de que não avaliaríamos mais os resultados como bons ou ruins, apenas leríamos os resultados como resultados, aprenderíamos com eles e melhoraríamos rapidamente. O objetivo era superar nossos concorrentes. Não utilizaríamos a vergonha, a culpabilização de pessoas e o julgamento dos resultados como bons ou ruins. Em vez disso, nos perguntaríamos constantemente: "O que nos propusemos a fazer, o que alcançamos, o que aprendemos e com que rapidez podemos melhorar?"
- Passamos a realizar, com frequência trimestral, assembleias e teleconferências com toda a empresa, nas quais, seguindo nossa visão e o plano que havíamos traçado, eram compartilhados os resultados, os aprendizados e as melhorias.
- Como equipe de gestão, nos mudamos fisicamente para uma grande sala com paredes de vidro (onde deixávamos as portas destrancadas de propósito), no meio da nossa sede, para permitir ainda mais franqueza, confiança e trabalho em equipe, usando o espaço para refletir visualmente nossa estratégia e atitude. Nós também encorajamos todos os colaboradores, a despeito de seu cargo na organização, a nos procurarem para compartilhar ideias e pensamentos sobre qualquer coisa que pudesse melhorar o que estávamos fazendo (ou deixando de fazer).

Não demorou muito até que todos começaram a pensar em mais e mais ideias para melhorar o negócio. No início, as pessoas se mostraram hesitantes em acreditar que estávamos realmente falando sério sobre não usarem a vergonha ou a culpabilização, mas com o tempo começaram a falar nas reuniões, fosse fazendo uma pergunta sem saber a resposta ou compartilhando os resultados de uma iniciativa que não tinha gerado o resultado esperado (antes chamados de "fracassos", agora renomeados como "aprendizados").

Todos começamos a mostrar mais vulnerabilidade na frente dos outros. Passamos a confiar mais uns nos outros, uma vez que estávamos trabalhando juntos. Como uma equipe de gestão, nos concentramos em perguntar, testar novas ideias e incentivar melhorias contínuas até que começamos a ganhar força. Em vez de pensarmos nos resultados como bons e ruins, criamos um modo de trabalho "à prova de fracasso". Isso nos permitiu superar os contratempos e levar o foco para o aprendizado no lugar da acusação. Uma vez que eliminamos o medo do fracasso e o medo de ser julgado, começamos a superar e a aprender mais do que os nossos melhores concorrentes.

Como resultado, entregamos doze trimestres consecutivos de crescimento num mercado extremamente desafiador e aumentamos as vendas em um bilhão de dólares em três anos. Mas meus maiores orgulhos como líder foram ter sido capaz de permitir que a minha equipe aceitasse a vulnerabilidade e a transformasse em qualidade, promover uma cultura de confiança, franqueza e colaboração, e mudar nossa mentalidade para o aprendizado contínuo. Hoje, mais de dois anos depois de ter saído de lá para chefiar outra empresa, ainda recebo e-mails de membros da equipe que desejam compartilhar o que aprenderam e como continuam a promover a excelência a partir de seus aprendizados. Esses e-mails fazem toda a diferença.

Adoro a ideia de promover a grandeza a partir dos nossos aprendizados. Já vi isso funcionar em organizações em todo o mundo quando as pessoas estão dispostas a serem vulneráveis. Outro ótimo exemplo é o próximo estudo de caso, da Dra. Sanée Bell. Ela é a diretora da Escola Morton Ranch, na cidade de Katy, no Texas. Ela atua como gestora escolar desde 2005, tanto no ensino fundamental quanto no médio. Foi também professora de inglês no ensino fundamental II e no ensino médio e também treinadora de basquete feminino. Sanée foi eleita em 2015 Diretora de Ensino Fundamental I do Ano pelo Distrito Escolar de Katy.

Sanée escreve:

Liderar os outros é difícil. Ser líder de adultos, crianças e de uma comunidade escolar é ainda mais difícil. O papel de um diretor é complexo, desafiador, gratificante e solitário, tudo ao mesmo tempo. Quando comecei minha jornada de liderança com ousadia, eu era uma líder escolar bem-sucedida. Durante o meu segundo mandato como diretora, me aprofundei no trabalho de liderança ousada e percebi que só havia visto superficialmente o que significa liderar com coragem.

Essa jornada pessoal e profissional mudou minha atuação como líder de três formas específicas: ensinando-me a praticar a vulnerabilidade, aumentando meu autoconhecimento e me oferecendo as ferramentas necessárias para ter conversas difíceis. Hoje, essas três áreas de foco são componentes fundamentais do meu modo de liderança.

PRATICAR VULNERABILIDADE

Há uma antiga máxima que hoje uso como líder: "As pessoas não se importam com o quanto você sabe até saberem o quanto você se importa." Aprendi que uma maneira de ajudar as pessoas a entenderem o quanto você se importa é contando a sua história. Praticar a vulnerabilidade me deu coragem para compartilhar com a minha equipe minha história pessoal, que era de uma infância com momentos de pobreza e um lar desfeito. Ao conhecer a minha jornada para superar grandes obstáculos, eles entendem melhor meu compromisso em construir um ambiente escolar solidário.

Como líder, não deixo mais a vida pessoal fora da escola. Na verdade, compartilhar histórias e liderar através das lentes de diversos pontos de vista e experiências me tornou mais acessível aos meus alunos, funcionários e à comunidade, alguém com quem podem se identificar. Ao contar minha história e *por que* escolhi a liderança, ajudei minha equipe a entender meu propósito, minha paixão e meu compromisso com a coragem. Fazer isso também deu aos outros permissão para praticarem a vulnerabilidade e terem coragem de compartilhar e assumir sua história de vida.

TORNAR-SE AUTOCONSCIENTE

Quando me falta autoconhecimento como líder e quando não estou conectada com as intenções que motivam meus pensamentos, meus sentimentos e minhas ações, limito o quanto do meu ponto de vista e das minhas percepções posso compartilhar com as pessoas que lidero. Hoje, depois de passar a manter registros num diário e pedir feedbacks das pessoas, consegui desenvolver e aperfeiçoar minhas habilidades de liderança de uma maneira mais atenta às necessidades da minha equipe, dos alunos e da comunidade. Dedicar um tempo a refletir em silêncio tornou-se parte da minha prática semanal.

TER CONVERSAS DIFÍCEIS

Fazer esse trabalho me fez perceber que não há como lidar com as disparidades acadêmicas entre os diferentes grupos de alunos sem ter conversas difíceis regularmente.

Eu sabia que havia uma necessidade real e urgente de parar com a postura do "Sempre fizemos dessa maneira" que muitas pessoas em nosso campus adotavam. Para que isso acontecesse, eu teria que liderar essas discussões, que poderiam ser emocionalmente difíceis, e precisaria de apoio. *Se não eu, quem? Se não agora, quando?*

Minha estratégia foi construir confiança e conexão suficientes para falar sobre problemas de equidade e comprometer-me a ajudar aqueles que normalmente eram silenciados a adquirir as habilidades e a confiança fundamentada para participar das conversas difíceis. Investi na criação de equipes com altos desempenho e conexão, usando para isso avaliações com base em pontos fortes e testes de personalidade profissional, e desenvolvi protocolos organizados para conversas difíceis, entre eles verificações de progresso.

Estou empenhada em resolver problemas que ameacem nossa missão, nossa visão e nossos valores, e desafio as pessoas a encontrarem os erros fatais à cultura de nossa organização. Celebramos todos os sucessos e mudamos as coisas que não agregam valor à organização.

Mudei a narrativa da nossa escola aumentando o poder *com* as pessoas por meio da liderança distributiva e colaborativa, e capacitando outras pessoas a liderar. Por fim, ser fiel a quem sou como pessoa, respeitar minha jornada e assumir minha história deu a mim a oportunidade de liderar de maneira mais profunda e significativa.

Outras ferramentas de confronto

Quero apenas lembrar que você pode encontrar mais recursos para encarar a vulnerabilidade na plataforma de *Coragem para liderar* no site brenebrown.com [em inglês]. Lá você terá acesso a um caderno de exercícios, um glossário e imagens, bem como vídeos com simulação de situações que você pode assistir como parte do desenvolvimento de suas habilidades de confronto.

E mesmo que você escolha não baixar o caderno de exercícios ou assistir aos vídeos, nunca subestime o valor de simular situações, praticar e fazer anotações por escrito e levá-las para reuniões ou conversas importantes. Faço essas três coisas todos os dias.

Certa vez, tive um chefe que disse "Você está consultando suas anotações?" ao me ver olhando para meu diário durante um diálogo de demissão particularmente difícil.

— Estou. Refleti muito sobre essa nossa conversa. É importante para mim e quero ter certeza de que vou falar com você tudo que preparei. — respondi.

Ele se mexeu na cadeira, e eu me preparei para defender os pontos das minhas anotações.

— Essa é uma ideia muito legal. Você só lista tudo usando bullet points ou escreve parágrafos? — perguntou ele.

Pessoas, pessoas, pessoas são apenas pessoas, pessoas, pessoas.

parte dois

VIVER DE ACORDO COM
NOSSOS VALORES

Líderes corajosos que vivem segundo os próprios valores nunca ficam calados quando o assunto é difícil.

Sobretudo durante os momentos sombrios e difíceis, quando estamos tentando ser muito corajosos, a arena pode ser confusa e devastadora: distrações, barulho, uma placa de saída piscando e prometendo alívio imediato para o desconforto, e os cínicos assistindo nas arquibancadas. Nessas partidas difíceis, quando os críticos estão sendo ainda mais barulhentos e desordeiros, é fácil começar a lutar — para tentar se provar, ser perfeito, executar e agradar. Deus é testemunha de que esses são os meus quatro desafios. Podemos lutar para mostrar à multidão que merecemos estar lá, ou podemos deixar que ela nos afugente. De qualquer maneira, é fácil deixar que os outros nos tirem do sério e acabem com os nossos esforços.

Nesses momentos em que começamos a colocar outras vozes à frente da nossa, nos esquecemos daquilo que nos levou a entrar na arena, a razão de estarmos lá. Esquecemos os nossos valores. Ou muitas vezes nem sabemos quais são ou como nomeá-los. Se não tivermos clareza quanto aos valores, se não tivermos mais para onde olhar ou no que nos concentrar, se não tivermos essa luz lá em cima para nos lembrar por que estamos ali, os cínicos e os críticos podem nos derrotar.

Na maioria das vezes, são os nossos valores que nos levam até a arena — estamos dispostos a fazer algo desconfortável e ousado por causa das nossas crenças. E quando chegamos lá e tropeçamos ou caímos, precisamos dos nossos valores para lembrar por que entramos ali, especialmente quando estamos caídos de bruços, cobertos de poeira, suor e sangue.

Eis a verdade a respeito dos valores: embora a coragem exija que larguemos nossas armaduras e armas na porta da arena, não precisamos entrar em toda conversa e todo confronto difíceis de mãos completamente vazias.

Os líderes corajosos que entrevistamos nunca entraram de mãos vazias numa arena. Além das habilidades e ferramentas de confronto, sempre levaram consigo a clareza de valores. Essa clareza é um apoio essencial, uma luz em tempos de escuridão.

De acordo com o *Oxford English Dictionary*, os valores são "princípios ou padrões de comportamento; um julgamento do que é importante na vida". Em nosso trabalho, simplifico a definição: **um valor é um modo de ser ou uma crença que consideramos muito importante.**

Viver de acordo com nossos valores significa que fazemos mais do que declarar nossos valores, nós os praticamos. Nós falamos e fazemos — somos transparentes a respeito de nossas crenças e do que consideramos importante, e tomamos cuidado para que nossas intenções, palavras, pensamentos e comportamentos se alinhem com essas crenças.

Viver de acordo com nossos valores requer um certo trabalho prévio — uma contemplação que a maioria de nós nunca parou para fazer. E, por mais que eu não queira fazer esta parte parecer um caderno de exercícios, teremos exercícios no livro. Vou apresentar a você três passos e compartilhar algumas das minhas experiências (boas e ruins), então me acompanhe e, após algumas poucas páginas, aposto que você vai saber mais sobre si mesmo e sobre como viver de acordo com seus valores do que sabe agora.

Primeiro passo: Não podemos viver de acordo com valores que não conseguimos nomear

O primeiro passo para viver de acordo com nossos valores é identificar o que é o mais importante para nós. O que nos guia? Quais valores consideramos mais sagrados? Não podemos nos esforçar para nos manter alinhados a nenhum valor enquanto não dedicarmos um tempo a demonstrar curiosidade sobre — ou nomear — o que é mais importante para nós.

Quando facilito esse tipo de trabalho em organizações, sempre me perguntam: "Você quer que eu identifique meus valores profissionais ou os pessoais?" Eis o problema: **nós só temos um conjunto de valores**. Não mudamos nossos valores de acordo com o contexto. Cabe a nós viver de uma forma que esteja alinhada ao que consideramos mais importante, a despeito do cenário ou da situação. Esse, é claro, é o desafio de viver de acordo com os próprios valores: aqueles momentos em que nossos valores entram em conflito com os valores da organização, dos amigos, de um desconhecido na fila da mercearia ou da seção eleitoral, ou até mesmo da nossa família.

A seguir apresento a lista de valores que usamos no nosso trabalho. Como você pode ver, há espaços em branco para você escrever valores que talvez não tenhamos incluído. A tarefa é escolher os dois que você considera mais importantes. Sei que isso é difícil, pois quase todo mundo com quem fizemos esse exercício (eu inclusive) quer escolher algo entre dez e 15. Posso facilitar um pouco sugerindo que você comece circulando esses 15. Mas você não pode parar até chegar a apenas dois valores fundamentais.

O motivo é o seguinte: os participantes da pesquisa que se mostraram mais dispostos a encarar a vulnerabilidade e praticar a coragem apoiaram seu comportamento em um ou dois valores, e não dez. Isso faz sentido por alguns motivos. Em primeiro lugar, vejo isso da mesma forma que vejo esta frase de Jim Collins: "Se você tem mais de três prioridades, não tem nenhuma." Em algum momento, se tudo na lista for importante, nada vai ser realmente uma motivação para você. Será apenas uma lista de itens agradáveis.

LISTA DE VALORES

- Adaptabilidade
- Alegria
- Altruísmo
- Ambição
- Ambiente
- Amizade
- Amor
- Amor-próprio
- Aprendizado
- Autenticidade
- Autodisciplina
- Autoexpressão
- Aventura
- Beleza
- Benevolência
- Bondade
- Bem-estar
- Carreira
- Casa
- Colaboração
- Comprometimento
- Comunidade
- Compaixão
- Competência
- Convicção
- Conexão
- Confiabilidade
- Confiança
- Conhecimento
- Contribuição
- Cooperação
- Coragem
- Correr riscos
- Criação dos filhos
- Criatividade
- Crescimento
- Cuidado
- Curiosidade
- Compreensão
- Desenvoltura
- Dignidade
- Diversão
- Diversidade
- Eficiência
- Equidade
- Equilíbrio
- Esperança
- Espiritualidade
- Espírito esportivo
- Estabilidade financeira
- Ética
- Excelência
- Família
- Fazer a diferença
- Fé
- Franqueza
- Frugalidade
- Generosidade
- Gerações futuras
- Gratidão
- Harmonia
- Honestidade
- Humildade
- Humor
- Igualdade
- Inclusão
- Independência
- Iniciativa
- Integridade
- Intuição
- Justiça
- Lazer
- Lealdade
- Legado
- Liberdade
- Liderança
- Manejo responsável de recursos
- Natureza
- Ordem
- Orgulho
- Otimismo
- Paciência
- Patriotismo
- Perdão
- Perseverança
- Pertencimento
- Plenitude
- Poder
- Proteção
- Realização
- Reconhecimento
- Respeito
- Responsabilidade
- Retribuição à sociedade
- Riqueza
- Sabedoria
- Satisfação
- Saúde
- Segurança
- Segurança no emprego
- Ser o melhor
- Serenidade
- Serviço
- Simplicidade
- Singularidade
- Sucesso
- Tempo
- Trabalho em equipe
- Tradição
- Transparência
- Utilidade
- Verdade
- Viagem
- Visão
- Vulnerabilidade

Escreva os seus:
_____
_____

Copyright © 2018 by Brené Brown, LLC.

Em segundo lugar, já apliquei esse exercício em mais de dez mil pessoas e, quando elas estão dispostas a continuar no processo por tempo suficiente para reduzir a lista enorme a dois valores, sempre chegam à mesma conclusão a que eu cheguei ao definir os meus valores: os dois principais são aqueles onde todos os valores de "segundo escalão" circulados são testados.

É assim que funciona na minha vida: meus dois valores principais são fé e coragem. Eu odiava não circular "família". Mas ao me aprofundar percebi que, embora minha família seja a coisa mais importante da minha vida, meu compromisso com eles é alimentado pela minha fé e minha coragem.

Por exemplo, quando digo "não" a uma oportunidade de trabalho empolgante porque não quero deixar de cumprir meu dia de dar carona, eu me apoio em minha coragem e fé. Pode ser diferente para você, mas tenho que ser corajosa o suficiente para dizer não e para não me deixar dominar pelo medo de alguém pensar que estou sendo ingrata por não aproveitar a oportunidade. Também preciso da força da minha fé para lembrar que, se eu fizer o que é certo para mim, haverá outras oportunidades. Às vezes minha oração é simplesmente *Se eu perder o barco, não era o meu barco.*

Nossos valores devem estar tão cristalizados em nossa mente, ser tão infalíveis, tão precisos, claros e inabaláveis, a ponto de não parecerem uma escolha — são simplesmente uma definição de quem somos na nossa vida. Nos momentos difíceis, sabemos que vamos optar pelo que é certo, agora mesmo, e não pelo que é fácil. Porque isso é **integridade: escolher coragem em vez de conforto; é escolher o que é certo em vez do que é divertido, rápido ou fácil; e é pôr seus valores em prática, e não apenas declará-los.**

Escolha um ou dois valores — as crenças mais importantes e estimadas por você, que o ajudam a encontrar o caminho na escuridão, que dão a você um sentimento de propósito. Ao lê-los, você deve sentir uma profunda identificação. Resista a se ater a palavras que se pareçam com algo que você foi treinado para ser, palavras que nunca lhe pareceram verdadeiras.

Pergunte a si mesmo:

Isso me define?
É isso que eu sou no meu melhor estado?
Isso é um filtro que uso ao tomar decisões difíceis?

Segundo passo: Traduzindo os valores de papo-furado para um comportamento

A razão de revirarmos os olhos toda vez que alguém começa a falar sobre valores é que todo mundo fala muito neles, mas *pouquíssimas* pessoas de fato colocam algum valor em prática. Isso pode ser bem irritante. E não são só indivíduos que deixam de fazer o que pregam. Em nossa experiência, apenas cerca de 10% das organizações operacionalizaram seus valores em comportamentos observáveis e possíveis de ensinar que são usados para treinar os funcionários e torná-los responsáveis. *Dez por cento.* (E, sim, de vez em quando eu só adiciono "izar" às palavras.)

Se você não quiser gastar um tempo traduzindo seus valores de ideais para comportamentos — se não vai ensinar às pessoas as habilidades de que elas precisam para agirem de uma maneira que esteja alinhada com esses valores e criar uma cultura na qual um confia que o outro vai se manter alinhado aos valores —, é melhor não declarar nenhum valor. Eles se tornam uma piada. Algo que ninguém leva a sério. Conversa fiada.

Nesta segunda etapa do processo de "viver de acordo com nossos valores", precisamos definir três ou quatro comportamentos que sustentam nossos valores e três ou quatro "comportamentos traiçoeiros" — ações que nos sentimos tentados a fazer, mesmo que contrariem nossos valores. E seja explícito. Não há nenhuma mágica em escolher três ou quatro comportamentos — são só o suficiente para nos forçar a pensar além do que é fácil, mas não tantos a ponto de parecer que estamos apenas fazendo uma lista.

A melhor maneira de fazer isso é pensar em alguns momentos dentro da arena nos quais você agiu (ou não) de um modo que pareceu alinhado aos seus valores. Por exemplo, muitas vezes me flagro batendo boca nas redes sociais a respeito de questões de justiça social. As pessoas deixam comentários como "É melhor continuar só escrevendo. A questão da imigração não é problema seu" ou "Pare de ficar falando sobre racismo". Essas opiniões aparecem até mesmo nos meus eventos públicos, na hora de o público fazer perguntas.

Meu valor da coragem me diz para me posicionar e defender aquilo em que acredito. Se você disser para mim, ou na minha frente, algo que considero racista, machista ou homofóbico, mesmo que outras pessoas achem engraçado, eu não vou rir. Vou pedir que você não diga essas coisas perto de mim. Não faço isso por arrogância ou para ser "melhor que alguém" — acredite, em alguns momentos minha vontade é apenas fuzilar a pessoa com o olhar e ir embora. Não fico calada porque a coragem é um dos meus valores-chave e, para que eu me sinta bem física, emocional e espiritualmente, a coragem *insiste* que eu me mantenha fiel a ela, escolhendo minha voz em vez do meu conforto.

Se alguma questão me sensibiliza muito, vou escrever sobre o assunto e postar nas redes sociais. Se você deixar um comentário humilhando ou tratando com ódio a mim ou a qualquer pessoa da minha comunidade, vou excluí-lo e bani-lo da minha página. Um dos meus comportamentos de coragem é *Não escolher o silêncio no lugar do que é certo. Não cabe a mim deixar os outros mais à vontade ou ser querida por todos.*

A fé tem sido muito difícil para mim no último ano, porque um dos meus comportamentos de fé é *encontrar a face de Deus em todas as pessoas.* Argh. Isso significa que, em vez de odiar as pessoas, tenho que odiar apenas suas ideias. Em vez de envergonhar e culpar as pessoas, tenho que fazê-las se responsabilizarem. *Culpar é muito fácil, e fazer a pessoa se explicar é um desperdício de tempo. E nada divertido.* Tentei reformular a fé para encontrar Deus nas pessoas de quem gosto e com quem concordo, mas isso não durou mais do que um dia. Logo me transformei em alguém de quem não gostava — não conseguia encontrar Deus em mim mesma.

Outro dos meus comportamentos de fé é não usar uma *linguagem desumanizadora*. Vivo de acordo com esse valor há quase vinte anos, e agora tremo só de escutar qualquer coisa desumanizadora, não importa quem esteja falando. Fico muito abalada e frequentemente preciso tirar férias das redes sociais. O mais difícil é quando preciso chamar a atenção de alguém que compartilha das mesmas visões políticas que eu, e justifica o uso da linguagem desumanizadora com um "nós somos os mocinhos".

Todos sabemos como é se sentir agindo contra os próprios valores. Todos sabemos como é ficar em silêncio e no conforto em vez de dar voz ao que acreditamos. Testo os meus valores o tempo todo. Vejo até que ponto posso forçá-los e flexibilizá-los antes que esmoreçam. Sou imperfeita e assustada. Todos nós somos.

Mas pense naqueles momentos em que algo muito difícil aconteceu com alguém de quem gostamos — talvez um amigo ou colega tenha um cônjuge ou pai ou filho que foi ferido ou morto. E sabemos que precisamos dar um telefonema para conversar e ver como podemos oferecer apoio. Mas, em vez de fazer isso, nós ziguezagueamos; passamos na frente do telefone tantas vezes que por fim acabamos nos convencendo de que já passou tempo demais e ligar agora seria constrangedor.

Começa com "Ok, tenho que ligar, mas eles devem estar jantando, ligo mais tarde". Várias horas se passam. "Quer saber, está na hora de dormir, vou ligar amanhã". Você acorda na manhã seguinte: "Aposto que ainda deve ter muitos parentes lá com eles. Vou ligar daqui alguns dias quando estiver tudo mais calmo." E o que sentimos quando acabamos não ligando e nos deparamos com o colega ou amigo duas ou três semanas depois no mercado? A maioria de nós tem vergonha e se sente completamente sem integridade. Na minha lista de comportamentos de coragem, consta uma coisa que minha mãe me ensinou na infância: *Fique ao lado de quem estiver sofrendo e não desvie o olhar.*

Pela minha experiência e pelo que aprendi com os líderes corajosos que entrevistei, sempre é melhor escolher aqueles cinco a dez segundos de desconforto em vez de escolher parar o carro na garagem e desligá-lo pensando em algo que fiz, ou deixei de fazer, e em como perder a oportunidade de fazer ou dizer algo foi uma traição contra tudo que mais valorizo. Outro comportamento de coragem para mim: *escolher coragem em vez de conforto.*

E vou dar uma dica sobre esses segundos de desconforto. Vários anos atrás fiz uma experiência para ver quanto tempo dura o desconforto intenso do momento. Depois de alguns meses, o tempo foi definido em oito segundos. Na maioria das situações são oito segundos de grande desconforto. Eu disse a Steve: "Ah, meu Deus! É como montar num touro! Você tem que aguentar por oito segundos!" Então agora, quando sei que algo difícil tem que ser feito, sempre penso na música "Amarillo by Morning", de George Strait:

> Mas vou esperar aqueles oito segundos
> Quando abrirem a porteira.

Fala sério, dá para fazer quase qualquer coisa por apenas oito segundos, certo? O desconforto pode persistir por mais tempo, mas a parte mais difícil já terá passado. A seguir sugiro algumas perguntas e sugestões para ajudá-lo a pensar sobre como operacionalizar os seus valores.

Valor 1 _____

1. Quais são os três comportamentos que sustentam o seu valor?
2. Quais são os três comportamentos traiçoeiros que contrariam o seu valor?
3. Dê um exemplo de uma época em que você estava vivendo totalmente de acordo com seu valor.

Valor 2 _____

1. Quais são os três comportamentos que sustentam o seu valor?
2. Quais são os três comportamentos traiçoeiros que contrariam o seu valor?
3. Dê um exemplo de uma época em que você estava vivendo totalmente de acordo com seu valor.

Terceiro passo: Empatia e autocompaixão — os dois assentos mais importantes da arena

Um dos maiores desafios durante os momentos dentro da arena são as pessoas nas arquibancadas, especificamente aqueles torcedores exigentes que têm ingressos que valem para toda a temporada e aparecem faça chuva, faça sol ou até granizo. A arena está cheia de lugares, mas é nesses que nós escolhemos nos concentrar. A vergonha tem dois ingressos desses que valem para toda a temporada. As vozes na nossa cabeça comparecem em pares para nos espremer dos dois lados: *Não é bom o bastante* e *Quem você pensa que é?* A escassez e a comparação também escolhem assentos bem perto de nós. A escassez é aquela voz que fica repetindo "Nunca há tempo, dinheiro, amor ou atenção etc. suficiente", e a comparação vem com seu "Olha só como os outros estão fazendo isso muito melhor do que você".

Os camarotes são os assentos privilegiados, ocupados pelas pessoas que construíram a arena. E elas construíram essa arena para beneficiar quem se parece com eles em termos de raça, classe social, orientação sexual, capacidade e status. Essas pessoas já determinaram as chances que você tem com base em estereótipo, desinformação e medo. E nós temos que reconhecer isso e falar a respeito. **Sejam quais forem os valores que você escolher, os líderes corajosos que vivem de acordo com os próprios valores nunca ficam calados quando os assuntos são difíceis.**

Uma questão incrivelmente importante, desconfortável e corajosa que todo líder e toda organização no mundo deveriam estar discutindo é o privilégio. A verdade é que, quando entro na arena, não tenho a mesma experiência de outras pessoas. Sou branca, sou heterossexual, sou instruída. Há muitas pessoas nessas arquibancadas esperando que eu me saia bem e torcendo por mim. Tenho alguma dificuldade para superar em relação ao meu gênero? Claro. Mas não há dúvida de que estou num lugar muito mais privilegiado do que outras pessoas. Quando pensamos na arena, temos que considerar fatores como raça, idade, sexo, classe social, orientação sexual, capacidade física e capacidade cognitiva, para citar apenas alguns.

Faz cinco anos que não vejo uma única empresa onde as pessoas não sussurrem coisas como: "Isso é ótimo, mas, hum, como conversamos sobre racismo?" Minha resposta: "Primeiro, você precisa *ouvir* sobre racismo. Você vai cometer muitos erros. Vai ser muito desconfortável. E não há como falar disso sem receber algumas críticas. Mas você não pode ficar em silêncio." Esquivar-se das conversas sobre privilégios e opressão porque elas o deixam desconfortável é o cúmulo do privilégio.

Viver de acordo com nossos valores | 203

O silêncio não é liderança corajosa, e o silêncio não é um dos componentes de uma cultura corajosa. Mostrar-se e ser corajoso ao lidar com essas conversas difíceis não é um caminho que você pode determinar previamente. Um líder corajoso não é alguém munido de todas as respostas. Nem alguém que possa facilitar uma discussão perfeita sobre temas difíceis. Um líder corajoso é alguém que diz: *Vejo você. Escuto o que você diz. Não tenho todas as respostas, mas vou continuar ouvindo e fazendo perguntas.* Todos nós temos a capacidade de fazer isso. Todos temos a capacidade de incentivar a empatia. Se quisermos fazer um bom trabalho, é essencial que continuemos estimulando essas conversas mais difíceis, a fim de lutar contra os segredos, o silêncio e o julgamento. É a única maneira de erradicar a vergonha do local de trabalho, de abrir caminho para um desempenho na arena que agrade os nossos valores mais nobres, e não os disseminadores de medo que estão nas arquibancadas.

Os assentos mais importantes da arena, aqueles em que devemos nos concentrar, sobretudo em tempos difíceis, estão reservados para a empatia e a autocompaixão. No assento reservado à empatia, ou os assentos, precisamos ter apenas uma ou duas pessoas que conheçam os nossos valores e nos apoiem em nosso empenho para pô-los em prática. E o assento da autocompaixão está reservado para nós mesmos. É um lembrete de que, se não pudermos torcer por nós mesmos, não devemos esperar que os outros o façam. Se não priorizarmos os nossos valores, não podemos pedir que os outros façam isso por nós.

1. Quem é a pessoa que sabe quais são seus valores e apoia seu empenho para viver de acordo com eles?
2. Como essa pessoa o apoia?
3. O que você pode fazer como um ato de autocompaixão para apoiar a si mesmo na árdua tarefa de viver de acordo com seus valores?
4. Quais são os primeiros indícios ou sinais de alerta de que você não está seguindo seus valores?
5. Como você se sente quando está seguindo seus valores?
6. Como viver de acordo com seus dois valores principais molda a sua forma de dar e receber feedback?

Tenho sorte porque sinto que existe toda uma comunidade de empatia atrás do meu assento reservado para a empatia. O assento em si pertence a Steve. Mesmo quando sabe que ao enfrentar um problema vou trazer tensão para dentro da nossa casa, ele diz: "É o que você precisa fazer. Você é assim e é por isso que eu te amo. Então vamos nos preparar e resolver logo isso." Minhas irmãs e até meus filhos, agora que estão mais velhos, muitas vezes ocupam esse assento da empatia. Nem sempre é fácil apoiar alguém que é uma figura pública. Eles sabem que as reações negativas às minhas opiniões podem ser cruéis e às vezes até ameaçadoras. Minha equipe também é uma enorme parte da minha comunidade de empatia. Sem eles eu não conseguiria fazer o meu trabalho.

O apoio pode ter a forma de amor, incentivo, conversa franca, definição de limites e um ocasional "Não, não apoio isso e eis o motivo".

A autocompaixão é fácil de listar, mas a lista é difícil de cumprir. Para mim, é uma questão de dormir, ter uma alimentação saudável, fazer atividade física e me conectar. É como eu disse ao contar a história da concussão — o melhor indício de que estou vivendo de acordo com meus valores é estar em boa forma física, espiritual e emocional.

Sei que não estou seguindo meus valores quando fico... *que rufem os tambores... essa é uma questão muito séria para mim*... ressentida. O ressentimento é o meu barômetro e meu sistema de alerta precoce. É o meu canário na mina de carvão. Ele se revela quando fico calada para não irritar alguém. E se revela quando ponho o trabalho antes do meu bem-estar, e ele acaba comigo quando não estou conseguindo estabelecer bons limites.

Fé e coragem dão muito trabalho. Você já avançou neste livro o bastante para saber o quanto de empenho e habilidade é necessário para ser corajoso. Com a fé acontece o mesmo. Minha definição preferida de espiritualidade é a do meu amigo e mentor Pittman McGehee. Pittman é um analista junguiano, sacerdote episcopal e escritor cujo trabalho foi de imensa ajuda para mim. Pittman diz: "A espiritualidade é o desejo humano profundo de experimentar o transcendental na nossa vida ordinária — é a expectativa de experimentar o extraordinário no comum, o milagroso no mundano e o sagrado camuflado no profano."

Minha fé requer muita prática diária. Não tenho tempo para ficar batendo boca por besteira com um desconhecido no Twitter. Estou ocupada tentando encontrar o milagroso naquilo que é mundano (acho que isso pode ser a nova resposta automática de ausência do escritório no meu e-mail). Quando me dou conta de que estou desperdiçando tempo precioso, fico ressentida e com raiva de mim mesma. Se você está pensando "Talvez sua discussão no Twitter seja o sagrado camuflado no profano?", ainda não cheguei a esse ponto.

Como me sinto quando estou vivendo de acordo com meus valores: A forma como penso sobre essa questão mudou ao longo dos anos. Antes, eu acreditava que sempre saberíamos que estamos seguindo nossos valores quando a decisão viesse com facilidade, mas aprendi como líder que, na verdade, é o oposto: sei que estou seguindo meus valores quando uma decisão é ou difícil ou muito difícil. Eu queria que fazer a coisa certa fosse a opção mais fácil, mas raramente é. Não espero mais momentos maravilhosos. Em vez disso, espero momentos tranquilos quando me sinto forte e firme. E, geralmente, cansada. Para citar Leonard Cohen, o que costumo fazer quando falo sobre os momentos difíceis na arena: "O amor não é uma marcha de vitória. É uma aleluia fria e imperfeita."

Viver de acordo com nossos valores e o feedback

Um dos maiores desafios que enfrentamos, especialmente no trabalho, é se manter alinhado com nossos valores ao dar e receber feedback.

Em *A coragem de ser imperfeito*, criei um checklist de feedback de qualidade que vale a pena revisitar aqui. Eu o criei com base na pesquisa que fizemos para o livro, e fico feliz em informar que ela continua válida para os novos dados sobre liderança que encontramos.

Este é um checklist para verificar se estamos prontos. Você se encontra no estado mental certo para se sentar e dar feedback a alguém?

A coragem para liderar

1. Sei que estou pronto para dar feedback quando estou pronto para me sentar ao seu lado, e não do outro lado da mesa.

Muitas vezes, sentar-se de frente para alguém não é só uma questão de logística. Reflete que enxergamos os relacionamentos como inerentemente antagônicos. Talvez se sentar do outro lado da mesa ocasionalmente não faça nenhum mal, mas se houver alguma questão séria se colocando entre vocês, uma mesa grande só vai aumentar essa distância. Funciona também como uma representação de diferença de poder.

2. Sei que estou pronto para dar feedback quando estou disposto a colocar o problema na nossa frente e não entre nós (ou esfregá-lo na sua cara).

Um problema grande e complicado entre duas pessoas é algo muito diferente de se sentar ao lado de alguém e colocar o problema à frente de vocês dois, para que assim possam analisá-lo do mesmo ponto de vista. Muitas vezes, isso requer uma mudança na linguagem, de "Você está errado" para "Alguma coisa precisa mudar". É uma experiência física, cognitiva, emocional e espiritual completamente diferente quando alguém está do seu lado ajudando-o a superar o obstáculo em vez de ressaltar a sua participação no problema.

3. Sei que estou pronto para dar feedback quando estou pronto para ouvir, fazer perguntas e aceitar que posso não estar entendendo a questão por completo.

Muitas vezes, no meio de uma sessão de feedback, esquecemos que deveríamos estar facilitando e esclarecendo os fatos a partir da curiosidade, e não dando sermão. Quando damos um sermão, normalmente queremos acabar logo com isso, mostrar uma lição numa única conversa. Queremos acabar logo com esse feedback difícil ou com a conversa delicada, e certamente não queremos prolongá-lo por várias sessões. Mas, em vez disso, deveríamos nos apoiar na confiança fundamentada: "Vejo as coisas da seguinte forma; isso é o que estou entendendo do que vejo. Tenho muitas perguntas. Você pode me ajudar a entender?" Então vá em frente, faça anotações e faça perguntas, seguidas de: "Preciso de um tempo para refletir sobre isso. Podemos retomar esse assunto amanhã? Vou procurá-lo se eu tiver mais dúvidas, e se você tiver dúvidas, por favor, pode me procurar."

4. Sei que estou pronto para dar feedback quando estou pronto para reconhecer o que você faz bem em vez de ressaltar os seus erros.
Isso pode ser complicado. Às vezes ocorre uma crise, e às vezes um produto de trabalho ou uma entrega com prazo apertado não funcionam conforme o esperado. Nesses momentos, nem sempre soa autêntico sentar-se e dizer "Ei, obrigado por ter vindo, essas são três coisas que você faz bem" quando você está louco para ir direto ao assunto e falar "Isso não está bom, e precisa estar pronto às cinco". Mas a segunda frase não vai ajudar. Isso me faz pensar na sabedoria de Ken Blanchard e em como flagrar as pessoas fazendo as coisas certas é muito mais poderoso do que sair listando os erros furiosamente. Leva só dois minutos para dizer "Sei que isso precisa estar pronto às cinco, e o resumo executivo parece perfeito. Mas as tabelas precisam de uma boa melhora. Como podemos ajudá-lo nisso?".

5. Sei que estou pronto para dar feedback quando reconheço seus pontos fortes e a forma como você pode usá-los para vencer seus desafios.
Acredito que a melhor abordagem é um estilo de feedback com base nos pontos fortes. Nele você explica alguns pontos fortes da pessoa ou coisas que ela faz muito bem que não foram empregados na situação atual. "Uma das suas grandes qualidades é a atenção aos detalhes. Você consegue esgotar todos os pormenores e isso faz uma grande diferença na nossa equipe. Não me pareceu que você está empregando essa habilidade na tarefa, e nós precisamos que faça isso." Se estiver irritado a ponto de não conseguir pensar numa única qualidade dessa pessoa, então você não se encontra no estado mental certo para dar um bom feedback, e deve esperar até se sentir menos emocionalmente reativo.

6. Sei que estou pronto para dar feedback quando consigo pedir que você se explique sem envergonhá-lo ou culpá-lo.
Infelizmente, muitos de nós fomos criados em famílias nas quais o feedback sempre vinha apenas sob duas formas: vergonha ou culpa. Dar um

feedback produtivo e respeitoso exige um grupo de habilidades que a maioria de nós nunca aprendeu. Uma ideia que pode ajudar é imaginar uma conversa e registrar em que momentos ela pode acabar levando à vergonha. Quando você é capaz de reconhecer a possibilidade de algo assim acontecer, vai saber com mais segurança como fazer para evitar que aconteça.

7. Sei que estou pronto para dar feedback quando estou disposto a assumir a minha participação.
Se você não está preparado para assumir nada, se estiver convencido de que não contribuiu em nada para o problema, você não está pronto para a reunião. Como mencionei em *The Call to Courage*, nunca vi uma situação que exigisse um feedback em que a pessoa dando o feedback não tivesse alguma participação no problema.

8. Sei que estou pronto para dar feedback quando posso agradecer sinceramente por seu empenho em vez de criticá-lo por suas falhas.
Procure oportunidades para destacar as coisas boas: "Quero dar um feedback sobre aquele telefonema. Acho que você fez um ótimo trabalho definindo um *time fence* para esse projeto com nossos clientes. Sei que foi muito difícil, e acho que você se saiu muito bem."

9. Sei que estou pronto para dar feedback quando consigo explicar como solucionar esses desafios vai levá-lo a um crescimento e a novas oportunidades.
Esteja preparado para discutir o que é preciso mudar dentro do contexto de feedback produtivo e trajetória de carreira. "O que estou pedindo para você mudar está diretamente ligado àquela nossa conversa sobre uma das suas áreas de crescimento pessoal ou um dos seus desafios pessoais." É essencial relacionar a sua observação ao que é importante para a pessoa com quem está falando.

10. Sei que estou pronto para dar feedback quando consigo ser um exemplo da vulnerabilidade e da franqueza que espero ver em você.
Se você espera que alguém aja com receptividade, é melhor demonstrar estar aberto, curioso, vulnerável e ter muitas perguntas. Você tem que dar o exemplo com seu comportamento. Você não pode definir para si mesmo expectativas e padrões diferentes. Se for para essa reunião na defensiva, cheio de cautela e pronto para a briga dando um feedback duro, esse feedback vai deixar a pessoa sentada à sua frente também na defensiva, cheia de cautela e pronta para a briga.

Além desse checklist para verificar se estamos prontos, precisamos refletir sobre como seguir os nossos valores enquanto damos e recebemos feedback. Antes de dar um feedback, seja para meus subordinados diretos, outros líderes ou parceiros de fora da empresa, reflito com cuidado sobre como quero me mostrar na conversa. Uma das experiências mais dolorosas em interações difíceis é quando agimos sem seguir nossos valores e desrespeitamos nossa integridade.

Sempre vou para reuniões de feedback munida de meus valores fundamentais. Sempre entro nelas com coragem, o que significa que não opto pelo conforto em vez de agir com respeito e honestidade — escolher agir com polidez em vez de respeito não é ser respeitoso. Em segundo lugar, permito que as pessoas sintam sem ter que prestar contas desses sentimentos. Se estou dizendo algo difícil, preciso dar espaço para as pessoas sentirem as emoções que sentirem — em vez de puni-las por terem esses sentimentos porque me deixam desconfortável, ou de tentar protegê-las e salvá-las de seus sentimentos, porque isso não é agir com coragem, e esse não é o meu papel. E me impede de dar um feedback de qualidade.

APRENDER A RECEBER FEEDBACK

Nossos principais valores também são relevantes nesse caso, mas de forma diferente. A questão mais importante aqui é: *Como se manter alinhado aos próprios valores no momento em que recebemos um feedback, a despeito das habilidades da pessoa que está nos dando o feedback?*

Um dos motes mais difíceis de nossas vidas é o fato de que passamos a vida recebendo feedback desde o momento em que nascemos: pais, professores, autoridades religiosas, treinadores, professores universitários e, depois, aqueles trinta ou quarenta anos passando por chefes, gerentes e colegas de trabalho. Dar um bom feedback constitui uma habilidade, e algumas pessoas são boas nisso. Outras não.

Precisamos ser capazes de receber feedback, a despeito do modo como ele nos é dado, e aplicá-lo de maneira produtiva. Precisamos fazer isso por um simples motivo: para dominar qualquer coisa é necessário receber feedback. Não interessa o que estamos tentando dominar — nem se estamos tentando alcançar a excelência ou a proficiência —, o feedback sempre vai ser necessário.

Receber feedback é complicado por vários motivos. Em primeiro lugar, podemos estar recebendo feedback de alguém que não domina a competência de dar feedback. Em segundo, podemos estar nas mãos de uma pessoa qualificada, porém não sabemos quais são as intenções dela. Terceiro, ao contrário de quando estamos dando feedback e somos nós que marcamos a reunião e sabemos exatamente o que vamos dizer ou fazer, quando recebemos feedback às vezes podemos ser pegos de surpresa. Um chefe pede para irmos até a sala dele, ou atendemos o telefone e é um cliente, e a pessoa diz: "Ei, estamos analisando a ideia que vocês enviaram. Achamos uma bosta, é totalmente diferente do que pedimos, e não conseguimos acreditar que acham que vamos gastar tanto dinheiro com vocês." Isso é dar feedback. Isso parece produtivo? É fácil se manter aberto e receptivo a isso? Não muito depois que ouvimos a palavra *bosta*.

Mas existem várias táticas que podem ajudar. Ao recebermos um feedback, podemos estabelecer um comportamento que reforce o nosso valor ou algum diálogo interno para ajudar naquele momento. O meu é o seguinte: quando estou recebendo um feedback e quero permanecer alinhada à minha coragem, digo para mim mesma "Sou corajosa o suficiente para ouvir". Na verdade, fico repetindo: "Sou corajosa o suficiente para ouvir. Não tenho que absorver tudo nem preciso fazer disso meu fardo, mas sou corajosa o suficiente para ouvir."

Outras palavras que repito para mim mesma, sobretudo quando estou sentada diante — ou ao lado — de alguém que não tem muita habilidade ao dar feedback é: "Alguma coisa no que ele diz é valiosa, alguma coisa. Absorva a parte que puder aproveitar e deixe o restante para lá."

A terceira coisa que repito para mim mesma, mesmo se a pessoa oferecendo feedback for competente nisso e a conversa for produtiva, mas eu ainda estiver vacilante porque é algo difícil de ouvir, é "Esse é o caminho para a excelência, esse é o caminho para a excelência", ou "Essa pessoa se importa com isso tanto quanto eu". Recebo o tempo todo feedbacks sobre meu estilo de dar palestras, ou o que visto no palco, ou como me comportei num vídeo. Tenho que lembrar que a pessoa dando feedback está querendo o melhor para aquilo que estamos tentando criar. Fico coberta de coragem graças à maneira como falo comigo mesma quando acontecem coisas difíceis.

Um homem que fez um dos nossos cursos e citou o conhecimento como seu principal valor explicou que o feedback é um recurso essencial para que ele compreenda melhor a si próprio: "Sempre demonstro curiosidade a respeito do que estou ouvindo, porque sei que posso aproveitar esse feedback e transformá-lo numa lição, ou usar o conhecimento que já tenho para melhorar como pessoa ou compreender melhor." Perguntei a uma mulher cujo valor essencial era a família como ela reage quando recebe um feedback, e resposta dela me deixou comovida: "Reajo como gostaria que minha sobrinha me visse reagindo; sendo calma, respeitosa, ouvindo, não desanimando, fazendo perguntas."

Também é necessário prática para se manter presente e evitar ficar na defensiva. Conseguir isso já é uma grande conquista por si só, porque tudo em você provavelmente está querendo se fechar como uma estratégia de desconexão. Se meu corpo estiver dizendo "Isso não parece seguro nem bom, é melhor você se fechar", não vou ouvir nada do que você estiver me dizendo, só vou murmurar "Aham, aham, entendi".

Pense numa conversa de feedback recente em que você tenha ficado na defensiva. Sinais físicos: braços cruzados (ou mãos nos bolsos), boca seca. Padrões de pensamento: ficar atento àquilo com que você não concorda ("Não ouviram o meu lado da história", "Não estão enxergando o contexto"). Sinais emocionais: sentir-se ansioso, frustrado, oprimido.

Se frequentemente ficamos assim, é importante nos esforçarmos para desenvolver comportamentos e diálogos internos que transformem o modo como reagimos para que possamos agir com curiosidade, fazer perguntas, conhecer o ponto de vista da outra pessoa, e atenuar a tensão da conversa. Se estivermos nos sentindo oprimidos, precisamos ser capazes de sugerir que a pessoa remarque a conversa para outra hora.

O objetivo maior ao recebermos feedback é uma habilidosa combinação de ouvir, incorporar o feedback e reagir a ele assumindo responsabilidade. Ser capaz de reconhecer o desconforto plenamente e suportá-lo nos fortalece ao dar e ao receber feedback. Se eu estiver lá sentada ouvindo um feedback difícil e me sentindo massacrada por tudo que não venho fazendo bem, ou por todos os erros que cometi, não há nada de errado em dizer: "Estou me sentindo sobrecarregada com tudo isso. Será que podemos escolher uma dessas questões e nos aprofundar nela agora, e depois marcamos outra hora para retomar a conversa e falar dos outros assuntos. Quero conversar sobre todos eles, mas não acho que consigo ouvir tudo de uma vez agora." Essa atitude é produtiva, respeitosa e demonstra coragem.

Como um dos meus principais valores é a coragem, consigo me dar permissão para dizer "Preciso dar uma pausa" ou "A sua postura está me impedindo de ouvir o que você está dizendo. Entendo que você está chateado, tudo bem, mas vamos ter que encontrar uma maneira diferente de falar sobre isso, porque tudo que estou fazendo é me defender". Para mim, isso está associado à coragem. Peça mais tempo; peça para retomarem a conversa em outro momento; peça que expliquem melhor. Quando você sai de uma troca de feedback difícil e pode dizer "me mantive conectado, corajoso, autêntico e curioso o tempo todo", isso em si já é coragem, e já é uma vitória.

Quero encerrar esta seção sobre feedback contando uma história que aconteceu com Natalie Dumond, diretora executiva de cultura da Miovision, uma empresa de tecnologia para cidades inteligentes que fornece às cidades dados, ferramentas e ideias necessários para reduzir os engarrafamentos no trânsito, tomar decisões inteligentes de planejamento urbano e melhorar a segurança nas estradas. É um ótimo exemplo de como é possível criar uma cultura de feedback que funciona.

Natalie escreve:

Como muitas organizações, a Miovision luta há anos para encontrar uma maneira de fazer com que a gestão de desempenho — mais especificamente, o feedback de desempenho — tenha propósito e ofereça perspectivas importantes para todo funcionário. Quando iniciamos essa jornada, implementamos formulários de desempenho extremamente detalhados, com sistemas de classificação por estrelas e listas de competências. Depois que o formulário foi criado acabamos recebendo 360 avaliações, que pareciam promover comportamentos passivo-agressivos e deixar os funcionários ansiosos com o que estava sendo dito sobre eles.

Os líderes das equipes e o pessoal de recursos humanos tiveram que policiar o programa para garantir que todos estavam participando. Para piorar a situação, os líderes não estavam preparados para ter conversas difíceis. O resultado é que eles começaram a evitar totalmente as conversas ou conduzi-las de forma insatisfatória. No geral, o programa não funcionava e nem acrescentava nenhum propósito ou valor para os funcionários. Ele também não estava cultivando nem promovendo os comportamentos que queríamos ver na empresa — comportamentos como confiança, vulnerabilidade, curiosidade, intenção positiva e autoconhecimento.

Depois de anos tentando encontrar um sistema de gestão de desempenho útil, decidimos parar com tudo aquilo e tomar uma atitude radical e vulnerável. Colocamos os funcionários no controle, com os líderes dando apoio, e fizemos com que o feedback e o crescimento passassem a ser responsabilidade de todos. Nosso objetivo era criar uma cultura de confiança construída por meio da troca de feedbacks corajosos, em que os funcionários acolhiam sua vulnerabilidade e pediam feedbacks para os colegas individualmente. Imaginamos uma cultura onde os funcionários tivessem a coragem e as habilidades para dizer coisas difíceis aos colegas, e onde os líderes enxergassem como a franqueza tem valor e como as conversas difíceis geram crescimento.

A implementação dessa abordagem foi um sucesso e agora faz parte da nossa cultura. Grande parte da visão e da inspiração por trás desse programa veio do programa Daring Leadership, de Brené, especialmente o nosso foco em feedbacks corajosos. Esse trabalho nos ensinou que um feedback sério requer chegar ao cerne das questões, usando o coração, e que precisávamos ensinar e incentivar as habilidades de vulnerabilidade. Continuamos treinando nossos funcionários e líderes para liderar com coragem e com o coração, e lhes ensinamos a dar e receber feedbacks com coragem. É assim que construímos uma cultura de confiança, curiosidade, intenção positiva e autoconhecimento, uma cultura que prospera.

Hoje, o que se vê na Miovision é um programa de gestão de desempenho em que os funcionários trocam feedbacks com seus colegas regularmente; onde nada é anônimo, conversas difíceis são a norma, e todo esse processo é executado pelos funcionários, inclusive de que forma eles desejam incorporar o feedback que recebem. Nós os encorajamos a acolherem o feedback e compartilharem com seus líderes o que aprenderam com os colegas, para que os líderes possam orientá-los. Realmente queremos que os funcionários assumam a responsabilidade pelo próprio desempenho e criem relacionamentos autênticos com os colegas enquanto cultivam um espírito de crescimento.

Um dos principais motivos para o sucesso de nosso programa é ensinarmos aos líderes e funcionários as características de um feedback corajoso. Oferecemos às equipes oficinas onde eles praticam como dar feedback uns aos outros em tempo real para ajudar a fortalecer suas habilidades de feedback. Como organização, é extremamente libertador ter funcionários que assumem a responsabilidade por seu próprio desempenho e feedback, e é incrivelmente poderoso quando você transforma seus líderes em orientadores competentes e preparados para conduzir conversas difíceis. Descobrimos que essa abordagem desenvolve e promove os comportamentos certos para todos os funcionários e incentiva todos a acolherem e se apoiarem em sua coragem.

CONHEÇA MEUS VALORES = SAIBA QUEM SOU. SEM VALORES = NÃO SOU EU

Compartilhar valores é uma maneira incrível de construir confiança e conexão nas equipes. Eu me orgulho de estar conectada com as pessoas que lidero. Mas, depois que passamos uma manhã com cada um compartilhando seus dois valores e algumas respostas às perguntas da última seção, percebi que não conhecemos as pessoas de verdade até pararmos para entender seus valores. Uma das minhas subordinadas diretas era relativamente nova e vinha tendo dificuldades em sentir que pertencia à nossa cultura. Tentei lidar com isso de várias maneiras, mas nada parecia realmente surtir efeito.

Durante nosso exercício de compartilhamento de valores, aprendi que um dos valores dela é a conexão. Ela identificou que um dos comportamentos que sustentam esse valor é estabelecer conexão com as pessoas, e não apenas se conectar aos colegas em questões de trabalho. Por exemplo, ir falar com as pessoas e dar um bom-dia pela manhã, ou saber como vai nossa vida fora do trabalho. Algo tão simples. Também adoro essas pequenas conexões, mas não tinha o hábito de fazer isso regularmente. Agora passei a fazer, e gosto disso tanto quanto ela. Fez uma grande diferença para ela e para o nosso relacionamento.

Outro exemplo de como compartilhar valores é capaz de fortalecer relacionamentos ocorreu com meu amigo Chaz. Para ser sincera, nós nos conhecemos há tanto tempo que eu não tinha mais certeza de que qualquer outra conexão seria possível. Mas, quando ele deixou o cargo de diretor financeiro de uma agência de publicidade de sucesso para vir trabalhar comigo, houve alguns momentos difíceis. Durante nosso exercício de valores, aprendi que um dos valores dele é a estabilidade financeira. Bem, você provavelmente está pensando: *Faz sentido — ele é o seu diretor financeiro e uma das pessoas de sua maior confiança.* Mas, sendo bem honesta, eu não fazia ideia. E, quando eu queria assumir grandes riscos ou fazer investimentos pesados em novos negócios, criei na minha cabeça a história de que ele estava se opondo e fazendo um milhão de perguntas porque ou não confiava em mim ou achava que o trabalho dele era me convencer a desistir das coisas. Quando eu soube que esse era o principal valor dele — e não apenas sua profissão — tive vontade de chorar. Naquele momento, isso se tornou uma das coisas que mais aprecio em Chaz. Confio tanto nele que me dá vontade de chorar só de escrever sobre isso. Nós não vemos as pessoas como elas realmente são até saber quais são seus valores.

Já fiz este exercício com grupos de liderança do mundo inteiro, e algumas pessoas que trabalhavam juntas por mais de vinte anos ficaram chocadas ao descobrir os valores dos colegas — ou, em muitos casos, dos amigos. No ano passado fizemos um ótimo exercício para encerrar o ano. Demos um livro para a empresa inteira ler e pedimos a cada equipe que fizesse uma apresentação de vinte minutos sobre a situação da equipe ao fim do ano, incorporando duas ou três lições tiradas do livro. A ação lembrava um trabalho pedido por um professor universitário — integrar e ensinar a outras pessoas é a melhor maneira de incorporar as lições de um livro. No início do evento, que durou dois dias, cada pessoa escreveu seus dois valores num grande pôster. No decorrer dos dois dias, todos nós escrevemos em cada pôster um dos motivos de gostarmos daquela pessoa e de que modo ela vivia de acordo com seus valores. Foi bem bonito. Tenho meu pôster até hoje. Está pendurado na parede do meu escritório como um lembrete.

O OPERACIONALIZADOR DE VALORES

Meu inovador preferido é o Dr. Heinz Doofenshmirtz. Nascido em Drusselstein, ele é o fundador da Doofenshmirtz Evil Incorporated, uma empresa comprometida em causar destruição e garantir que ele consiga comandar toda a Área dos Três Estados.

Se você ou seus filhos são fãs do desenho da Disney *Phineas e Ferb* (2007-2015, descanse em paz), você sabe de quem estou falando. Se não assiste ao desenho, deveria. Heinz Doofenshmirtz é uma das muitas personagens incríveis. O que mais gosto em Doofenshmirtz é que todas as invenções dele terminam com o sufixo *-inator*. Eis alguns exemplos ou uma pequena lista--inator para os não iniciados:

Pop-Up-inator — tenta vincular seus anúncios pop-up do mal em praticamente todo lugar na Área dos Três Estados.
Incubadora-inator de pássaro dodô — tenta criar um monstro-pássaro feroz para ajudá-lo a dominar a Área dos Três Estados.
Dessalinizador-inator — tenta dar cáries a todas as crianças da Área dos Três Estados.
Sopa-de-galinator — tenta falir uma delicatessen que se recusou a servi-lo.

Eu nunca tentaria competir com Doofenshmirtz, mas minha equipe e eu criamos um operacionalizador de valores. Muitas empresas com as quais

Viver de acordo com nossos valores | 217

trabalhamos nos pediram para ajudá-las a operacionalizar seus valores em comportamentos baseados em habilidades que possam ser ensinados, observados e avaliados. Não temos uma máquina com um funil gigante nem mesmo um algoritmo maneiro (ainda), mas temos um banco com várias centenas de comportamentos que levam a alguns dos valores organizacionais mais amplamente adotados.

Vou dar um exemplo da nossa organização. No Brené Brown Education and Research Group, procuramos viver de acordo com os seguintes valores:

Ser corajoso.
Servir ao trabalho.
Cuidar bem.

Cada um deles foi operacionalizado em comportamentos que todos nós somos responsáveis por demonstrar. Cada comportamento é avaliado numa escala Likert (5-1, de sempre a nunca) pelo funcionário e por seu gerente separadamente e, depois, comparado numa série de conversas individuais ao longo do ano. Nessas conversas, identificamos os pontos fortes e as oportunidades de crescimento, as áreas em que as pessoas precisam de orientação, e os lugares em que podem oferecer tutoria ou ajuda aos outros.

"Ser corajoso" está ligado ao trabalho de desenvolvimento de coragem apresentado neste livro. Eis um exemplo de três comportamentos que sustentam esse valor:

- Estabeleço limites claros com os outros.
- Encaro conversas, reuniões e decisões difíceis.
- Falo com as pessoas, não sobre elas.

"Servir ao trabalho" tem a ver com manejo responsável de recursos. Três desses comportamentos são:

- Assumo a responsabilidade pela experiência da nossa comunidade e dos consumidores.

- Sou responsável pela energia que levo para as situações, por isso me esforço para ser positivo.
- Assumo a responsabilidade de me adaptar ao ritmo acelerado desse ambiente.

"Cuidar bem" tem a ver com a maneira como cuidamos de nós mesmos e uns dos outros:

- Trato meus colegas com respeito e compaixão, respondendo quando necessário de maneira pontual e profissional.
- Pratico gratidão com minha equipe e meus colegas.
- Estou atento ao tempo das outras pessoas.

Podemos ver como esse processo pega valores elevados e subjetivos e os transforma em valores verdadeiros e realizáveis. *Transparência é gentileza. Falta de transparência é indelicadeza.*

Além de definir expectativas claras, o processo nos dá uma linguagem para ser usada por todos e uma cultura bem definida. Ele nos ajuda a determinar a adequação cultural durante a contratação e oferece padrões de comportamento muito diretos quando ocorrem problemas que não estão relacionados ao desempenho.

Valores operacionalizados também incentivam a tomada de decisões produtivas. Quando os valores não são claros, é fácil ficarmos paralisados — ou, o que é igualmente perigoso, ficarmos muito impulsivos. Valores operacionalizados levam ao que considero o ponto ideal de uma tomada de decisão: ponderada e resoluta.

Melinda Gates, que ao longo do livro compartilhou conosco algumas de suas experiências com a liderança corajosa, escreve:

> É muito mais fácil lidar com conflitos quando você é capaz de fazer sua equipe participar de uma conversa sobre valores. As pessoas, inclusive Bill e eu, podem se apegar a táticas específicas. Mas quando você é forçado a associar essas táticas a valores essenciais e depois explicá-los a outras pessoas,

torna-se mais capacitado a questionar suas próprias suposições e ajudar os outros a se questionarem também. Na fundação, nosso princípio essencial é a equidade. Então, quando discordamos sobre, digamos, se deveríamos gastar mais em desenvolver ferramentas imperfeitas para salvar vidas agora ou descobrir ferramentas melhores para salvar mais vidas depois, sempre podemos voltar e ver como cada uma dessas táticas se alinha ao nosso principal valor, a equidade.

A questão é que não existe uma resposta correta para nenhum desses debates. Cada lado tem seu mérito. Mas defender algo através da lente da equidade me oferece mais firmeza em relação ao que sinto e por que me sinto dessa maneira. Às vezes, seguimos uma direção diferente da que sugeri inicialmente, mas em geral isso não é um problema porque entendo como as outras pessoas veem suas preferências para promover a equidade. O foco nos valores gera um diálogo muito mais produtivo — e um sentimento de satisfação, de ser ouvido, a despeito das decisões a que chegamos ao fim dessas conversas.

A operacionalização dos valores também nos obriga a ser transparentes quanto às habilidades ou combinações de habilidades que sustentam os valores. Um ótimo exemplo disso é o valor de "suposição de intenção positiva". Esse valor é muito popular e é muito comum vê-lo sendo adotado em diversas organizações. Ele significa basicamente estender a interpretação mais generosa possível às intenções, palavras e ações dos outros.

Parece algo bastante simples, mas após estudar a intenção positiva por alguns anos, posso dizer que não se trata de um conjunto de habilidades fácil de aprender e praticar. Também posso dizer que nunca vi o conjunto de habilidades que sustenta a suposição de intenção positiva ser desenvolvido ou ensinado numa organização que a considere um valor. Qual é a habilidade fundamental necessária para supormos o melhor das pessoas? Definir e manter limites. Qual é a crença fundamental que sustenta a suposição de intenção positiva? Acreditar que as pessoas estão fazendo o melhor que podem. Veremos uma coisa de cada vez, mas de início já informo que a maioria das pessoas não têm as habilidades necessárias para estabelecer limites, e apenas cerca de 50% dos nossos entrevistados acreditam que as pessoas estão fazendo o melhor que podem. Então, como você pode perceber, é fácil escrever um valor no pôster da empresa, mas colocá-lo em prática é bem mais difícil. Primeiro, vamos analisar a definição de limites.

Aqueles que são mais generosos nas suposições que fazem dos outros são os que têm limites mais claros. As pessoas mais piedosas e generosas que entrevistei em toda a minha carreira são as melhores em definir seus limites. Pois descobri que nossa tendência é presumir o pior das intenções das pessoas quando elas não respeitam os nossos limites: é fácil acreditar que elas estão tentando nos decepcionar de propósito. Por outro lado, conseguimos ser bem mais clementes com quem reconhece e respeita o que está certo e o que está errado.

É por isso que muitas vezes se chama esse valor de **Living BIG** (de *boundaries, integrity* e *generosity*, que significa "viver com limites, integridade e generosidade"). A suposição de intenção positiva só é sustentável quando as pessoas se fazem a seguinte pergunta:

Quais limites precisam ser estabelecidos para que eu siga minha integridade e seja generosa nas minhas suposições quanto às intenções, palavras e ações dos outros?

Quando você tem um valor impresso em cartazes nas paredes da empresa mas não se aprofunda nos comportamentos que sustentam esse valor nem ensina esses comportamentos às pessoas, significa que você entrou no território do papo furado. E isso começa a desgastar a confiança.

Além dos limites, a suposição de intenção positiva tem base na crença essencial de que as pessoas estão fazendo o melhor que podem com os recursos que possuem, e não que são preguiçosas, desinteressadas e talvez estejam até mesmo tentando nos irritar de propósito. É claro que todos somos capazes de mudar e crescer, mas supor uma intenção positiva exige acreditar que as pessoas realmente estão tentando.

Passei anos pesquisando essa ideia. Quando perguntamos às pessoas se elas acreditam que todos estão fazendo o melhor que podem, a resposta é ou um enfático "Claro que não", vindo de indivíduos que são tão exigentes consigo mesmos quanto com os outros, ou um "Bem, realmente acredito que estão", quase se desculpando, vindo de pessoas que praticam mais a autocompaixão e a empatia. Acho que esse tom de desculpa ocorre porque elas sabem que sua opinião não é popular no mundo de hoje. Não existem muitos meios-termos entre essas duas respostas e, falando como alguém que já foi do tipo que diz "Claro que não", sinto informar que nos primeiros estudos as pessoas que categorizávamos como praticantes da plenitude sempre estavam no grupo do "Sim, as pessoas estão fazendo o melhor que podem"; já aquelas que tinham problemas com perfeccionismo, como eu, estavam no grupo do "Não, elas não estão dando seu melhor". Ao mudarmos o foco para a liderança corajosa, o padrão se manteve. Líderes corajosos partem do pressuposto de que as pessoas estão fazendo o melhor que podem; líderes que têm problemas de ego, usam armaduras e não dominam certas habilidades não presumem isso.

Em última análise, foi a resposta de Steve que me arrancou da minha convicção do "Claro que não". Quando perguntei se ele acreditava que as pessoas estão fazendo o melhor que podem com aquilo que possuem, ele disse: "Não acho que dê para saber ao certo. Mas sei que minha vida melhora quando parto do pressuposto de que todos estão fazendo o melhor que podem."

Em *Mais forte do que nunca*, compartilho o resultado de um exercício que às vezes faço com as pessoas. Quero falar desse exercício aqui com você porque ele esclarece muito bem essa questão. Para o exercício, pedimos que os participantes escrevam o nome de alguém que os deixe cheios de frustração, decepção e/ou ressentimento, e em seguida sugerimos a ideia de que essa pessoa está fazendo o melhor que pode. Tivemos todo tipo de reação. "Droga", disse um homem. "Se ele realmente está fazendo o melhor que pode, eu sou um babaca e preciso parar de persegui-lo e começar a ajudá-lo." Uma mulher falou: "Se isso for verdade, e minha mãe estiver fazendo o melhor que consegue, eu ficaria arrasada. Prefiro sentir raiva a ficar triste, então é mais fácil acreditar que ela está me decepcionando de propósito do que lamentar que minha mãe nunca será quem preciso que ela seja."

Pedir que os líderes respondam a essa pergunta é quase sempre bem difícil, pois eles rapidamente passam a acreditar que, se as pessoas estão fazendo o melhor que podem, eles não sabem como liderá-las. As estratégias de sempre pressionar e tiranizar precisa dar lugar à difícil tarefa de ensinar à equipe, rever quais habilidades cada integrante precisa desenvolver, realocá-los ou demiti-los.

Por mais louco que pareça, muitos preferem continuar ressentidos, decepcionados e frustrados por acreditarem que as pessoas não estão se esforçando a encarar uma conversa difícil sobre deficiências reais. Uma das respostas mais profundas que vi nesse exercício surgiu num grupo focal que fiz com alguns líderes na Academia Militar de West Point. Um oficial me pressionou um pouco sobre "a precisão das informações" e perguntou:

— Você tem 100% de certeza de que essa pessoa está fazendo o melhor que pode?

Depois que respondi que sim duas ou três vezes, o oficial respirou fundo e disse:

— Então preciso tirar a pedra.

Fiquei confusa:

— O que você quer dizer com "tirar a pedra"?

Ele abanou a cabeça.

— Tenho que parar de chutar a pedra. Preciso tirá-la. Ela está machucando a mim e a ele. Ele não é a pessoa certa para esse cargo, e pressionar e ficar em cima dele nunca vai mudar isso. Ele precisa ser realocado para uma função em que possa contribuir.

Supor a intenção positiva não significa que vamos parar de ajudar as pessoas a estabelecer metas ou que não vamos mais esperar que elas cresçam e mudem. É um compromisso de parar de respeitar e avaliar as pessoas com base somente no que achamos que elas devem alcançar, e começar a respeitá-las por quem elas são, fazendo com que se responsabilizem pelo que estão de fato fazendo. E, quando estamos sobrecarregados e enfrentando dificuldades, isso significa também pressupor o melhor a nosso respeito: *Estou fazendo o melhor que posso agora.*

Os comportamentos e as habilidades por trás de valores aparentemente simples nem sempre são tão complexos quanto os que sustentam a intenção positiva; no entanto, quase sempre eles são mais complexos do que imaginamos. Se queremos nos orientar por nossos valores, temos que operacionalizá-los em comportamentos e habilidades que podem ser ensinados e observados. E precisamos realizar o difícil trabalho de fazer com que nós mesmos e os outros assumamos a responsabilidade de agir de maneira alinhada a esses valores.

Na próxima parte, você vai ver o operacionalizador em ação mais uma vez ao esmiuçarmos o conceito de confiança. Por enquanto, é importante lembrar que não existem garantias na arena. Nós vamos enfrentar dificuldades. E até fracassaremos. Vamos passar por momentos sombrios. Mas se soubermos muito bem quais são os valores que guiam nosso empenho para nos mostrarmos e sermos vistos, sempre seremos capazes de encontrar a luz. E saberemos o que significa viver com coragem.

parte três

CONFRONTAR PARA CONFIAR

Integridade é escolher coragem em vez de conforto;

É ESCOLHER O QUE É CERTO EM VEZ DO QUE É DIVERTIDO, RÁPIDO OU FÁCIL; E É PÔR SEUS VALORES EM PRÁTICA, E NÃO APENAS DECLARÁ-LOS.

Já vi a palavra confiança converter uma pessoa amável num Transformer em questão de segundos. O menor sinal de que alguém está questionando nossa idoneidade é suficiente para dar início ao bloqueio total da nossa vulnerabilidade. Quase dá para ver o processo acontecendo: escudos armados? Confere. Armadura? Confere. Coração fechado? Confere. Defesas ativadas? Confere.

Quando nos fechamos, não conseguimos ouvir ou processar nada do que nos dizem, pois fomos dominados pelo sistema límbico e estamos no modo de sobrevivência emocional. Todos nós queremos acreditar que somos confiáveis, embora, ironicamente, muitos tenhamos dificuldade para confiar nos outros. A maioria das pessoas acredita que é totalmente confiável, e, no entanto, confia em apenas alguns poucos colegas de trabalho. A conta simplesmente não fecha, porque acreditar que somos confiáveis e sermos vistos pelos outros como confiáveis são duas coisas diferentes.

As definições de Charles Feltman para confiança e desconfiança se alinham completamente à maneira como os participantes de nossa pesquisa falaram sobre confiança. Em *The Thin Book of Trust*, Feltman define confiança como "escolher o risco de deixar vulnerável às ações de outra pessoa algo que você valoriza". E descreve desconfiança como decidir que "o que é importante para mim não está seguro com essa pessoa nessa situação (ou em qualquer situação)."

A simples leitura dessas definições já nos ajuda a entender por que podemos entrar no modo Transformer quando falamos de confiança. Seria horrível ouvir alguém dizer "Brené, o que é importante para mim não está seguro com você nessa situação, ou, para dizer a verdade, em qualquer situação". Seria péssimo, porque, sendo verdade ou não, isso ameaça o modo como eu me vejo numa das dimensões mais importantes de uma espécie social como a nossa. Sem confiança não há conexão.

Como falar sobre confiança é uma tarefa difícil e essas conversas têm todo o potencial para dar errado rapidamente, muitas vezes evitamos esse confronto. E isso é ainda mais perigoso. Primeiro porque quando estamos enfrentando problemas de confiança e não temos as ferramentas ou habilidades necessárias para conversar sobre diretamente com a pessoa envolvida, acabamos falando *sobre* as pessoas em vez de falar *com* elas. Isso também faz com que desperdicemos muita energia tentando ziguezaguear. Esses dois problemas são considerados grandes violações de valores na nossa organização, e aposto que também vão contra a maior parte dos nossos valores pessoais.

Em segundo lugar, a confiança é a cola que mantém as equipes e as organizações unidas. Ignorar problemas de confiança prejudica o nosso próprio desempenho e o sucesso da nossa equipe e da organização. E existem muitas pesquisas que confirmam essa afirmação.

Num artigo da *Harvard Business Review* escrito por Stephen M. R. Covey e Douglas R. Conant — dois líderes que moldaram o modo como procuro encarar a minha própria liderança —, os autores descreveram como a "confiança inspiradora" era a principal missão de Douglas nos dez anos em que foi responsável pela impressionante guinada da Campbell Soup Company. Eles citam informações retiradas da lista anual das "100 Melhores Empresas para se Trabalhar", em que a pesquisa da *Fortune* mostrou que "a confiança entre gestores e funcionários é a principal característica que define os melhores locais de trabalho" e que empresas com altos níveis de confiança "superam os retornos médios anuais do índice Standard & Poor's 500 em três vezes".

Minha parte favorita desse artigo é o seguinte trecho:

Embora poucos líderes contestem a ideia de que confiança é algo necessário para se chegar a um desempenho superior, são poucos os que percebem o peso dessa importância, e muitos menosprezam o desenvolvimento de confiança tratando-a como uma competência "fácil" ou "secundária". Mas, em nossas experiências somadas, aprendemos que a confiança é aquele elemento que muda tudo. Não é algo que seria bom ter; é algo que é necessário ter. Sem ela, todas as partes da sua organização podem, de fato, ruir até ficar em condições precárias. Com confiança, tudo é possível, inclusive o mais importante: aprimoramento contínuo e resultados de mercado tangíveis, mensuráveis e sustentáveis.

Confie em discussões que conseguimos de fato ouvir

Então, se a confiança é algo necessário, e muitos líderes experimentam as conversas sobre confiança como algo a ser evitado, qual é a solução?

Seja específico. Em vez de promovermos um confronto genérico sobre credibilidade e usarmos a palavra *confiança*, precisamos apontar os comportamentos específicos. Precisamos ser capazes de identificar exatamente onde está a falha e falar sobre ela. Quanto mais específica a conversa, maiores as chances de as pessoas nos ouvirem, de conseguirmos dar um feedback sobre comportamentos e evitar falar em caráter, e de encorajarmos uma mudança real.

Imagine que meu chefe, Javier, peça que eu vá à sala dele e diga: "Sei que está muito decepcionada por não ter conseguido a promoção. Existem algumas questões de confiança atrapalhando seu avanço para um cargo mais sênior."

Uma afirmação dessas tem grande potencial de despertar em mim medo, uma postura defensiva e, provavelmente, vergonha. Seria muito provável que ela fizesse ruir qualquer tipo de confiança que tivéssemos construído. *Como e por que só estou ouvindo sobre o que parece ser um problema de caráter depois que perdi a promoção?* Uso esse exemplo porque ele acontece todos os dias. Temos tanto medo de falar sobre confiança que os membros da nossa equipe sequer sabem que isso é um problema até que haja consequências irreversíveis. É completamente desanimador.

Em nossas pesquisas sobre confiança, começamos fazendo uma pergunta muito interessante que queríamos esclarecer: *Do que estamos de fato falando quando falamos de confiança?* E se pudéssemos determinar a anatomia dessa palavra tão provocadora — os elementos que a definem — de modo que, quando Javier me ligasse para explicar por que não recebi a promoção, ele pudesse me fornecer algumas estratégias para mudar o que é problemático? E, ainda melhor, ele poderia me ligar antes da decisão e dizer: "Esses são alguns comportamentos específicos que precisam mudar se você quiser ser considerada para aquela vaga sênior. Vamos traçar um plano."

Para chegar ao que seria específico, nossa equipe se debruçou sobre o tema e identificou sete comportamentos que compõem a anatomia da confiança. *Obrigada mais uma vez por esse operacionalizador.* Inventei uma sigla — BRAVING, acrônimo formado por *boundaries, reliability, accountability, vault, integrity, nonjudgement, generosity* [limites, confiabilidade, responsabilização, sigilo, integridade, não julgamento, generosidade e significa "confrontar"] — para os comportamentos que definem a confiança. Acho que é um bom nome para a lista porque nos lembra que a confiança é um processo que envolve vulnerabilidade e coragem.

A lista BRAVING

Existe um ditado da tribo Asaro, na Papua-Nova Guiné, que eu adoro: "O conhecimento não passa de rumor até que esteja nos ossos." A única maneira que conheço de adquirir conhecimento até os nossos ossos é praticar, fazer tudo errado, aprender mais, repetir. A lista BRAVING é, antes de tudo, uma ferramenta de confronto — um guia de diálogos para usar com colegas, que nos ensina a passar por essa conversa munidos de curiosidade, aprendizados e, por fim, construção de confiança. No momento, estamos desenvolvendo uma avaliação de confiança para equipes e um instrumento que permite medir seu nível individual de confiabilidade com base nos sete comportamentos. Você pode visitar a plataforma de *Coragem para liderar* em brenebrown.com [em inglês] para obter mais informações.

Usamos a lista com nossos colegas de uma forma semelhante ao modo como falamos sobre valores. Cada pessoa preenche a lista BRAVING separadamente, depois se reúne individualmente para discutir onde as experiências se alinham e onde elas diferem. É um processo relacional que, quando praticado de forma adequada e dentro de um ambiente seguro, transforma relacionamentos.

Vamos analisar os sete elementos. Alguns são muito simples, mas outros necessitam de algumas considerações, o que farei após a lista.

Limites: Você respeita os meus limites e, quando não tem clareza sobre o que é adequado e o que não é, você pergunta. Está disposto a dizer não.

Confiabilidade: Você faz o que diz que vai fazer. No trabalho, isso significa estar ciente de suas competências e limitações, para que não prometa mais do que pode e seja capaz de cumprir e equilibrar as prioridades concorrentes.

Responsabilização: Você assume seus erros, pede desculpas e repara os danos.

Sigilo: Você não compartilha com os outros informações ou experiências que não deve. Preciso saber que minhas confidências estão sendo mantidas em segredo e que você não está compartilhando comigo nenhuma informação sobre outras pessoas que deveria ser confidencial.

Integridade: Você escolhe coragem em vez de conforto. Escolhe o que é certo em vez do que é divertido, rápido ou fácil. E escolhe pôr seus valores em prática, e não apenas declará-los.

Não julgamento: Posso pedir aquilo de que preciso, e você pode pedir aquilo de que precisa. Podemos falar sobre como nos sentimos sem julgamentos. Podemos pedir ajuda um ao outro sem julgamentos.

Generosidade: Você dá a interpretação mais generosa possível às intenções, palavras e ações dos outros.

Considerações sobre o *sigilo*: As sutilezas da confidencialidade foram um dos meus maiores aprendizados. Retomemos a conversa sobre confiança com Javier, que me negou a promoção. Em vez de dizer "Existem algumas questões de confiança", ele fala "existem algumas questões de confidencialidade".

Fico chocada. Olho para Javier e respondo: "Nós trocamos muitas informações confidenciais aqui, e nunca levei para fora desta sala nenhuma informação que você tenha me revelado."

Ele meneia a cabeça e responde: "Acredito em você, mas você muitas vezes vem a esta sala e compartilha comigo informações que não deve."

Muitos se esquecem desse lado da confidencialidade. Quantos de vocês já passaram por essa experiência em que alguém não trai a sua confiança, mas constantemente lhe conta coisas que não deveria contar? Quando essa pessoa sai da sua sala, você confia menos nela? Mesmo não tendo nenhuma prova de que ela já quebrou a minha confiança, acabo ficando cética quanto à capacidade dessa pessoa de guardar informações que não lhe pertencem sem se sentir compelida a revelá-las.

Quando se trata de segredos, é fácil entender nossa impulsividade — muitos acreditam no mito de que fazer fofoca ou contar segredos desperta uma conexão. Mas isso não acontece. Quando entro na sala de um colega de trabalho e revelo algo, pode haver um momento de conexão ali na hora, mas é uma falsa conexão. No instante em que deixo a sala, esse colega provavelmente pensa: "Devo ter cuidado com o que digo a Brené; ela não respeita limites."

Considerações sobre a *integridade*: A palavra *integridade* pode estar batida, banalizada e ter aparecido demais em pôsteres motivacionais com fotos de águias, mas isso não torna o conceito menos importante. Quando fiz minha pesquisa para o livro *Mais forte do que nunca*, procurei uma definição de integridade que refletisse o que estávamos vendo nos dados. Nada captava todas as três propriedades que estavam surgindo dos dados, então desenvolvi essa definição:

Integridade é escolher coragem em vez de conforto; é escolher o que é certo em vez do que é divertido, rápido ou fácil; e é pôr seus valores em prática, e não apenas declará-los.

Na cultura de hoje, divertida, rápida e fácil, esse é o maior obstáculo à integridade. É fácil justificar atalhos com a desculpa da conveniência ou do custo. Mas a integridade não funciona assim. Posso afirmar com segurança que nunca fiz nada de significativo na minha vida que não tenha sido difícil e que não tenha levado tempo. A integridade é coisa séria — a mera percepção da falta de integridade, ou mesmo de uma tendência a se usar atalhos para obter as coisas, desperta a nossa desconfiança na mesma hora.

Uma das melhores ferramentas para colocar em prática essas novas habilidades e ferramentas é encontrar um **parceiro de integridade** — alguém do trabalho que podemos consultar para garantir que estamos agindo com integridade. Deve ser alguém com quem podemos conversar quando estamos em dúvida sobre como agimos numa conversa recente ou se quisermos ensaiar uma conversa difícil. Tenho dois parceiros de integridade no trabalho, e nós ensaiamos, retomamos as conversas e praticamos juntos diariamente. Construir coragem com um parceiro ou em equipe tem bem mais força do que fazer isso sozinho.

Considerações sobre o *não julgamento*: Este elemento é difícil. O desejo de julgar é grande na maioria das pessoas. O curioso é que, do ponto de vista da pesquisa, é possível quantificá-lo: existem duas variáveis que preveem quando e a quem julgamos. Normalmente, escolhemos alguém que está se saindo pior do que nós numa área que nos deixa mais suscetíveis à vergonha: *Olhe só para ele. Posso ser péssimo, mas ele é ainda pior.* É por isso também que criar filhos é como um campo minado de julgamento. Todos nós fazemos besteira na criação dos nossos filhos, o tempo todo — é um alívio ver alguém numa situação ainda pior, mesmo que seja só por cinco minutos.

Voltando àquele filtro da suscetibilidade à vergonha, quando se trata de trabalho temos medo de ser julgados por alguma falta de conhecimento ou de entendimento. Odiamos pedir ajuda. Mas é aí que a coisa não faz sentido. Pedimos a milhares de líderes que listassem os comportamentos que merecem ganhar bolinhas de gude — o que os membros da sua equipe fazem que conquista a sua confiança? A resposta mais comum: pedir ajuda. Em relação às pessoas que não costumam pedir ajuda, os líderes que entrevistamos explicaram que não delegariam a elas tarefas importantes por não acreditarem que elas levantariam a mão para pedir ajuda. Uau.

Quando nos recusamos a pedir ajuda, acabamos descobrindo que os líderes só nos delegam os mesmos projetos que eles sabem que somos capazes de fazer. Não recebemos nenhum trabalho que possa ampliar a nossa capacidade ou nosso conjunto de habilidades, pois eles não acreditam que pediremos alguma ajuda se não conseguirmos dar conta. Dentro da minha própria equipe, vejo isso acontecer o tempo todo: aos membros da equipe em que mais confio delego os projetos importantes simplesmente porque sei que, se eles ficarem empacados, se não entenderem algo, se for trabalho demais ou se aquilo não fizer sentido, eles vão me procurar — isso me deixa mais segura em delegar. Não só as coisas não vão chegar muito longe se saírem do planejado, mas o membro da equipe que reconhece a necessidade de ajuda também me dá a oportunidade de entrar no jogo e orientá-lo. Não tem nada a ver com inteligência, competência ou talento natural; tem a ver com uma relação de confiança.

Quando você assume uma postura sem julgamentos — posso pedir as coisas de que preciso, e você pode pedir aquilo de que precisa —, nós passamos a poder falar sobre como nos sentimos sem medo de ser julgados. Quando começo a sentir aquela presunção do julgamento surgir em mim, na mesma hora penso: "Qual é a sua insegurança, Brené?"

Pedir ajuda é uma atitude de poder. Um sinal de que se é forte o suficiente para pedir e para combater a vontade de julgar quando outras pessoas levantam a mão. Mostra um autoconhecimento essencial para confrontarmos a confiança.

Um exemplo de *generosidade*: Na parte anterior, falamos sobre o Living BIG e por que a generosidade exige limites:

Quais limites precisam ser estabelecidos para que eu siga minha integridade e seja generosa nas minhas suposições das intenções, palavras e ações dos outros?

Para complementar esse conceito, quero contar aqui uma história de Dara Schmidt, diretora da Cedar Rapids Library.

Dara escreve:

> A liderança corajosa mudou a forma como trabalho com minha equipe. Me ajudou a ser uma ouvinte melhor e me deu as ferramentas para ser corajosa o suficiente para lidar com as coisas que são sempre mais fáceis de evitar. Escolher o que é certo em vez do que é fácil se tornou meu mantra.
>
> Todo o trabalho acaba levando de volta ao autoconhecimento e à responsabilidade individual. Saber quem sou e o que faço me torna corajosa o suficiente para fazer "o que é certo", o que inclui confrontar padrões improdutivos que desenvolvi como reação a problemas institucionais de longa data. No final, aceitar a responsabilidade individual foi o que me deu coragem para mudar.
>
> Meu maior problema como líder era que às vezes as pessoas me deixavam louca. Era como se estivessem me ignorando de propósito. Então eu reagia me impondo e falando mais alto para conseguir ser ouvida. Quando descobri o que significa pressupor intenções positivas e estabelecer limites, tudo mudou.
>
> Tive que aceitar o fato de que, quando eu presumia algo negativo, a culpa era minha, e não dos outros. Quando parei para examinar os momentos em que eu presumia uma intenção negativa das pessoas, percebi que eram épocas em que eu ou a organização não definíamos os limites nem dávamos as orientações adequadamente. Aprendi a reconhecer o "me deixar louca" ou "me sentir frustrada" como grandes sinais de alerta para os meus próprios comportamentos. Agora, quando começo a ficar negativa, eu paro. Respiro, reflito e me mantenho com a minha integridade. Quando estou pronta para responder em vez de ter uma reação emotiva, antes me questiono se o problema sou eu.
>
> Quando ofereço expectativas claras e estabeleço limites, o desempenho das pessoas é admirável. Não é difícil presumir intenções positivas quando faço a minha parte para preparar as pessoas para se saírem bem. Me tornei uma líder melhor e uma pessoa melhor para isso.

PONDO A LISTA BRAVING EM PRÁTICA

Vamos começar vendo o exemplo real de um líder que usa a lista com sua equipe:

> Recentemente, me reuni com um subordinado direto para repassar a lista BRAVING e falar sobre os pontos fortes e as áreas que precisam ser desenvolvidas na nossa relação profissional. Quando chegamos à confiabilidade, surgiu uma questão sobre como eu costumava chegar atrasado nas nossas reuniões ou precisava adiá-las por causa de reuniões com nossa equipe executiva que se estendiam ou telefonemas de última hora. Isso fazia meu colega de equipe achar que eu não priorizava meu tempo com ele. Elaboramos juntos um plano para resolver esse problema, aumentando o tempo entre as reuniões para que eu possa chegar na hora certa e melhorando nossa comunicação sobre como lidamos com as mudanças nas reuniões quando minha agenda muda. Saímos da sala nos sentindo comprometidos com uma nova forma de trabalhar juntos, e isso gerou uma maior confiança entre nós. Não acho que essa questão teria surgido se não tivéssemos a lista BRAVING para nos orientar na identificação de problemas e não tivéssemos tempo para nos envolver nesse processo. Sem uma ferramenta e sem investir certo tempo, as coisas começam a ruir e dão errado nas equipes antes que você perceba.

Também incentivamos as equipes a trabalharem juntas a fim de desenvolver um ou dois comportamentos observáveis para cada um dos sete elementos. Esses comportamentos podem ser específicos para o seu estilo de trabalhar e para a sua cultura. Eles devem refletir como a sua equipe deseja operacionalizar esse elemento específico, e cada comportamento deve ser algo que você está disposto a fazer, a assumir como sua responsabilidade e a pedir que os outros assumam como responsabilidade deles.

Informamos às equipes que as pessoas podem preencher a planilha da lista BRAVING (disponível on-line) individualmente e depois compartilhar as respostas enquanto você cria a planilha de expectativas da equipe, ou então a equipe pode partir direto para a criação da planilha da equipe. As duas formas funcionam. Esse é um ótimo exemplo de como construir a confiança e ao mesmo tempo operacionalizá-las.

Além disso, retomando a história do pote de bolinhas de gude e a pesquisa que descobriu que a confiança se conquista nos pequenos momentos, especificar os sete elementos da lista BRAVING nos ajuda a identificar como e quais pequenos momentos de construção da confiança evoluem até formar cada elemento da confiança.

Existe nas organizações uma tendência terrível de os líderes se virarem para suas equipes, ou para os investidores ou a diretoria, e dizerem "Vocês precisam confiar em mim". Normalmente, isso acontece em momentos de crise, quando já é tarde demais. A confiança surge do acúmulo de pequenos momentos que acontecem com o passar do tempo, algo que não pode ser exigido com um comando — ou há bolinhas de gude dentro do pote ou não há.

Nós não ganhamos a confiança quando exigimos dizendo "Confie em mim!". Nós ganhamos quando falamos "Como está indo a quimioterapia da sua mãe?" ou "Tenho pensado muito sobre o que você pediu, e quero entender melhor e chegar a uma conclusão junto com você". Mesmo quando você faz todo o esforço para construir uma base sólida de confiança, e já utilizou a lista BRAVING com seus colegas, a confiança continua sendo um processo vivo que requer atenção constante. E, se você não tiver investido nisso e não houver nada substancial que sustente a confiança, não é possível dar um jeitinho. Não dá para estabelecer a confiança em dois dias quando estamos no meio de uma crise organizacional; ou ela já existe ou não existe.

Adoro este relato que Melinda Gates deu sobre o pote de bolinhas de gude e o processo BRAVING:

> Depois que você me ensinou sua metáfora sobre as bolinhas de gude dentro de um pote, eu a adotei como meu modelo para pensar em confiança. Todo pequeno gesto meu em apoio a um colega representa uma bola de gude dentro do pote. Mas toda vez que prejudico um colega — sempre que traio sua confiança —, um punhado de bolinhas são tiradas de dentro do pote. Pensar

dessa maneira me deixa mais consciente das coisas que parecem pequenas mas levam à construção da confiança e também das pequenas coisas que podem acabar com ela.

Os sete elementos da lista BRAVING me ajudaram a refletir com mais clareza sobre quais são essas pequenas coisas. Por exemplo, meu foco é a integridade, fazer com que minhas ações correspondam às minhas palavras. A fundação é uma organização orientada por valores. Se me comporto de forma coerente com o que afirmamos valorizar — se trato as pessoas da mesma forma, se acolho os diálogos abertos —, coloco bolinhas dentro do pote. Mas, se eu não ajo de acordo com esses valores — se sou resistente a ideias inovadoras por medo do risco, por exemplo —, tiro muitas bolinhas de gude. Também procuro focar na responsabilização. Como líder da organização, não há muitas estruturas para me ajudar a assumir as responsabilidades. Não tenho reuniões regulares com meu chefe. Por isso, preciso ter muito cuidado em ser minha própria chefe, em me questionar sobre como estou me saindo e em assumir o que eu estiver fazendo de errado.

Repito, a intenção da lista BRAVING é ser uma ferramenta que nos ajude a arrumar tempo e criar a vontade de falar sobre confiança de maneira produtiva e que possa ser posta em prática. É uma ferramenta de confronto, um guia e um teste.

Os princípios da autoconfiança

Embora a confiança seja algo inerente às relações e fique mais evidente ao ser praticada com outras pessoas, a essência da confiança nos outros na verdade se baseia na nossa capacidade de confiar em nós mesmos. Infelizmente, a autoconfiança é uma das primeiras coisas que perdemos quando fracassamos ou vivemos decepções ou percalços. Conscientes ou não, quando estamos ali caídos na arena nos perguntando como foi que terminamos derrotados, muitas vezes nos ocorre o seguinte pensamento: "Não confio mais em mim." Presumimos que provavelmente tomamos uma decisão ruim e, por isso, é uma ilusão pensar que podemos realizar o trabalho.

Pense numa ocasião em que você sofreu um contratempo ou uma decepção — algo pequeno, não um fracasso gritante que pode ter outros problemas por trás. Em vez disso, pense num momento em que você encontrou um obstáculo, e essa pedra no seu caminho o levou a questionar sua capacidade de contar consigo mesmo para realizar algo que você sabe que é importante. Todos nós passamos por esses momentos. Continue com essa lembrança em mente e pense nos elementos da lista BRAVING, recontextualizando-os agora com foco na autoconfiança.

Limites: Respeitei meus próprios limites nessa situação? Fui claro comigo mesmo e com os outros sobre o que era adequado e o que não era?

Confiabilidade: Pude contar comigo mesmo? Ou o meu diálogo interno foi algo como: "Brené, você define essas intenções às sete da manhã, assim que acorda. Preciso que a Brené exausta das quatro da tarde cuide de todas essas coisas com a mesma paixão que você tinha pela manhã."?

Responsabilização: Assumi minha responsabilidade ou culpei os outros? E fiz com que os outros se responsabilizassem quando foi necessário?

Sigilo: Respeitei o sigilo e compartilhei, ou não compartilhei, informações de forma apropriada? Impedi outras pessoas de revelarem informações inadequadas?

Integridade: Escolhi coragem em vez de conforto? Coloquei meus valores em prática? Fiz o que achava certo, ou optei pelo que era rápido e fácil?

Não julgamento: Pedi ajuda quando precisei? Julguei-me por precisar de ajuda? Pratiquei o não julgamento comigo mesmo?

Generosidade: Fui generoso comigo mesmo? Agi com autocompaixão? Falei comigo com gentileza e respeito, como com alguém que amo? Quando fiz algo errado, disse a mim mesmo "Você fez o seu melhor. Fez o que podia com os recursos que tinha naquele momento. Vamos consertar as coisas, vai ficar tudo bem" ou ignorei meu amor-próprio e parti direto para a censura?

Você é quem controla seu relacionamento com a autoconfiança, e você pode se responsabilizar por aquilo em que estiver falhando. Isso nem sempre é possível quando aplicamos a lista BRAVING em relação a outra pessoa e a falta de confiança pode não ficar clara pela ambiguidade da intenção. Quando estamos lidando com nós mesmos, é muito mais fácil identificar os pontos em que precisamos trabalhar.

Ao começar a cuidar daquilo que precisa ser aperfeiçoado, lembre-se de um dos conceitos fundamentais desta parte: A confiança é construída nos pequenos momentos. Se tiver dificuldades com a credibilidade, faça para si mesmo promessas pequenas e possíveis que sejam fáceis de cumprir, até conseguir reconquistar toda a sua credibilidade. Se tiver problemas com os limites, estabeleça limites pequenos com seu parceiro — por exemplo, não se responsabilizar tanto por cozinhar quanto por lavar a louça do jantar — até que você já tenha se tornado perito em definir limites de uma maneira mais adequada. É assim que você consegue encher o seu próprio pote de bolinhas de gude. E nunca se esqueça: não podemos dar às pessoas algo que não temos.

Para encerrar esta parte, trago uma história de Brent Ladd, que é diretor educacional da Purdue University num projeto da National Science Foundation. É uma história poderosa no limite entre confrontar a confiança com os outros e com nós mesmos.

Brent escreve:

> Trabalho no setor administrativo de uma grande universidade de pesquisa. Muitas vezes me sinto numa "terra de ninguém", pois meus esforços se sobrepõem a várias categorias de pessoas, desde pesquisadores a professores e diretores. Embora já tenha desempenhado vários papéis no meu cargo, tenho tendência a trabalhar de forma independente — quase como um empreiteiro que atua sozinho. Sou introvertido, tenho uma ética profissional bastante puritana e minha origem rural me ensinou que um homem de sucesso não pede ajuda, faz as coisas ele mesmo.
>
> Durante o trabalho de liderança com ousadia, tudo isso ficou flagrantemente claro, conforme fui tomando consciência de que eu não estava fazendo muita coisa para construir relacionamentos positivos no local de trabalho. Comecei a ver que a maneira como eu buscava resultados provavelmente fazia as outras pessoas da equipe pensarem que eu não confiava nada nelas. Também tenho uma tendência ao perfeccionismo, e acabei percebendo que julgava o trabalho dos outros com rigidez — ainda que não comentasse quase

nada com ninguém, era algo público e notório. Cheguei a ir além da minha função algumas vezes, mesmo sem perceber, para "ajudar" os outros a fazerem seu trabalho melhor — dá pra acreditar? Notar isso serviu como um grande alerta para mim.

Eu me comprometi a começar a desenvolver confiança e conexão com as pessoas com quem eu trabalhava todos os dias, interagindo com elas num nível mais pessoal por alguns minutos: perguntava uma coisa ou outra e demonstrava interesse genuíno em suas vidas pessoais ou em detalhes que elas queriam contar. Sou um bom ouvinte e em geral consigo participar de uma conversa. No início foi um pouco estranho para mim e também não foi fácil. Costumo evitar contatos pessoais — e tentava separar o trabalho do "resto da minha vida". Com o tempo, essas interações se tornaram mais fáceis. Tornou-se uma prioridade para mim interagir com todo mundo no escritório pelo máximo de tempo que parecesse apropriado. Comecei a "agir" como um colega. Passei a ver meus colegas de trabalho menos como adversários ou incompetentes. Comecei a ver todos como pessoas que estavam fazendo o melhor que podiam, exatamente como eu. Nos últimos meses, a confiança e a conexão cresceram. Tenho uma sensação maior de pertencer a uma equipe e com isso comecei a participar mais do trabalho em conjunto com as outras pessoas.

Em paralelo com esse empenho para construir um relacionamento com os colegas de trabalho comecei a me tornar consciente de um medo que eu guardava havia alguns anos — uma "caverna onde eu não queria entrar", mas agora sabia que precisava. Eis o que antecedeu isso: anos antes, eu tinha começado meu doutorado. Era meu sonho concluí-lo, mas infelizmente tudo que podia dar errado deu errado. Acabei abandonando o programa, me divorciando, me afastando do mundo por um tempo e voltando para a casa dos meus pais; por fim, casei-me de novo e comecei uma família. Tentei retomar minha pesquisa de doutorado num certo momento, mas por fim o abandonei de novo para me dedicar aos meus filhos, à minha esposa e ao meu trabalho em tempo integral.

Levei comigo o sentimento de "não sou o suficiente" por não ter concluído o doutorado. Agora vamos avançar para alguns meses atrás, quando acompanhei e analisei os dados de um projeto educacional já com sete anos que eu havia projetado e implementado. Eu tinha descoberto alguns padrões e resultados muito interessantes. Alguns desses resultados são escassos ou inexistentes na literatura. Por vários anos eu hesitara em levar esse tipo de trabalho a um congresso profissional e apresentá-lo à comunidade científica. Aquela voz dentro de mim ficava dizendo "Você não pertence a esse grupo, você não tem doutorado, não vão levá-lo a sério" e me impedia de seguir em frente. Mesmo assim, tomei a decisão de inscrever aquele trabalho de pesquisa que eu havia realizado tão meticulosamente num congresso. Meu projeto foi selecionado e fui para um congresso onde não conhecia uma única alma. Eu era um desconhecido. No entanto, experimentei um sentimento de aceitação — que esse podia ser o "meu pessoal", "minha tribo". O resultado foi que meu trabalho foi levado a sério e fui tratado com interesse genuíno por outras pessoas dessa comunidade científica.

Outro resultado positivo dessa decisão foi que, para que eu pudesse viajar e participar desse congresso, tive que me desapegar de algo que eu vinha controlando de perto nos últimos sete anos: eu tinha organizado e criado, do início ao fim, um workshop anual de grande sucesso. Cada pequeno detalhe dele estava "sob meu controle". O workshop tinha sido originalmente agendado para a mesma semana do congresso no qual eu queria apresentar o resultado das minhas pesquisas. Procurei meus colegas de trabalho, uma em particular, e perguntei se ela consideraria presidir o workshop comigo. Eu disse que poderíamos mudar uma parte maior do workshop para integrar algumas das ideias dela. Embora já tivéssemos competido antes, trabalhamos muito bem juntos, aprendi muito com ela, e ela aprendeu muito realizando o workshop na minha ausência. Nós dois ganhamos o respeito um do outro e nos sentimos como uma equipe depois disso. Nós construímos confiança.

Com toda essa experiência que vivi nos últimos seis meses, passei a perceber algumas coisas importantes. Fui até lá, me expus e entrei na caverna. Tudo isso só foi possível porque me expus e fiquei vulnerável. Nunca teria conseguido fazer isso agindo como um lobo solitário. Eu me apresentei e fui autêntico. Pedi ajuda e criei vínculos. Compartilhei algo com os outros. Percebi que faço parte de uma comunidade científica mais ampla e que sou suficiente. Não preciso atribuir meu valor pessoal àquilo que produzo. Possuo um conjunto único de experiências e conhecimentos, e posso fazer contribuições sendo parte de uma equipe.

Não é possível superestimar a relação entre a autoconfiança e a confiança nos outros. Como afirmou Maya Angelou: "Não confio em pessoas que não amam a si mesmas e ainda me dizem 'Eu te amo'. Há um provérbio africano que diz: "Tenha cuidado quando uma pessoa nua lhe oferece uma camisa."

parte quatro

APRENDER A SE LEVANTAR

Quando temos coragem de entrar na nossa própria história e reconhecê-la, temos a oportunidade de escrever o final.

E, QUANDO NÃO RECONHECEMOS NOSSAS HISTÓRIAS DE FRACASSO, PERCALÇOS E SOFRIMENTO, ELAS É QUE MANDAM EM NÓS.

Precisamos ensinar as pessoas a aterrissar antes que elas pulem. Ao pular de paraquedas, primeiro se passa muito tempo saltando de uma escada e aprendendo a chegar ao chão sem se machucar. Nunca vivi isso pessoalmente, mas tive a oportunidade de assistir. O mesmo é válido para a liderança: não podemos esperar que as pessoas sejam corajosas e se arrisquem ao fracasso se não estiverem preparadas para enfrentar aterrissagens difíceis.

Uma das descobertas mais inesperadas que surgiram da nossa pesquisa sobre liderança foi o momento de ensinar habilidades de risco ou resiliência. Muitas vezes, os líderes e coaches executivos reúnem as pessoas e tentam ensinar habilidades de resiliência só depois de um contratempo ou um fracasso. Só que isso seria o mesmo que ensinar um paraquedista principiante a aterrissar depois de ter atingido o solo. Ou, talvez pior, quando ele ainda se encontra em queda livre.

Nossa pesquisa mostrou que líderes que aprendem as habilidades necessárias para se reerguer como parte de um programa de desenvolvimento de coragem tendem a ter atitudes corajosas, pois sabem como dar a volta por cima. Não dominar essas habilidades é um empecilho à liderança ousada, e tentar ensinar às pessoas a se levantar depois que elas já sofreram a queda é muito mais difícil. Por isso ensinamos como lidar com as quedas e os fracassos antecipadamente. Na verdade, na nossa organização, a queda é ensinada logo no período de integração, como um dos elementos da construção de coragem. É a nossa maneira de dizer: "Esperamos que você seja corajoso. Isso significa que você deve esperar sofrer uma queda. E nós temos um plano para isso."

Embora a importância do fracasso e da queda tenha recebido certa atenção em todo o mundo nos últimos anos, raramente vejo os slogans "caia para a frente" ou "fracasse rápido" sendo aplicados juntamente às habilidades reais de recomeço e dos confrontos sinceros sobre a vergonha que quase sempre acompanham o fracasso. Usar slogans sem ensinar habilidades e implantar sistemas é uma tentativa preguiçosa de normalização que faz as pessoas pensarem: "Nossa, isso é doloroso, mas acho que eu devia estar me sentindo inovador. Agora estou com vergonha por sentir vergonha. É melhor não contar a ninguém."

Hoje, com os millennials representando 35% da força de trabalho norte-americana (a geração com maior representação), ensinar a aceitar o fracasso como uma oportunidade de aprendizado se mostra ainda mais importante. Sou professora universitária há vinte anos e observo que a resiliência e a capacidade de se recuperar de alguns alunos vêm diminuindo, enquanto a exposição ao trauma de outros alunos aumentou. Por um lado, estávamos (e ainda estamos) sempre interferindo, resolvendo e ajudando alguns deles. Como disse o diretor da escola do meu filho: "Muitos pais passaram de superprotetores para hiperprotetores. Em vez de preparar os filhos para seguirem seu caminho, preparam o caminho para os filhos." Isso definitivamente não é desenvolver coragem.

Por outro lado, criamos nossos filhos num fluxo constante de violência generalizada e sistêmica contra comunidades marginalizadas, num ambiente feroz de redes sociais e com ataques a tiros em escolas se tornando cada vez mais comuns. Hoje, alguns jovens são superprotegidos, enquanto outros são completamente subprotegidos. Alguns se sentem paralisados pelo perfeccionismo e pelo que as outras pessoas pensam, e outros acham que é

Aprender a se levantar | 249

física e emocionalmente mais seguro se fechar e/ou se armar. De qualquer maneira, parece que estamos fracassando com os jovens, e fica fácil entender por que muitos deles estão entrando no mercado de trabalho sem confiança e habilidades de confronto.

Os millennials representam 48% da nossa equipe, e se incluirmos os estagiários, o número sobe para 56%. Todos são pessoas bastante diferentes entre eles, mas como grupo me parecem curiosos, esperançosos, e estão sempre aprendendo, dolorosamente sintonizados com o sofrimento do mundo e ansiosos para fazer algo em relação a isso. Como perspectiva é algo que depende de experiência, como grupo eles têm dificuldades para ter paciência e entender quanto tempo leva para cultivar uma mudança significativa. É nosso papel ajudar a fornecer a eles as experiências capazes de ampliar suas perspectivas.

Ao concluírem nosso programa de Liderança Corajosa como parte da integração deles à organização, quase todos os millennials que trabalham conosco disseram algo parecido com "Nunca aprendi a ter esse tipo de conversa. Nunca aprendi a lidar com essas emoções ou a falar tão abertamente sobre o fracasso, e nunca ouvi alguém dando exemplo disso. Quando estamos acostumados a usar a tecnologia para tudo, essas conversas frente a frente são difíceis e muito intensas." As únicas exceções são os funcionários que tiveram experiência com terapia, e essa é uma das razões de termos um programa especial de reembolso para consultas com profissionais de saúde mental além da assistência médica regular.

Pela minha experiência, millennials e jovens da geração Z acolhem esse aprendizado e o praticam intensamente. Eles estão ávidos pela capacidade de pôr a coragem em prática. Sou uma típica pessoa da geração X, e também estou ávida por isso. Acho que todos nós estamos. Mas acredito que, embora alguns de nós tenhamos aprendido isso na nossa criação, não fomos capazes de dar o exemplo e ensinar aos jovens de hoje.

A questão é que, se não tivermos as habilidades para nos reerguer, talvez não consigamos nos arriscar a cair. E, se formos corajosos, definitivamente vamos cair. Os entrevistados da nossa pesquisa que apresentaram os maiores níveis de resiliência são capazes de se reerguer após uma decepção ou uma queda, e em consequência disso são mais corajosos e obstinados. Para isso, eles usam um processo que chamo de "Aprender a se levantar" e consiste em três partes: reconhecimento, confronto e revolução.

Meu objetivo nesta parte é fornecer a linguagem, as ferramentas e as habilidades que compõem os fundamentos desse processo para que você possa começar a colocar esse trabalho em prática imediatamente. A pesquisa é profunda por seu possível impacto: é quase um truque neurobiológico para o seu cérebro. Para explicar esse processo vou contar uma história, pois acredito que não exista uma maneira melhor de apresentar o reconhecimento, o confronto e a revolução.

A tragédia do enroladinho de presunto

Há alguns anos, enquanto minhas empresas cresciam, decidi que, em setembro, num período de três semanas, eu lançaria uma nova empresa, sairia em turnê com um livro e treinaria mais de 1.500 pessoas no meu trabalho. Em fevereiro, decidi que isso era uma ótima ideia. Como já discutimos, meu cérebro não tem a parte responsável por estabelecer prazos, e isso parece ser um fato científico. Quando anunciei esses planos para minha equipe e Steve, todos foram contra, mas eu tinha uma arma secreta que não contara para ninguém: em setembro, teria me transformado numa praticante de pilates já no mesmo nível de habilidade que o professor e estaria preparada para correr meias maratonas. Assim, teria dez vezes mais energia do que antes, e tudo seria moleza, mamão com açúcar.

Chegou agosto. E foi difícil, nenhuma moleza.

Eu tinha perdido as rédeas da minha vida, tanto em casa quanto no trabalho. Tinha ido a uma aula de pilates e odiara. E continuava correndo/andando os mesmos cinco quilômetros que eu corria havia anos. Eu havia me apoderado da sala de jantar da minha casa, que parecia uma cena de crime. Havia coisas coladas com fita por toda a parede; pilhas de papéis soltos e caixas cobriam cada centímetro da nossa mesa. Eu tinha pilhas de fotos de bancos de imagens e folhas com fontes impressas para avaliar para usar num novo site, e havia materiais de treinamento para todo lado. Era o mais puro caos.

Eu estava sentada na sala de jantar, quase tendo uma crise de choro, quando ouvi a porta dos fundos se abrir e Steve entrar. Ele andou pelo corredor, dirigiu-se para a cozinha, colocou a maleta na mesa de café da manhã e abriu a geladeira. A primeira coisa que o ouvi dizer foi: "Não temos uma droga de um frio nesta casa."

No passado, ao contar essa história diante de uma plateia, eu pedia que as pessoas reagissem a esse comentário sobre "uma droga de um frio". Todas as mulheres na plateia sem exceção gritavam coisas que iam desde "Vá comprar seu frio você mesmo!" e "É sempre nossa culpa!" até "Dá um tempo para ela!". Uma mulher gritou: "Largue esse homem!" Pareceu-me uma escolha meio forte.

Na realidade, meu primeiro pensamento foi *O que foi que ele acabou de dizer?* Cerrei os dentes e os punhos. *Não acredito que ele foi tão babaca.*

Entrei na cozinha e disse:

— Ei, querido? — Mas não de um jeito amigável. Falei com aquela voz e aquele tom que já foram o início de milhares de brigas em cozinhas do mundo inteiro.

Ele respondeu, com um pouco de cautela e um pouco de esperança:

— Oi. Tudo bem?

— Sabe aquela picape enorme que você tem? — perguntei.

— Sei... — disse ele, a cautela suplantando a esperança.

— Aposto que, se seguir com ela por uns dois quilômetros a oeste, você vai se deparar com um supermercado grande pra cacete. Aposto que, se for lá e passar seu cartão de crédito, eles dão para você um pacote de presunto.

Nessa hora fiquei muito satisfeita comigo mesma.

Ele parecia menos impressionado e mais preocupado.

— Você deixou seu cartão de crédito no supermercado de novo?

Droga, assim você está estragando a minha pose.

— Não, eu não perdi meu cartão de crédito. Só estou dizendo que você pode comprar os seus próprios frios.

Ele me olhou com preocupação genuína.

— Nossa. Você está bem?

— Sim, estou bem. Sei que são seis e meia e você está irritado porque o jantar não está na mesa. Já entendi isso.

— Espera aí, espera aí, o quê?

— Sei que são seis e meia. Você está com fome. O jantar não está na mesa. Já entendi.

— Ok, Brené, quanto são trinta vezes 365?

Ai, meu Deus. Ainda por cima ele quer me humilhar com matemática! Que derrota.

Eu o encarei com aquele olhar de quem está se sentindo só um pouco enfurecida.

Você quer brigar? Vamos brigar.

Com a voz mais sarcástica que consegui, respondi:

— Não sei, Steve. Quanto são trinta vezes 365?"

Recusando-se terminantemente a cair na pilha, ele disse:

— Também não sei, mas é o total de dias que estamos juntos, e nesse total de dias nunca, nem uma única vez, eu cheguei em casa e vi o jantar na mesa. Nem uma vez.

Ele continuou.

— Número um: se eu chegasse em casa e o jantar estivesse na mesa, eu pensaria que uma dessas coisas está acontecendo: ou você está me deixando, ou alguém da nossa família está muito doente. Número dois: quando fazemos o jantar, normalmente cozinhamos juntos. Número três: quem é que tem feito as compras de supermercado nesta família nos últimos cinco anos?

Merda. Isso não está saindo de acordo com o roteiro que eu tinha na minha mente.

Dei de ombros e chutei o chão, como uma criancinha.

— Você, acho. Você é quem faz as compras.

Ainda calmo e mais curioso do que irritado, ele disse:

— Está certo Eu que faço as compras. Então o que está acontecendo?

Há uma frase que pairou sobre meus dados por dez anos, mas eu nunca a investigava porque não aparecia em todas as entrevistas. No entanto, enquanto eu conduzia entrevistas e codificava os dados para o livro *Mais forte do que nunca*, notei que os participantes da pesquisa que demonstravam os maiores níveis de resiliência usavam alguma versão das frases a seguir:

A história que estou contando a mim mesmo...
A história que eu criei...
Eu imagino que...

Se quiser pôr em prática uma habilidade de recomeço, é melhor começar com essa. É um divisor de águas. Na verdade, tenho tanta certeza disso que prefiro correr o risco de prometer demais e afirmar que essa habilidade tem o poder de transformar o seu modo de viver, de amar, de criar seus filhos e de liderar. Observe como ela funciona.

De volta à minha cozinha em Houston, olhei para Steve e falei:

— Olha, a história que estou contando a mim mesma agora é a seguinte: sou uma líder medíocre, uma mãe medíocre, uma esposa medíocre e uma filha medíocre. Atualmente estou decepcionando todas as pessoas que fazem parte da minha vida. Não porque não sou boa no que faço, mas porque estou fazendo tantas coisas diferentes ao mesmo tempo que não consigo fazer nenhuma delas direito. O que estou imaginando agora é que você quer ter certeza de que eu sei como as coisas estão ruins. É como se você precisasse anunciar como as coisas estão péssimas aqui em casa, só para o caso de eu, que sou culpada por tudo, não saber.

Steve virou para mim e respondeu:

— Sabe de uma coisa? Eu entendo. Sei que você está imaginando isso porque recorre a essa narrativa quando está com dificuldades, e há anos eu não a vejo passar por uma situação tão difícil. O volume de trabalho diante de você está além da capacidade humana. Você afundou tanto nesse mar de trabalho que nem consegue encontrar o caminho de volta. Então vamos fazer o seguinte: vou mergulhar também, encontrá-la e puxá-la para a superfície, porque, quando sou eu que estou perdido, você sempre me encontra e me puxa para a superfície. E em seguida, as crianças vão jantar fast-food pelo quarto dia seguido. Podemos dar a eles um pouco de espinafre só para não sermos péssimos pais. E depois vamos resolver isso. Vamos resolver tudo juntos.

Nessa hora eu já estava chorando.

— Obrigada, estou tão sobrecarregada e não sei o que fazer primeiro. Não consigo sair desse buraco. É demais. Tem gente dependendo de mim.

Steve me deu um abraço longo e apertado, e quando me afastei para limpar o rosto olhei para ele e perguntei:

— Posso fazer uma pergunta sincera?

— É claro que pode — respondeu ele, enquanto tirava o cabelo do meu rosto.

— Por que você deu aquela grande declaração na frente da geladeira? Por que anunciar "Não temos uma droga de um frio nesta casa"? Foi para me atingir? Se for, tudo bem. Eu entendo. Mas foi para me provocar um pouco? Ou talvez fosse só a situação?

— Não sei, preciso pensar um pouco.

Steve é um cara muito sincero, e achei que ele ia me responder com algo do tipo "É, estou meio de saco cheio desse estresse. Foi um pouco passivo-agressivo da minha parte". Mas em vez disso ele disse:

— É que eu estou com muita fome.

— Como assim? — perguntei, bastante confusa.

— Estou faminto. Falei aquilo porque estou com fome. Fiquei preso com um paciente na hora do almoço e, no caminho para casa, pensei "provavelmente não vamos jantar antes das sete, então vou comer um enroladinho de presunto".

E...? — perguntei, ainda confusa.

— "E" nada. Só isso mesmo. Tive vontade de comer um enroladinho de presunto.

Ah, a tragédia do enroladinho de presunto... Imagino que todas as pessoas que estiverem com este livro nas mãos ou que estiverem ouvindo este audiolivro já tenham vivido algo parecido com a tragédia do enroladinho de presunto. Você começa a achar que é o centro de alguma coisa que não tem nada a ver com você, por puro medo ou escassez, e depois lembra que o mundo não gira ao seu redor. Essa não é apenas uma das manobras mais antigas da história, é o nosso cérebro em pleno funcionamento. Ironicamente, tentando nos proteger.

Com essa história em mente, vamos analisar agora as três etapas do processo para "Aprender a se levantar".

O reconhecimento, o confronto e a revolução

O processo de Aprender a se levantar diz respeito à capacidade de se recuperar depois de uma queda, superar os erros e encarar o sofrimento de uma maneira que traga mais sabedoria e sinceridade para nossas vidas. Por mais difícil que seja, a recompensa é enorme: **Quando temos coragem de entrar na nossa própria história e reconhecê-la, temos a oportunidade de escrever o final. E, quando não reconhecemos nossas histórias de fracasso, percalços e sofrimento, elas é que mandam em nós.**

Dei aos participantes da pesquisa que apresentaram os maiores níveis de resiliência e recuperação o apelido de *levantadores*. Acho perfeito, e além disso sempre penso na "arena" quando ouço o refrão da canção "Riser", de Dierks Bentley:

Sou um levantador
Levanto-me do chão, não corro para me esconder
Na hora em que as coisas complicam
Ei, sou um lutador

O RECONHECIMENTO

Somos seres emocionais e, quando nos acontece algo difícil, a emoção é o que nos move. A cognição ou o raciocínio não seguem viagem sentados no lugar do carona ao lado do comportamento. O raciocínio e o comportamento estão amarrados e presos no porta-malas, e a emoção está dirigindo feito louca. *É só se lembrar de mim sentada à mesa da sala de jantar quando Steve fez aquele anúncio sobre a droga de um frio.*

Os levantadores sabem reconhecer na mesma hora quando alguma coisa faz com que fiquem dominados pela emoção: *Ei, tem algo errado comigo.* E eles sentem curiosidade em relação a isso. Não precisamos identificar com precisão qual é o sentimento — só precisamos reconhecer que estamos sentindo alguma coisa. Mais tarde teremos tempo para descobrir exatamente o que é isso que estamos sentindo.

Eis algumas das formas como os levantadores descreveram que sabiam que estavam dominados pela emoção:

- Não sei o que está acontecendo, mas estou quase surtando.
- Não consigo parar de repassar aquela conversa na minha cabeça.
- Como eu vim parar aqui na despensa?
- Estou me sentindo _____ (decepcionado, arrependido, chateado, magoado, irritado, arrasado, confuso, assustado, preocupado etc.).
- Estou _____ (me sentindo muito vulnerável, tendo uma crise de vergonha, sofrendo muito, constrangido, esgotado, dominado pela dor).
- Sinto um nó no estômago.
- Quero dar um soco em alguém.

O reconhecimento é simples: saber que estamos dominados pela emoção e sentir curiosidade em relação a isso.

O desafio é que pouquíssimos de nós fomos criados para ficar emocionalmente curiosos a respeito do que estamos sentindo. Quer seja um fracasso, um comentário maldoso de um colega, uma reunião cheia de desconexão e frustração, ou um sentimento de crescente ressentimento quando pedem que você faça mais do que outra pessoa, ficamos obcecados por aquele sentimento, e ninguém nunca nos ensinou a habilidade que aqueles mais resilientes têm: desacelerar, respirar fundo e se manter curioso sobre o que está acontecendo. Em vez disso, nós vestimos a armadura.

Enquanto a maioria de nós fica ocupada engolindo o choro, ignorando nossos sentimentos ou descontando as emoções nos outros (entrando na cozinha prontos para brigar), os levantadores se mantêm curiosos sobre o que realmente está acontecendo para poderem investigar e descobrir o que estão sentindo e o motivo. É parecido com o ato de pensar antes de falar, mas se trata de sentir antes de reagir ou se esconder.

Como podemos reconhecer que fomos afetados pela emoção? Através da nossa porção mais sábia — nosso corpo. Chamamos as emoções de *sentimentos* porque nós as sentimos em nosso corpo — temos uma resposta fisiológica às emoções.

Os levantadores estão conectados com o próprio corpo, e quando a emoção vem eles a sentem e prestam atenção. Por exemplo, desde que comecei a pôr este trabalho em prática aprendi que, quando estou dominada pela emoção, o tempo desacelera, sinto um frio nas axilas, minha boca fica seca e na mesma hora começo a repetir na minha cabeça o que aconteceu, num looping contínuo. Agora, quando qualquer uma dessas coisas acontece, procuro ficar atenta e encaro como um sinal. Meu sinal é personalizado: *Tem alguma coisa acontecendo. Fique curiosa ou você vai ficar louca.* Parando agora para pensar na tragédia do enroladinho de presunto, os dentes e os punhos cerrados talvez também fossem um bom sinal. *Suspiro.*

Mas tenho uma má notícia sobre esse processo. Pouquíssimas pessoas conseguem passar o reconhecimento adiante, por um motivo: em vez de sentir nossas emoções e despertar nossa curiosidade, nós descarregamos nossas emoções nos outros. Pegamos aquela bola de energia emocional que brota dentro de nós e a lançamos em direção a outras pessoas. A seguir explico as seis estratégias mais usadas para descarregar as mágoas, que mencionei em *Mais forte do que nunca*. Ao lê-las, faça a si mesmo estas duas perguntas: *Eu faço isso?* e *Como a pessoa que está do outro lado se sente?*

Estratégia para descarregar mágoas 1: Ir na lua e voltar

Nós achamos que nossa dor está tão bem escondida que não tem como ela ressurgir, mas de repente um comentário aparentemente inofensivo nos deixa furiosos ou causa uma crise de choro. Ou talvez um erro pequeno no trabalho desencadeie um imenso ataque de vergonha. Talvez seja o feedback construtivo de um colega que pegue bem nesse ponto muito sensível, nos fazendo perder as estribeiras.

Aprendi a expressão *ir na lua e voltar* com Steve. Ela é usada na comunidade médica para descrever um tipo de dor tão forte que, se o médico toca nesse ponto sensível, ocorre uma resposta involuntária. Não importa o quanto a pessoa tente esconder a dor ou o quanto esteja distraída com outras coisas, ela pula tão alto que quase vai na lua e volta.

O ir na lua e voltar que estou descrevendo aqui é o equivalente emocional dessa dor, e ele é especialmente comum e perigoso em situações de "poder sobre" os outros: ambientes onde, por causa de diferenças de poder, pessoas com cargos mais altos ou maior status costumam ser menos responsabilizadas quando perdem a cabeça ou têm uma reação extrema. Esse tipo de volatilidade gera desconfiança e descomprometimento.

Por exemplo, alguém pode demonstrar um estoicismo admirável na frente dos clientes e de outras pessoas que deseja impressionar ou influenciar, mas no instante em que fica diante de pessoas sobre as quais exerce poder emocional, financeiro ou físico, esse indivíduo explode. E, como tal comportamento não é testemunhado por muitos dos seus superiores, a versão da história dessa pessoa geralmente é aceita como verdade. Vemos isso acontecer em famílias, igrejas, escolas, comunidades e escritórios. E, quando se soma a questões como gênero, classe, raça, orientação sexual ou idade, a combinação pode ser tóxica.

A maioria de nós já foi alvo desse tipo de explosão. Mesmo se tivermos a noção de que nosso chefe, amigo, colega ou companheiro estourou conosco porque algum ponto sensível dele foi provocado, e mesmo quando sabemos que o problema não somos nós, isso ainda abala a confiança e o respeito. **Viver, crescer, trabalhar ou frequentar cultos religiosos pisando em ovos cria enormes rachaduras em nosso senso de segurança e autoestima. Com o tempo, essas rachaduras podem se tornar traumas, seja no trabalho ou em casa.**

Estratégia para descarregar mágoas 2: Driblar o sofrimento

Sofrer é difícil, e é mais fácil ficar com raiva ou chateado do que reconhecer o sofrimento — é aí que nosso ego entra em ação e faz todo o trabalho sujo. O ego não assume histórias nem quer escrever novos finais; ele rejeita as emoções e detesta a curiosidade. Em vez disso, usa as histórias como armaduras e álibis. Ele diz que "sentimentos são coisa de gente fracassada e fracotes".

Como todo bom vigarista, nosso ego tem alguns capangas para o caso de não cumprirmos suas exigências. A raiva, a culpa e a negação são esses capangas. Quando chegamos perto demais de reconhecer uma experiência como emocional, as três entram em ação. É muito mais fácil dizer "Não dou a mínima" do que dizer "Estou sofrendo".

O ego gosta de culpar, encontrar defeitos, inventar desculpas, se vingar e insultar, e tudo isso são formas de proteção. Ele também é adepto da negação — garante que estamos bem, finge que aquilo não tem importância, que somos invulneráveis. Adotamos uma atitude de indiferença ou estoicismo, ou desviamos nossa atenção do problema usando humor e cinismo. *Tanto faz. Quem se importa? Nada disso importa mesmo.*

Quando os capangas são bem-sucedidos — quando a raiva, a culpa e a negação afastam a mágoa, a decepção ou o sofrimento —, nosso ego fica livre para trapacear o quanto quiser. Muitas vezes sua primeira fraude é envergonhar os outros por sua falta de "controle emocional". O ego pode ser um mentiroso dissimulado e perigoso quando se sente ameaçado.

Estratégia para descarregar mágoas 3: Entorpecer o sofrimento

Falamos muito de entorpecimento na seção sobre o arsenal. O importante a ser observado aqui é que, além de ser uma forma popular de armadura, o entorpecimento pode ser usado para descarregar as emoções.

Estratégia para descarregar mágoas 4: Armazenar o sofrimento

Há uma alternativa silenciosa e insidiosa às estratégias de ir na lua e voltar, driblar ou entorpecer o sofrimento: podemos armazená-lo. Não se trata de explodir com emoções inadequadas, usar a culpa para fugir dos nossos verdadeiros sentimentos nem entorpecer o sofrimento. Essa estratégia começa parecida com o "ir na lua e voltar", escondendo o sofrimento bem lá no fundo; porém, em vez de descarregá-lo nos outros, continuamos acumulando o sofrimento até o nosso corpo decidir que já chega. A mensagem do corpo é sempre clara: pare de armazenar, ou eu paro você. O corpo sempre vence. Em geral, começamos a ver os efeitos de ter passado muito tempo acumulando emoções quando chegamos na meia-idade ou na metade da trajetória profissional. É o corpo que sustenta toda a nossa fortaleza emocional e, como consequência, podem surgir vários sintomas, como ansiedade, depressão, burnout, insônia e dores físicas.

Estratégia para descarregar mágoas 5: A Umbridge
O nome desta estratégia vem da personagem Dolores Umbridge, criada por J. K. Rowling no livro *Harry Potter e a Ordem da Fênix*, e a considero uma das formas de descarregar emoções mais difíceis de vivenciar. Interpretada com brilhantismo por Imelda Staunton nos filmes, Umbridge usa tailleurs cor-de-rosa e chapéus pillbox fofinhos, enfeita o próprio escritório cor-de-rosa com lacinhos e bugigangas decoradas com gatinhos e gosta de torturar crianças malcomportadas. Sobre ela, Rowling escreve: "Muitas vezes, parece haver um amor por tudo que é açucarado onde falta o verdadeiro calor humano e a caridade."

O uso excessivo de afirmações alegres, como "Está tudo maravilhoso" ou "Nunca fico zangado ou chateado de verdade" ou "Se você sempre pensar positivo, pode transformar essa cara triste num sorriso" geralmente mascara sofrimentos e mágoas reais. Parece contraditório, mas a verdade é que não confiamos em pessoas que não enfrentam dificuldades, que não têm dias ruins nem passam por períodos complicados. Também não estabelecemos conexão com pessoas com as quais não nos identificamos. Quando não há um equilíbrio entre luz e trevas em suas personalidades, pessoas excessivamente doces e obsequiosas podem suscitar mau presságio, como se sob toda aquela amabilidade houvesse uma bomba-relógio.

Estratégia para descarregar mágoas 6: A mágoa e o medo de ficar encalhado
Não pesquise no Google a palavra "encalhado". É muito provável que você encontre uma imagem de uma baleia presa na praia, incapaz de voltar para a água. É perturbador. Aprendi essa palavra com minha avó, porque a entrada da casa dela em San Antonio eram duas faixas de cimento paralelas com um monte de terra e grama no meio. De vez em quando, minha avó dizia: "A

terra e a grama estão ficando muito altas. Vou acabar ficando encalhada com meu carro", e então a gente cavava e nivelava essa faixa central com uma pá.

Uma das razões de negarmos nossos sentimentos é o medo de ficarmos emocionalmente encalhados — isto é, ficar presos de uma maneira que dificulte avançar ou voltar. Se eu reconhecer minha mágoa, meu medo ou minha raiva, vou ficar paralisado. Assim que começar a lidar com isso, mesmo que só um pouco, não terei como recuar e fingir que isso não tem importância, mas seguir em frente pode provocar uma torrente de emoções que eu não seria capaz de controlar. Reconhecer a emoção nos leva a senti-la. E se eu reconhecer a emoção, e ela me abalar, e eu não conseguir manter o controle? Não quero chorar no trabalho, no campo de batalha ou quando estou com meus alunos. Ficar encalhado pode ser terrível, pois sentimos perda total do controle. Nos sentimos impotentes.

ESTRATÉGIAS PARA RECONHECER AS EMOÇÕES

Isso vai soar estranho, mas a estratégia mais eficaz para lidar com a emoção, em vez de descarregá-la, é algo que aprendi com um professor de yoga. E com alguns membros das Forças Especiais militares. É respirar. O professor de yoga chamou essa técnica de **respiração quadrada**. Os soldados chamaram de **respiração tática**. No entanto, elas são a mesma coisa. O ex-boina verde Mark Miller explica a respiração tática da seguinte maneira:

1. Inspire profundamente pelo nariz, dilatando o abdômen e conte até quatro.
2. Prenda a respiração enquanto conta até quatro.
3. Expire todo o ar pela boca lentamente, contraindo o abdômen, e conte até quatro.
4. Com os pulmões vazios, conte até quatro.

Não respiramos fundo no trabalho o suficiente. Nem paramos e verificamos como está o nosso corpo. Costumo prender a respiração, e às vezes, quando as coisas ficam realmente agitadas e não paro de apagar incêndios no escritório, eu paro tudo e faço a respiração quadrada ali mesmo na minha mesa: inspiro até quatro, prendo até quatro, expiro até quatro, e espero até quatro. Juro que apenas duas ou três dessas sessões de respiração bastam para eu me renovar. Cheguei a ensiná-la a meus filhos e meus alunos. A respiração também é a chave de outra estratégia para lidar com a emoção, e um dos superpoderes da liderança mais subestimados: exercitar a calma.

Defino a **calma** como **criar perspectiva e atenção plena ao administrar a reatividade emocional**. A calma é um superpoder porque é o remédio para um dos causadores de estresse mais predominantes no ambiente de trabalho: a ansiedade. Quando se trata de ansiedade, minha grande professora é a psicóloga Harriet Lerner. Em seu livro *The Dance of Connection*, a Dra. Lerner explica que todos nós temos formas padronizadas de controlar a ansiedade; alguns reagem funcionando em excesso, os *hiper*funcionantes, e outros deixam de funcionar, os *sub*funcionantes. Os hiperfuncionantes, como eu, tendem a se apressar para aconselhar, resgatar, assumir o controle, microgerenciar e se meter nos assuntos dos outros, em vez de olhar para dentro. Já os subfuncionantes tendem a ser menos competentes sob estresse. Às vezes, eles convidam outras pessoas a assumir o controle, e é comum se tornarem foco de fofoca, apreensão ou preocupação na família. Podem ser rotulados como o "irresponsável" ou o "filho problemático" ou o "frágil". A Dra. Lerner explica que ver esses comportamentos como reações padronizadas à ansiedade, e não como verdades sobre quem somos, pode nos ajudar a entender que somos capazes de mudar. Para aqueles de nós que hiperfuncionam, nosso trabalho é ficar mais dispostos a acolher nossas vulnerabilidades diante da ansiedade. Para aqueles que subfuncionam, o objetivo é se esforçar para ampliar seus pontos fortes e competências.

Quer funcionemos em excesso ou muito pouco, praticar a calma ajuda a formar a compreensão necessária para nos tornarmos emocionalmente estáveis. A má notícia é que a ansiedade é uma das emoções mais contagiosas que podemos sentir. Isso explica por que é tão fácil a ansiedade afetar grupos, não só indivíduos. Ela é contagiosa demais para ficar contida em uma única pessoa. Todos nós já passamos pela experiência de ver uma pessoa levar um grupo ao pânico.

A boa notícia? A calma é igualmente contagiante. Nos últimos vinte anos, os praticantes da calma mais proficientes que entrevistei mencionaram a importante (e estranha) combinação de respiração e curiosidade. Eles falaram sobre respirar fundo antes de responder ou fazer perguntas; desacelerar o ritmo de uma conversa intensa falando devagar, respirando e constatando fatos; e até mesmo respirar algumas vezes intencionalmente antes de se fazer uma dessas duas perguntas:

1. Tenho informações suficientes para me desesperar com essa situação?
2. Se eu tiver dados suficientes, entrar em pânico vai adiantar?

Além da curiosidade e da respiração, não se esqueça dos bilhetes de permissão. Às vezes, temos que nos dar permissão para sentir — especialmente se viemos de uma família na qual explorar e discutir emoções fosse ou expressamente proibido ou nunca demonstrado pelos adultos.

Imagine como meu diálogo com Steve teria sido diferente se eu tivesse prestado atenção à minha raiva e à minha mágoa, respirado fundo algumas vezes e me mantido curiosa.

O confronto: conspirações, confabulações e péssimas primeiras tentativas

Se o reconhecimento é a maneira por meio da qual entramos numa história difícil, o confronto é onde nós vamos para o tatame com ele e o dominamos.

O confronto começa com a seguinte verdade universal: **Na ausência de dados, sempre inventamos histórias.** É como nós funcionamos. Criar significados está na nossa biologia, e quando estamos em dificuldades nosso padrão frequentemente é criar uma história que esclareça o que está acontecendo e forneça ao nosso cérebro informações sobre a melhor forma de se proteger. E no trabalho isso ocorre umas cem vezes por dia. Nossas organizações estão lotadas de histórias que as pessoas inventam porque não têm acesso a informações. Se você já liderou uma equipe que passava por mudanças, sabe quanto uma história ruim custa em termos de tempo, dinheiro, energia e comprometimento.

Robert Burton, neurologista e romancista, explica que nosso cérebro nos recompensa com a dopamina (aquele momento "ahá") quando reconhecemos e completamos padrões. Histórias são padrões. O cérebro reconhece a estrutura familiar de começo-meio-fim de uma história e nos recompensa por esclarecermos a ambiguidade. Infelizmente, o cérebro nos recompensa por uma boa história — com mocinhos e vilões bem-definidos —, a despeito da precisão da história.

A promessa daquela sensação de *Ahá! Eu resolvi!* pode nos seduzir e nos levar a evitar ao máximo a insegurança e a vulnerabilidade que muitas vezes são necessárias para chegarmos à verdade. O cérebro não é muito fã de histórias ambíguas que deixam perguntas sem resposta e um grande emaranhado de possibilidades. Ele não está interessado em *Talvez eu tenha uma participação nisso* ou *Será que estou reagindo de maneira desproporcional?* A parte do cérebro que entra no modo de proteção gosta de binários: Mocinho ou vilão? Perigoso ou seguro? Aliado ou inimigo?

Burton escreve: "Por sermos compelidos a criar histórias, somos muitas vezes compelidos a aceitar histórias incompletas e nos guiamos por elas." Ele diz ainda que, mesmo quando temos uma parte da história esclarecida, "ganhamos uma 'recompensa' de dopamina toda vez que ela nos ajuda a entender alguma coisa em nosso mundo — mesmo que essa explicação seja incompleta ou equivocada."

A primeira história que inventamos é o que chamamos de "**tentativa de rascunho inicial**", ou **TRI**.

A ideia de uma "tentativa de rascunho inicial" vem do maravilhoso livro de Anne Lamott sobre escrita, *Palavra por palavra*. Ela escreve:

> A única maneira de eu conseguir escrever alguma coisa é fazendo rascunhos iniciais que são realmente terríveis. O primeiro rascunho é o da criança, no qual você despeja tudo e se deixa fazer bagunça, sabendo que ninguém vai ler o que escreveu e que depois você poderá lhe dar forma.

Quando se trata de nossas emoções, as primeiras histórias que criamos — nossas TRIs — são definitivamente nossos medos e nossas inseguranças mandando em tudo e criando os piores cenários possíveis. Por exemplo: *Steve é um babaca completo. Ele não acha que eu sou capaz de administrar minha empresa e ser uma ótima compaheira e mãe. Ele está de saco cheio de mim e do estresse. Os últimos trinta anos foram uma grande mentira.*

Em vez de entrar na cozinha como um elefante numa loja de porcelana emocional, eu preferia ter me dado conta da minha reação àquele comentário sobre o presunto e despertado minha curiosidade em relação às emoções que estavam me dominando. Se eu tivesse tido tempo de elaborar minha TRI, poderia ter entrado lá e falado: "Eu ouvi o que você disse sobre o presunto, e a história que estou contando para mim é que você está de saco cheio de mim e de todo o estresse do meu trabalho no momento."

Conheço Steve há mais de trinta anos e tenho 99% de certeza de que ele me abraçaria e diria: "Sei que você está sobrecarregada. O que podemos fazer?"

Eu sei, o conflito acabou terminando bem, mas em geral os relacionamentos só aguentam uma certa dose daquela cena que fiz na cozinha antes que fiquem abalados por essas coisas.

Em nossas TRIs, o medo preenche as lacunas de dados. O que torna isso assustador é que **histórias construídas a partir de dados reais limitados e muitos dados imaginados, misturados numa versão coerente e emocionalmente satisfatória da realidade se chamam teorias da conspiração.** Sim, somos todos teóricos da conspiração com nossas próprias histórias, o tempo todo preenchendo as lacunas de dados com nossos medos e nossas inseguranças.

Nas culturas de trabalho em que há muitas mudanças e confusões, as equipes enlouquecem com as TRIs. No entanto, ao trabalhar numa cultura de coragem, você fornece às pessoas o máximo de fatos possível e, quando não pode dizer tudo a elas, reconhece que está dizendo o máximo que pode e que continuará atualizando sua equipe conforme tiver acesso e permissão para informá-la. Transparência é gentileza. E a transparência reduz por completo a invenção de histórias e as teorias da conspiração.

Os líderes corajosos perguntam sobre as TRIs. Eles dão o tempo, o espaço e a segurança para que as pessoas confrontem suas histórias com a realidade. No passado, quando tínhamos que demitir alguém, nos reuníamos em particular com a equipe imediata afetada, anunciávamos para o grupo maior e depois convidávamos as pessoas a nos visitarem durante um horário definido para "conversar, fazer perguntas e verificar as TRIs". Tenha em mente: você pode gastar uma quantidade razoável de tempo resolvendo sentimentos e medos (e teorias da conspiração) ou pode desperdiçar uma quantidade exorbitante de tempo gerenciando comportamentos improdutivos.

Além de lidar com as teorias da conspiração, também precisamos prestar atenção às confabulações.

A confabulação tem uma definição realmente ótima e sutil: *Uma fabulação é uma mentira contada com sinceridade. Confabular* é substituir uma informação que falta por algo falso que acreditamos ser verdade.

Em seu livro *The Storytelling Animal*, Jonathan Gottschall explica que há cada vez mais indícios de que "pessoas comuns e mentalmente saudáveis são propensas a criar confabulações nas situações cotidianas". Num dos meus estudos preferidos descritos em seu livro, uma equipe de psicólogos pediu a pessoas que faziam compras que escolhessem um par de meias entre sete pares e explicassem o motivo de escolher aquele par em particular. Todos os participantes explicaram sua escolha com base em diferenças sutis de cor, textura e costuras. Nenhum disse: "Não sei por que fiz essa escolha" ou "Não faço ideia do motivo de ter escolhido essa". Todos eles tinham uma história completa para explicar a decisão. Só havia um problema: todas as meias eram idênticas. Gottschall explica que todos os participantes contaram histórias para fazer aquela decisão parecer racional. Mas na realidade não era. Ele escreve: "As histórias eram confabulações — mentiras contadas com sinceridade."

A confabulação surge no ambiente de trabalho quando contamos o que acreditamos ser uma informação factual que na verdade é apenas a nossa opinião. É quando me viro para um colega e digo: "Seremos todos demitidos em setembro. A equipe inteira será desfeita e demitida." Todo mundo entra em pânico e me pergunta como eu sei disso. "Eu sei, ouvi dizer, sei que é verdade."

A informação pode não ser baseada na verdade, em verdade alguma; trata-se de uma confabulação. Eu acredito que é verdade, mas na realidade é só o meu medo, combinado com o que pode ser um pouco de informação. E isso é perigoso.

Com a TRI, é necessário parar e registrar essa primeira história, essa conspiração, essa confabulação, que causou uma confusão na nossa cabeça. "Ah, meu Deus, ela olhou para mim daquele jeito na reunião porque não confia em mim. Ela acha que minhas ideias são idiotas e provavelmente está planejando me tirar desse projeto."

É extremamente importante identificar essas histórias antes que o mito saia de vez do nosso controle. Hoje, procuro usar meu celular para registrar minha TRI antes de fazer algo a respeito dela. Escrevo quando tenho a oportunidade só porque 70% dos levantadores entrevistados escrevem suas TRIs. Não é nada elaborado, apenas algo como:

A história que estou criando:
Minhas emoções:
Meu corpo:
Meu pensamento:
Minhas crenças:
Minhas ações:

James Pennebaker, pesquisador da University of Texas em Austin, descobriu que, pelo fato de nossas mentes serem projetadas para tentar entender o que ocorre conosco, traduzir em palavras as experiências confusas e difíceis as transforma em acontecimentos "compreensíveis". Relatar a história é outro veículo para compartilhar essa versão que você está criando. Se tiver um amigo ou colega em quem confie e que tenha habilidades e paciência para escutar, pode contar para ele a sua TRI.

Anotar suas TRIs não dá poder a elas, mas nos dá poder. Nos dá a oportunidade de dizer: "Isso faz sentido? Isso parece certo?" Escrever abranda os ventos e acalma os mares. E, se estiver completamente constrangido pela ideia de alguém encontrar sua TRI porque ela é acusatória, irritadiça, imatura e uma reclamação sem fim, é porque você fez sua TRI direito. Não ter filtro é algo importante quando se trata da TRI.

A autora Margaret Atwood escreve:

Quando se está no meio de uma história, ela não é uma história, apenas uma confusão; um rugir obscuro, uma cegueira, um amontoado de vidro estilhaçado e lascas de madeira; como uma casa num tornado, ou um barco esmagado pelos icebergs ou arrastado pelas corredeiras, e todos a bordo são incapazes de detê-lo. Só depois é que ela se torna algo parecido com uma história: quando a contamos, seja a nós mesmos ou a outra pessoa.

Para deixar de ser o que Atwood chama de "um amontoado de vidro estilhaçado e lascas de madeira" e passar para uma história verdadeira com que se pode lidar, os levantadores precisam se confrontar com as seguintes perguntas:

1. O que mais preciso aprender e entender sobre a situação?
   O que sei objetivamente?
   Quais suposições estou fazendo?

2. O que mais preciso aprender e entender sobre as outras pessoas na história?
   De quais informações adicionais eu preciso?
   Quais perguntas ou esclarecimentos podem ajudar?

Agora chegamos às perguntas mais difíceis — aquelas que exigem coragem e prática para serem respondidas.

3. O que mais preciso aprender e entender sobre mim mesmo?
   O que há por trás da minha reação?
   O que realmente estou sentindo?
   Qual foi a minha participação nisso?

Responder às perguntas 1 e 2 significa ter coragem para lidar com as conspirações e confabulações. Responder à pergunta 3 requer alfabetização emocional — ser capaz de reconhecer e nomear as emoções —, o mesmo conjunto de habilidades necessário para a empatia e a autocompaixão.

Imagine como seria poderoso nos flagrarmos criando uma TRI, nos confrontarmos com ela por alguns minutos e depois verificar com um colega: "Ei. Que reunião difícil a de hoje. Você estava quieto, e estou imaginando que você ficou chateado porque sua equipe vai ter que fazer todo o trabalho. Podemos conversar sobre isso?"

A propósito: Se você chegasse para mim e falasse isso, minha confiança e respeito por você iam disparar.

Digamos que minha resposta fosse: "Não, não estou nem um pouco irritada. Estou exausta. Charlie está doente e vomitou a noite toda. Mas agradeço que você tenha perguntado." Isso dá a você a oportunidade de praticar empatia: "Sinto muito. Sei como isso é difícil. Quer que eu traga uma xícara de café para você?"

Agora, vamos analisar a situação desta resposta alternativa: "É, estou frustradíssima! Esse projeto não é nosso e não temos recursos para nos responsabilizarmos pelo trabalho. Que besteira fazerem isso." Isso dá a você a oportunidade de dizer: "Tudo bem. Vamos nos sentar e conversar sobre isso."

É bom para as duas partes. De qualquer maneira, isso é criar vínculo e construir confiança. Parece que estamos falando em uma cura para um comportamento lunático, mas inventar essas histórias e teorias da conspiração é algo que todos nós fazemos. Gottschall escreve: "A conspiração não se limita aos idiotas, aos ignorantes ou aos loucos. É um reflexo da necessidade compulsiva de nossa mente contadora de histórias de criar experiências significativas." O problema é que, em vez de nos confrontarmos com a vulnerabilidade e permanecermos na incerteza, começamos a preencher as lacunas com nossos medos e nos preparar para o pior cenário possível. Adoro essa frase de Gottschall: "Para a mente conspiratória, a desgraça *nunca* simplesmente acontece."

O poder da "história que estou contando a mim mesmo" está no fato de que ela reflete uma parte muito real do que significa um ser humano que constrói significados. Nos desarma porque é sincero. Todos nós fazemos isso. É por isso que funciona em ambientes diversos e com todas as pessoas.

Por exemplo, recentemente facilitamos o programa de Liderança corajosa na Shell, com uma equipe de elite em engenharia em águas profundas chamada SURF (subsea umbilical risers and flowlines [cabos umbilicais submarinos, risers e dutos de vazão]).

Gwo-Tarng Ju, ou GT, como ele é mais conhecido, chefiou bravamente sua equipe de liderança executiva durante esse trabalho. Assim como GT, que tem doutorado em engenharia aeroespacial, a maioria dos líderes eram engenheiros ou gerentes de projeto. Parte do foco do nosso trabalho juntos era examinar o modo como os líderes da empresa são instruídos a oferecer feedback quanto ao desempenho ou conduzir averiguações sobre os imprevistos em vez de facilitar conversas que levam a uma compreensão mais profunda das deficiências de habilidades, dos problemas de comunicação e dos entraves estruturais.

Depois de dedicar um tempo a analisar as diferenças entre vulnerabilidade sistêmica (que não é algo bom) e vulnerabilidade relacional (que é um pré-requisito para a liderança corajosa), a equipe começou a desenvolver habilidades que permitiram aos membros ter conversas difíceis entre si e com seus subordinados diretos. Sobre esse novo conjunto de habilidades, GT escreve:

> Conseguimos realizar sessões de feedback de desempenho mais construtivas depois que aprendemos a confrontar com a realidade as histórias que todos nós criamos durante conflitos ou contratempos. Retomar as discussões também nos permite aumentar a clareza e minimizar o sentimento negativo que muitas vezes cerca o processo de feedback. Ao trazerem os dilemas à tona de um modo rápido e construtivo, os líderes podem ajudar a resolver os conflitos em tempo hábil. Isso é extremamente importante, considerando os ambientes complexos e de alto risco em que trabalhamos.

Sem uma conversa real sobre feedback, o que ocorre é menos aprendizado e mais posturas defensivas. Como faz parte da natureza humana disparar algum tipo de autoproteção quando lidamos com contratempos e recebemos feedback, é importante retomar o assunto com os funcionários para garantir que eles compreenderam a intenção da mensagem e para confrontar as TRIs com a realidade.

Aprender a se levantar | 271

E em organizações que usam um sistema de curva forçada nas avaliações de desempenho dos funcionários, é essencial criar uma cultura onde retomar a conversa e confrontar as histórias sejam etapas seguras e incorporadas ao processo de avaliação. Você pode fazer isso agendando duas reuniões — uma para a conversa inicial e outra para a confrontação de histórias.

Outro exemplo vem de Melinda Gates, que apareceu antes neste livro. Melinda é alguém que costuma enxergar a capacidade de demonstrar curiosidade e de fazer as perguntas certas como um superpoder de liderança, e eu me identifiquei profundamente com a história dela. Melinda escreve:

> Por muito tempo, a história que eu criava para mim era: *Este especialista está me ignorando ou sendo condescendente comigo porque não sou Bill*. Mas, depois de anos sentindo aquela mágoa, comecei a perceber que havia outra coisa por trás disso. Eu me sentia aflita por não entender de ciência suficiente para liderar especialistas em saúde global de renome mundial. E isso me impedia de fazer perguntas e de me sentir totalmente comprometida. Eu me sentia uma impostora numa área nova na qual eu não tinha formação.
>
> Depois que consegui encarar a realidade da minha insegurança, pude começar a eliminá-la. O que eu acredito agora é: *Eu domino o volume certo de conhecimento na área: o suficiente para fazer boas perguntas e não perder meu tempo com detalhes minuciosos*. Reescrever essa história significa que eu me sinto confiante em fazer perguntas aparentemente "idiotas", porque aprendi que elas raramente são idiotas e, muitas vezes, são as mais importantes a se fazer.

Esses são dois ótimos exemplos de como reunir coragem para reconhecer histórias difíceis e escrever novos finais.

Além de afetar a confiança e a conexão entre os relacionamentos e as equipes, as histórias que criamos para nós mesmos também podem detonar a nossa autoestima. **As três histórias mais perigosas que criamos são as narrativas que diminuem o amor, o divino e criatividade.**

A confrontação com a realidade quanto à nossa capacidade de ser amados: só porque alguém não quer ou não é capaz de nos amar, não significa que não sejamos dignos de ser amados.

A confrontação com a realidade quanto ao nosso divino: ninguém tem autoridade para julgar o que é divino para nós ou para escrever a história do nosso valor espiritual.

A confrontação com a realidade quanto à nossa criatividade: só porque não atingimos um padrão de conquistas não significa que não tenhamos dons e talentos que somente nós podemos trazer para o mundo. E só porque alguém não conseguiu enxergar o valor do que somos capazes de criar ou alcançar não muda o valor da nossa criatividade nem o nosso valor.

O DELTA

A diferença — o delta — entre a história que criamos sobre nossas experiências e a verdade que descobrimos através do processo de confronto é onde residem o sentido e a sabedoria dessa experiência. O delta contém as principais lições que aprendemos — basta apenas estarmos dispostos a entrar em nossas histórias e confrontá-las.

Na tragédia do enroladinho de presunto, tive que confrontar a vergonha, a vulnerabilidade e a confiança. Meus principais aprendizados foram: (1) quando estou passando por dificuldades e as coisas estão desmoronando, é muito mais provável que eu sinta vergonha e culpa. Não consigo pensar em nenhum caso em que Steve tenha feito isso comigo. (2) Preciso aprender a pedir ajuda. (3) Às vezes eu descarrego minhas emoções nos outros — sou especialmente boa em disfarçar minha mágoa com raiva.

Como eu conhecia a ferramenta "Estou criando essa história" e já estava começando a pôr em prática o que aprendi na pesquisa para escrever *Mais forte do que nunca*, Steve e eu conseguimos pegar o que seria uma quase briga raivosa num período de grande estresse e transformá-la num momento de conexão e confiança.

À medida que começamos a integrar às nossas vidas o que aprendemos no processo de Aprender a se levantar, nos tornamos cada vez melhores em realizar o confronto. No nosso escritório, provavelmente confrontamos histórias umas dez vezes por dia. Agora reduzimos a frase para "Estou imaginando que eles ainda não deram uma resposta porque os advogados deles ainda não revisaram", ou "Estou imaginando que ninguém vai querer assistir a essa apresentação na sexta-feira à tarde". É muito mais honesto e vulnerável e nos deixa bem mais desarmados do que fazer afirmações que na verdade são meras conjecturas.

Pessoalmente, descobri que, às vezes, o processo de Aprender a se levantar leva apenas cinco minutos desde o momento em que estamos caídos na arena até constatarmos o delta e as lições principais — mas às vezes pode levar cinco dias, e para as grandes questões da vida pode levar meses. Quanto mais exercitamos o confronto com a vulnerabilidade, melhores e mais rápidos nos tornamos.

Quando reconhecemos uma história e o sentimento que a alimenta, podemos admitir que algo foi difícil ao mesmo tempo que assumimos o controle de como essa questão difícil vai terminar. Mudamos a narrativa. Quando negamos uma história ou fingimos que não criamos histórias, a história passa a nos dominar. Isso acaba ditando o nosso comportamento e a nossa cognição, e gera ainda mais emoções até que uma hora ficamos completamente dominados por elas.

O CONFRONTO DAS HISTÓRIAS

Uma das aplicações mais úteis do processo de Aprender a se levantar é poder usá-lo quando uma organização ou um grupo dentro de uma organização vivencia um conflito, um fracasso ou uma queda. Damos a ela o nome de **Confronto das histórias**.

Todo mundo que ler este livro e puser o trabalho em prática terá dominado as ferramentas básicas para realizar o Confronto das histórias. Se necessário, você pode até treinar pessoas para facilitarem o processo ou chamar um dos nossos facilitadores em liderança ousada certificados. Já o utilizamos para vencer a dificuldade de compreender e lidar com frustrações e ressentimentos numa equipe e entre equipes e, mais recentemente, para investigar a fundo as causas da estagnação de um grande projeto.

Este é o processo do Confronto das histórias: levar ao local o máximo possível de ferramentas, habilidades e práticas de construção de coragem, em especial a linguagem usada, a curiosidade, a confiança fundamentada, sua integridade, seus valores e a confiança que você está construindo. Você vai precisar de tudo isso, e vai ficar maravilhado ao descobrir o quanto eles compensam.

1. Vamos definir a intenção do confronto e nos certificar de que compreendemos com clareza o motivo de estarmos realizando um confronto.
2. Do que todos precisam para se comprometer com esse processo de peito e mente abertos? *A construção de recipientes é importante, mesmo que a confiança esteja estabelecida no grupo.*
3. O que vai impedi-lo de se expor?
4. Eis como nos comprometemos a nos expor: a partir dos itens 2 e 3.
5. Cada um compartilha um bilhete de permissão. *Mais construção de recipientes e de confiança.*
6. Quais emoções as pessoas estão experimentando? *Vamos colocá-las para fora e nomeá-las.*
7. A respeito do que precisamos nos mostrar curiosos? *Construção de mais confiança, confiança fundamentada despertando curiosidade.*
8. Quais são as suas TRIs? *A técnica de Virar e aprender é muito útil aqui. Esses confrontos são vulneráveis, e se alguém com mais influência se pronunciar antes dos outros, em vez de pedir que todos escrevam seus pensamentos e os coloquem na parede ao mesmo tempo, pode alterar o resultado para pior.*
9. O que as TRIs nos dizem sobre nossos relacionamentos? Sobre a nossa comunicação? Sobre a liderança? Sobre a cultura? Sobre o que está e o que não está funcionando? *Demonstre curiosidade, aprenda a resistir à necessidade de ser um sabe-tudo.*
10. O que precisamos confrontar? Que linhas de investigação precisamos seguir para entender melhor o que de fato está acontecendo e checar se nossas teorias da conspiração e confabulações correspondem à realidade?

11. Qual é o delta entre essas primeiras TRIs e as novas informações que surgiram durante o confronto?
12. Quais são as principais lições aprendidas?
13. Como agir com base nessas principais lições?
14. Como integrar essas lições principais à cultura e promovê-las enquanto trabalhamos em novas estratégias? O que cada um de nós assumirá a responsabilidade de incorporar?
15. Quando vamos retomar esse assunto? Vamos voltar a nos reunir para verificarmos o andamento e prestarmos nossas contas e receber a prestação de contas da equipe quanto às lições e a incorporação delas.

Reconheça a história e você terá a chance de escrever o final. Negue a história e é ela que vai comandar você.

A revolução

Não tenho medo da palavra **revolução**; tenho medo de um mundo que está se tornando menos corajoso e autêntico. Sempre acreditei que, num mundo cheio de críticos, cínicos e alarmistas, despir-se da armadura e encarar a vulnerabilidade, viver de acordo com nossos valores, confrontar a confiança de peito aberto e aprender a se levantar para que possamos reivindicar a autoria da nossa própria vida é a revolução. Ter coragem é rebelar-se.

Em 2010, escrevi em *A arte da imperfeição*:

> Revolução pode soar um pouco dramático, mas, neste mundo, escolher autenticidade e valor pessoal é um ato de extrema resistência. Escolher amar e viver com o coração pleno é um ato de desafio. Você vai confundir, irritar e aterrorizar muita gente, incluindo a si mesmo. Num minuto você vai rezar para que a transformação pare, e no seguinte vai rezar para que nunca acabe. Você também vai se perguntar como é possível sentir tanta coragem e tanto medo ao mesmo tempo. Pelo menos é assim que me sinto a maior parte do tempo... corajosa, temerosa e muito, muito viva.

Se você me pedisse para resumir tudo que aprendi com essa pesquisa, eu responderia estas três coisas:

1. O nível de coragem coletiva numa organização é o melhor indício absoluto da capacidade dessa organização de ter sucesso em termos de cultura, desenvolvimento de líderes e cumprimento de sua missão.
2. O maior desafio no desenvolvimento de líderes corajosos é ajudá-los a reconhecer e responder ao seu chamado pessoal à coragem. É possível aprender a coragem se estivermos dispostos a nos despir de nossa armadura e utilizar a linguagem, as ferramentas e as habilidades necessárias para encarar a vulnerabilidade, viver de acordo com nossos valores, confrontar a confiança e aprender a nos levantar.
3. Nós falhamos no minuto em que deixamos alguém definir para nós o que é sucesso. Como muitos de vocês, passei muitos anos assumindo projetos e até mesmo cargos só para provar que era capaz. Deixei-me levar por uma definição de sucesso que não refletia quem sou, o que quero ou o que me traz alegria. Era simplesmente um ciclo de realizar-adquirir-desmoronar-repetir. Havia pouquíssimos momentos de alegria, pouquíssimo sentido e toneladas de exaustão e ressentimento.

Em *A arte da imperfeição*, escrevi sobre a importância de uma lista de "alegria e sentido" e o poder de realmente refletir sobre essas perguntas: "Como é quando as coisas estão indo muito bem na nossa família? O que nos traz mais alegria? Quando estamos no nosso espaço?" Para minha família, as respostas incluíam coisas como dormir, exercitar-se, ter uma alimentação saudável, cozinhar, descansar, passar fins de semana ao ar livre, ir à igreja, estar presente com as crianças, ter controle sobre nosso dinheiro, ter noites de casal, ter um trabalho com propósito que não nos consome, ter tempo para desperdiçar com besteira, tempo com a família e amigos próximos, fazer trabalhos sociais e ter tempo para não fazer nada — tempo realmente livre.

O que chocou a mim e Steve foi comparar essa lista à forma como definíamos sucesso: não havia tempo para alegria e sentido porque estávamos muito ocupados em realizar conquistas. E nós estávamos realizando conquistas para que pudéssemos comprar mais alegria e sentido, mas isso exigia tempo, e tempo — esse recurso precioso e não renovável — não é algo que está à venda.

Faça sua lista de alegrias e sentidos e certifique-se de que vai usá-la ao definir o que é sucesso para você. Eu me afasto da minha lista com muita frequência, e ainda estou adicionando itens a ela — é uma prática para a vida toda. Mas é o melhor filtro na hora de fazer escolhas quando surgem oportunidades maravilhosas e tentadoras no meu caminho. Agora, posso me perguntar se assumir uma oportunidade me aproxima daquilo que me traz alegria e sentido. Isso por si só já é um ato revolucionário.

Ao pensar na sua trajetória para uma liderança ousada, lembre-se da sabedoria de Joseph Campbell: "A caverna onde você tem medo de entrar guarda o tesouro que você busca." Assuma o medo, encontre a caverna e escreva um novo final para si mesmo, para as pessoas que você deve servir e apoiar, e para a sua cultura. Escolha coragem em vez de conforto. Escolha a plenitude em vez da armadura. E escolha a grande aventura que é ter coragem e sentir medo. Ao mesmo tempo.

AGRADECIMENTOS

Mais do que qualquer outro livro que escrevi, este foi uma grande maratona e exigiu um enorme esforço em equipe. Todos nestas páginas tiveram uma influência significativa neste livro. Sou profundamente grata a eles.

À equipe do BBEARG

A Ellen Alley, Suzanne Barrall, Cookie Boeker, Ronda Dearing, Linda Duraj, Lauren Emmerson, Margarita Flores, Cydney Ghani, Barrett Guillen, Sarah-Margaret Hamman, Zehra Javed, Jessica Kent, Charles Kiley, Hannah Kimbrough, Bryan Longoria, Murdoch Mackinnon, Madeline Obernesser, Julia Pollack, Tati Reznick, Deanne Rogers, Ashley Brown Ruiz, Teresa Sample, Kathryn Schultz, Anne Stoeber, Tyler Sweeten, Meredith Tompkins e Genia Williams: Continuem sendo corajosos, servindo ao trabalho e se cuidando. Vocês fazem de mim uma pessoa mais corajosa, e eu aprendo com todos vocês, todos os dias. Obrigada. #theworkwedo

A Murdoch: Vamos fazer essa droga!

À equipe da Random House

Ao meu editor, Ben Greenberg: Obrigada por me fazer rir e me ajudar a entender meus pensamentos e minhas palavras. Charlie normalmente não gosta quando eu entro no modo escritora de livros, mas agora ele só quer que você volte a Houston para vocês comerem no Torchy's Tacos e jogarem Fortnite.

À equipe da Random House, Gina Centrello, Susan Kamil, Andy Ward, Molly Turpin, Theresa Zoro, Maria Braeckel, Melissa Sanford, Erin Richards, Leigh Marchant, Jessica Bonet, Benjamin Dreyer, Loren Noveck, Susan Turner, Joe Perez, Sandra Sjursen, Emily DeHuff, Lisa Feuer e Karen Dziekonski: É um grande privilégio trabalhar com uma equipe tão plena. Obrigada.

A Elise Loehnen: Fico profundamente grata pelos seus dons. Sei que é tudo cérebro, esforço e prática, mas você faz parecer que é mágica.

À equipe da William Morris Endeavor

A minha agente e amiga, Jennifer Rudolph Walsh: Obrigada por sempre acreditar. #pickles

A Tracy Fisher e toda a equipe da William Morris Endeavor: Obrigada pela orientação e por todo o trabalho.

À equipe da DesignHaus

A Wendy Hauser, Mike Hauser, Jason Courtney, Daniel Stewart, Kristen Harrelson, Julie Severns, Annica Anderson, Kyle Kennedy: Obrigada pelos confrontos e pela arte. Estou orgulhosa da nossa parceria e do trabalho que fazemos juntos.

A Kristin Enyart: Obrigada por arrasar! Nossa casa é a sua casa.

À equipe de Newman and Newman

Obrigada a Kelli Newman, Linda Tobar, Kurt Lang, Raul Casares, Boyderick Mays, Van Williams, Mitchell Earley, John Lance, Tom Francis e Dorothy Strouhal.

À equipe de casa

Meu amor e meu muito obrigada a Deanne Rogers e David Robinson, Molly May e Chuck Brown, Jacobina Alley, Corky e Jack Crisci, Ashley e Amaya Ruiz; Barrett, Frankie e Gabi Guillen; Jason e Layla Brown, Jen, David, Larkin e Pierce Alley, Shif Berhanu, Negash Berhanu, Margarita Flores e Sarah-Margaret Hamman. A Polly Koch: Sinto sua falta.

A Ashley e Barrett: nunca deixo de agradecer por termos trabalhado juntos todos os dias. Obrigada por rirem comigo e tornar tudo desconfortavelmente real.

A Steve, Ellen e Charlie: Vocês são os meus amores. A Lucy: Você é a minha cachorra esquisita. E o meu amor.

NOTAS

Uma nota de Brené

1. Stan e Jan Berenstain, *Old Hat, New Hat* (Nova York: Random House / Bright and Early Books, 1970).
2. Brené Brown, *A arte da imperfeição: Abandone a pessoa que você acha que deve ser e seja você mesmo* (Ribeirão Preto: Novo Conceito, 2012).
3. Brené Brown, *A coragem de ser imperfeito: Como aceitar a própria vulnerabilidade, vencer a vergonha e ousar ser quem você é* (Rio de Janeiro: Sextante, 2013).
4. Theodore Roosevelt, "Citizenship in a Republic", discurso em Sorbonne, Paris, 23 de abril, 1910.
5. Minha palestra na TEDxHouston: Brené Brown, "The Power of Vulnerability", filmada em junho de 2010 em Houston, TX, TEDxHouston video, 20:13, ted.com/talks/brene_brown_on_vulnerability.
6. Brené Brown, *Mais forte do que nunca: Caia. Levante-se. Tente outra vez* (Rio de Janeiro: Sextante, 2016).
7. Brené Brown, *Braving the Wilderness: The Quest for True Belonging and the Courage to Stand Alone* (Nova York: Random House, 2017).

Introdução: Líderes destemidos e culturas de coragem

1. A fonte original dessa citação é desconhecida, mas em geral é atribuída a Marco Aurélio.
2. Harriet Lerner, *Why Won't You Apologize?: Healing Big Betrayals and Everyday Hurts* (Nova York: Touchstone, 2017).

PARTE UM: ENCARANDO A VULNERABILIDADE
Seção um: O momento e os mitos

1. C. S. Lewis, *Os quatro amores* (Rio de Janeiro: Thomas Nelson Brasil, 2017).
2. Madeleine L'Engle, *Walking on Water: Reflections on Faith and Art* (Colorado Springs: WaterBrook Press, 2001).
3. John T. Cacioppo, "The Lethality of Loneliness (TEDxDesMoines Transcript)", publicado on-line em 9 de setembro, 2013, singjupost.com/john-cacioppo-on-the-lethality-of-loneliness-full-transcript/.
4. John Gottman, "John Gottman on Trust and Betrayal", publicado on-line em 29 de outubro, 2011, greatergood.berkeley.edu/article/item/john_gottman_on_trust_and_betrayal.
5. Charles Duhigg, "What Google Learned from Its Quest to Build the Perfect Team: New Research Reveals Surprising Truths About Why Some Work Groups Thrive and Others Falter", publicado on-line em 25 de fevereiro, 2016, nytimes.com/2016/02/28/magazine/what-google-learned-from-its-quest-to-build-the-perfect-team.html.
6. Amy C. Edmondson, *Teaming: How Organizations Learn, Innovate, and Compete in the Knowledge Economy* (San Francisco: Jossey-Bass, 2012).
7. Kelly Rae Roberts, "What Is and Is Not Okay", publicado on-line em 22 de março, 2009, kellyraeroberts.com/what-is-and-is-not-okay/.

8. Stephen Covey, *Os sete hábitos das pessoas altamente eficazes* (Rio de Janeiro: Best *Seller*, 2005).
9. Amy Poehler, "Ask Amy: Negativity", Amy Poehler's Smart Girls, 2:54, 13 de janeiro, 2013, amysmartgirls.com/ask-amy-negativity-cec8eb81e742.
10. Antonio Damasio, "Self Comes to Mind", video no YouTube, 5:49, 10 de novembro, 2010, youtube.com/watch?v=Aw2yaozi0Gg.

Seção dois: O chamado da coragem

1. Gary Kurtz (produtor) e Irvin Kershner (diretor), *Star Wars: Episódio I — A Ameaça Fantasma*, filme em DVD (San Francisco: Lucasfilm, Ltd. / Century City, CA: 20th Century — Fox Home Entertainment, 1980/2004).
2. *A Joseph Campbell Companion: Reflections on the Art of Living*, editado por John Walter (San Anselmo, CA: Joseph Campbell Foundation, 1991), contém uma passagem que alega-se ter sido dita por Campbell, registrada por sua sócia Diane K. Osbon em seu diário, que expressa de forma mais poética os conceitos que desde então foram condensados nessa citação (embora não tenha uma fonte confiável).
3. Jim Collins, *Empresas feitas para vencer: Por que algumas empresas alcançam a excelência... e outras não* (São Paulo: HSM, 2013).

Seção três: O arsenal

1. Alain Elkann, "Interview with Minouche Shafik", publicado on-line em 1º de abril, 2018, alainelkanninterviews.com/minouche-shafik/.
2. Kevin Feige (produtor) e Ryan Coogler (diretor), *Pantera Negra* (Marvel Studios / Walt Disney Studios, 2018); James Gunn (diretor), *Guardiões da Galáxia* (Marvel Studios / Walt Disney Studios, 2014).
3. Brené Brown. *A arte da imperfeição: Abandone a pessoa que você acha que deve ser e seja você mesmo* (Ribeirão Preto: Novo Conceito, 2012).

4. James Hollis, *Finding Meaning in the Second Half of Life: How to Finally, Really Grow Up* (Nova York: Gotham Books, 2005), 11.
5. James Hollis, *What Matters Most: Living a More Considered Life* (Nova York: Gotham Books, 2008), xiii.
6. Brené Brown. *A coragem de ser imperfeito: Como aceitar a própria vulnerabilidade, vencer a vergonha e ousar ser quem você é* (Rio de Janeiro: Sextante, 2013).
7. Paul L. Hewitt, Gordon L. Flett e Samuel F. Mikail, *Perfectionism: A Relational Approach to Conceptualization, Assessment, and Treatment* (Nova York: Guilford Press, 2017).
8. Globoforce, "Bringing Smiles to Hershey", publicado on-line em agosto, 2016, globoforce.com/wp-content/uploads/2016/08/Hershey-Case-Study_final_8_16.pdf; "Connecting People: How Cisco Used Social Recognition to Transform Its Culture", publicado on-line em julho, 2017, globoforce.com/wp-content/uploads/2017/07/Case-Study_Cisco.pdf; "The Secret to Double Digit Increases in Employee Engagement", publicado on-line em 2012, go.globoforce.com/rs/globoforce/images/exec-brief-double-digit--engagement-increase_na.pdf; "Linking Social Recognition to Retention and Performance at LinkedIn", publicado on-line em 2018, resources.globoforce.com/case-studies/case-study-linkedin.
9. Sandy Smith, "Drug Abuse Costs Employers $81 Billion per Year", *EHS Today*, publicado on-line em 11 de março, 2014, ehstoday.com/health/drug-abuse-costs-employers-81-billion-year; National Council on Alcoholism and Drug Dependence, "Drugs and Alcohol in the Workplace", publicado on-line em 26 de abril, 2015, ncadd.org/about-addiction/addiction-update/drugs-and-alcohol-in-the-workplace.
10. Jennifer Louden, *The Life Organizer: A Woman's Guide to a Mindful Year* (Novato, CA: New World Library, 2007), 43.
11. Ibid., 42.
12. Joan Halifax, *Being with Dying: Cultivating Compassion and Fearlessness in the Presence of Death* (Boston: Shambhala Publications, Inc., 2008), p. 17.

13. C. R. Snyder, *Handbook of Hope: Theory, Measures, and Applications* (San Diego: Academic Press, 2000).
14. Rob Bell, "Despair Is a Spiritual Condition", apresentação na Oprah Winfrey's "The Life You Want" Weekend Tour, várias cidades americanas, 2014.
15. Just Associates, *Making Change Happen: Power; Concepts for Revisioning Power for Justice, Equality and Peace*. Just Associates, 2006, justassociates.org/sites/justassociates.org/files/mch3_2011_final_0.pdf.
16. Ibid., 6.
17. Ken Blanchard, "Catch People Doing Something Right", publicado on-line em 24 de dezembro, 2014, howwelead.org/2014/12/24/catch-people-doing-something-right/.
18. Stuart Brown e Christopher Vaughan, *Play: How It Shapes the Brain, Opens the Imagination, and Invigorates the Soul* (Nova York: Avery / Penguin Group USA, 2009).
19. Ibid., 126.
20. Brené Brown, *Braving the Wilderness: The Quest for True Belonging and the Courage to Stand Alone* (Nova York: Random House, 2017), 40.
21. William Gentry e Center for Creative Leadership, *Be the Boss Everyone Wants to Work For: A Guide for New Leaders* (Oakland: Berrett-Koehler, 2016).
22. Karma Allen, "#Metoo Founder Tells Trevor Noah: Harvey Weinstein Indictment Isn't 'Moment to Celebrate'", publicado on-line em 31 de maio, 2018, abcnews.go.com/US/metoo-founder-tells-trevor-noah-harvey-weinstein-indictment/story?id=55552211.

Seção quatro: Vergonha e empatia

1. Tamara J. Ferguson, Heidi L. Eyre e Michael Ashbaker, "Unwanted Identities: A Key Variable in Shame-Anger Links and Gender Differences in Shame", *Sex Roles* 42, no. 3-4 (2000): 133-57.

2. Naomi I. Eisenberger, Matthew D. Lieberman e Kipling D. Williams, "Does Rejection Hurt? An fMRI Study of Social Exclusion", *Science* 302, nº 5643 (2003): 290-92.
3. Para uma revisão mais completa da literatura sobre vergonha e culpa, ver June Price Tangney e Ronda L. Dearing, *Shame and Guilt: Emotions and Social Behavior* (Nova York: Guilford Press, 2002). Além disso, recomendo Dearing e Tangney, eds., *Shame in the Therapy Hour* (Washington, D.C.: American Psychological Association, 2011).
4. Ronda L. Dearing, Jeffrey Stuewig e June P. Tangney, "On the Importance of Distinguishing Shame from Guilt: Relations to Problematic Alcohol and Drug Use", *Addictive Behaviors* 30, no. 7 (2005): 1392-404; Dearing e Tangney, eds., *Shame in the Therapy Hour*; Jeffrey Stuewig, June P. Tangney, Stephanie Kendall, Johanna B. Folk, Candace Reinsmith Meyer e Ronda L. Dearing, "Children's Proneness to Shame and Guilt Predict Risky and Illegal Behaviors in Young Adulthood" *Child Psychiatry and Human Development* 46 (2014): 217-27; Tangney e Dearing, *Shame and Guilt*.
5. D. C. Klein, "The Humiliation Dynamic: An Overview", *Journal of Primary Prevention* 12 (1991): 93-122.
6. Theresa Wiseman, "Toward a Holistic Conceptualization of Empathy for Nursing Practice", *Advances in Nursing Science* 30, nº 3 (2007): E61-72; Theresa Wiseman, "A Concept Analysis of Empathy", *Journal of Advanced Nursing* 23, no. 6 (1996): 1162-67.
7. Kristin D. Neff, "Self-Compassion: An Alternative Conceptualization of a Healthy Attitude toward Oneself", *Self & Identity* 2, nº 2 (2003): 85-101.
8. Beyoncé Knowles, "Beyoncé in Her Own Words: Her Life, Her Body, Her Heritage", *Vogue*, agosto, 2018.
9. Kristin Neff, "Self-Compassion", self-compassion.org/the-three-elements--of-self-compassion-2/.
10. Brené Brown, "Brené Brown on Empathy", Royal Society for the Encouragement of Arts, Manufactures and Commerce shorts, 2:53, 10 de dezembro, 2013, brenebrown.com/videos/.

11. Kristin Neff, *Autocompaixão: Pare de se torturar e deixe a insegurança para trás* (Teresópolis: Lúcida Letra, 2018).
12. Kristin Neff, "Self-Compassion", self-compassion.org/the-three-elements-of-self-compassion-2/.
13. Kristin Neff, "Self-Compassion", self-compassion.org/the-three-elements-of-self-compassion-2/.
14. Linda M. Hartling, Wendy Rosen, Maureen Walker e Judith V. Jordan, "Shame and Humiliation: From Isolation to Relational Transformation (Work in Progress Nº 88)", Wellesley, MA: Stone Center Working Paper Series, 2000.
15. June Jordan, "Poem for South African Women", lida pela autora na Assembleia Geral das Nações Unidas, 9 de agosto, 1978.

Seção cinco: Curiosidade e confiança fundamentada

1. Mary Slaughter e David Rock, "No Pain, No Brain Gain: Why Learning Demands (a Little) Discomfort", *Fast Company*, publicado on-line em 30 de abril, 2018, fastcompany.com/40560075/no-pain-no-brain-gain-why-learning-demands-a-little-discomfort.
2. Matthias J. Gruber, Bernard D. Gelman e Charan Ranganath, "States of Curiosity Modulate Hippocampus-Dependent Learning Via the Dopaminergic Circuit", *Neuron* 84, nº 2 (2014): 486-96.
3. Ian Leslie, *Curious: The Desire to Know and Why Your Future Depends on It* (Nova York: Basic Books, 2014), xiv.
4. "Se eu tivesse uma hora para resolver um problema..." A fonte original dessa citação é desconhecida, mas em geral é atribuída a Albert Einstein.
5. "Não é que eu seja tão inteligente..." A fonte original dessa citação é desconhecida, mas em geral é atribuída a Albert Einstein.
6. George Loewenstein, "The Psychology of Curiosity: A Review and Reinterpretation", *Psychological Bulletin* 116, no. 1 (1994): 75-98.
7. Loewenstein, "Psychology of Curiosity", 94.

PARTE DOIS: Viver de acordo com nossos valores

1. Kimberly Weisul, "Jim Collins: Good to Great in 10 Steps", *Inc.*, publicado on-line em 7 de maio, 2012, inc.com/kimberly-weisul/jim-collins-good--to-great-in-ten-steps.html.
2. Terry Stafford e Paul Fraser, "Amarillo by Morning" (1973), gravada por George Strait no álbum *Strait from the Heart* (Los Angeles: MCA Records, 1983).
3. Pittman McGehee, "Interview with Dr. J. Pittman McGehee", Consciousness NOW TV, 44:30, 6 de abril, 2016, youtube.com/watch?v=4——2pnDpBOT8.
4. Leonard Cohen, "Hallelujah" (1984), gravada por Leonard Cohen no álbum *Various Positions* (Nova York: Columbia Records, 1984).
5. Brené Brown. *A coragem de ser imperfeito: Como aceitar a própria vulnerabilidade, vencer a vergonha e ousar ser quem você é* (Rio de Janeiro: Sextante, 2013).

PARTE TRÊS: Confrontar para confiar

1. Charles Feltman, *The Thin Book of Trust: An Essential Primer for Building Trust at Work* (Bend, OR: Thin Book Publishing, 2008), 7.
2. Ibid., 8.
3. Stephen M. R. Covey e Douglas R. Conant, "The Connection between Employee Trust and Financial Performance", Harvard Business Review, publicado on-line em 18 de julho, 2016, hbr.org/2016/07/the-connection--between-employee-trust-and-financial-performance.
4. Ibid.
5. Citação de fonte original desconhecida.
6. Maya Angelou, Distinguished Annie Clark Lecture, 16th Annual Families Alive Conference, Weber State University, Ogden, Utah, 8 de maio, 1997.

PARTE QUATRO: Aprender a se levantar

1. Richard Fry, "Millennials Are the Largest Generation in the U.S. Labor Force", *FactTank: News in the Numbers*, publicado on-line em 11 de abril, 2018, pewresearch.org/fact-tank/2018/04/11/millennials-largest-generation-us-labor-force/.
2. Travis Meadows e Steve Moakler, "Riser" (2014), gravada por Dierks Bentley no álbum *Riser* (Nashville: Capital Records Nashville, 2014).
3. J. K. Rowling, *Harry Potter e a Ordem da Fênix* (Rio de Janeiro: Rocco, 2003).
4. J. K. Rowling, "Dolores Umbridge", pottermore.com/writing-by-jk-rowling/dolores-umbridge.
5. Mark Miller, "Tactical Breathing: Control Your Breathing, Control Your Mind", publicado on-line em 14 de abril, 2018, loadoutroom.com/2778/tactical-breathing/.
6. Harriet Lerner, *The Dance of Connection: How to Talk to Someone When You're Mad, Hurt, Scared, Frustrated, Insulted, Betrayed, or Desperate* (Nova York: HarperCollins, 2001).
7. Robert A. Burton, *On Being Certain: Believing You Are Right Even When You're Not* (Nova York: St. Martin's Press, 2008).
8. Robert Burton, "Where Science and Story Meet: We Make Sense of the World through Stories — a Deep Need Rooted in Our Brains", publicado on-line em 22 de abril, 2013, nautil.us/issue/0/the-story-of-nautilus/where-science-and-story-meet.
9. Anne Lamott, *Palavra por palavra: instruções sobre escrever e viver* (Rio de Janeiro: Sextante, 2011).
10. Jonathan Gottschall, *The Storytelling Animal: How Stories Make Us Human* (Nova York: Houghton Mifflin, 2012), 109.
11. Ibid., 110.
12. James W. Pennebaker, *Writing to Heal: A Guided Journal for Recovering from Trauma and Emotional Upheaval* (Wheat Ridge, CO: Center for Journal Therapy, 2004).

13. Margaret Atwood, *Vulgo Grace* (Rio de Janeiro: Rocco, 2017).
14. Gottschall, *Storytelling Animal*, 116.
15. Ibid.
16. Brené Brown, *A arte da imperfeição: Abandone a pessoa que você acha que deve ser e seja você mesmo* (Ribeirão Preto: Novo Conceito, 2012).

Este livro foi composto na tipografia Minion
Pro, em corpo 11/16, e impresso em
papel off-white no Sistema Cameron da
Divisão Gráfica da Distribuidora Record.